428-113

La desesperanza

ALFAGUARA

© 1986, José Donoso
© 1998, Herederos de José Donoso
© De esta edición:
   1998, **Aguilar Chilena de Ediciones, Ltda.**
   Dr. Aníbal Ariztía 1444, Providencia,
   Santiago de Chile

- **Santillana, S.A.**
  Torrelaguna 60, 28043 Madrid, España
- **Aguilar Mexicana de Ediciones S.A. de C.V.**
  Avda.Universidad 767, Colonia del Valle,
  México D.F. 03100
- **Aguilar, Altea, Taurus, Alfaguara, S.A.**
  Beazley 3860, 1437 Buenos Aires, Argentina
- **Editorial Santillana, S.A.**
  Avda. San Felipe 731, Jesús María 11, Lima, Perú
- **Editorial Santillana, S.A. (ROU)**
  Javier de Viana 2350, (11200) Montevideo, Uruguay
- **Santillana S.A.**
  Prócer Carlos Argüello 228, Asunción, Paraguay
- **Santillana de Ediciones S.A.**
  Avda. Arce 2333, entre Rosendo Gutiérrez y Belisario
  Salinas, La Paz, Bolivia

ISBN: 956 - 239 - 049 - 7
Inscripción Nº 104. 717
Impreso en Chile/Printed in Chile
La desesperanza se publicó por primera vez en 1986
Primera edición en Alfaguara: septiembre 1998

Diseño:
Proyecto de Enric Satué
Diseño de cubierta:
Ricardo Alarcón, sobre un fragmento
de *El imperio de la luz,* óleo sobre lienzo
de René Magritte

Esta obra cuenta
con el aporte del

CONSEJO NACIONAL
DEL LIBRO Y LA LECTURA

Índice

José Donoso Yáñez
(1924-1996)
Premio Nacional de Literatura 1990.

Esta edición

La presente edición de *La desesperanza* cuenta con el patrocinio del Consejo Nacional del Libro y la Lectura.

A manera de presentación se incluyen dos artículos que abordan tanto la personalidad literaria de José Donoso como la novela reeditada.

El primero es un texto de Carlos Cerda leído en el homenaje póstumo que la Biblioteca Nacional rindiera a nuestro novelista días después de su fallecimiento. El segundo, la ponencia de Fanny Rubio, escritora y académica española, en el *Coloquio Internacional de Escritores y Académicos* que el Ministerio de Educación y la Universidad de Chile realizaran entre el 5 y el 7 de octubre de 1994, con ocasión del septuagésimo cumpleaños de José Donoso.

Estos textos se complementan con una bibliografía de la obra de nuestro Premio Nacional de Literatura 1990, que contiene la totalidad de sus libros en sus primeras ediciones. Esta bibliografía fue elaborada por el recordado crítico literario Mariano Aguirre.

Donoso sin límites

CARLOS CERDA

Influido por el título de una novela suya que considero perfecta, me fui acostumbrando casi sin advertirlo a la impresión de un Donoso sin límites. Y creo que desde mi primera aproximación hasta la postrera, mi forma personal de ver a José Donoso fue recorriendo las sucesivas fases que iban dando a la expresión sin límites contenidos cada vez más certeros y al mismo tiempo más sorprendentes. Permítanme que hable aquí de ese itinerario personal. El que sintamos a Pepe todavía entre nosotros estimula el recuerdo de instancias más o menos íntimas y hace aún difícil la reflexión crítica, impersonal y académica.

Más realidad, más metáfora

La primera impresión significativa a la que me refiero ocurrió en circunstancias para mi bastante penosas. Yo debía presentar una propuesta para una tesis de doctorado en la Universidad Humboldt de Berlín, en la República Democrática Alemana, y ya se habían cumplido todos los plazos establecidos para hacerlo. Tenía que presentar un proyecto de investigación suficientemente fundado y a la fecha yo tenía claro sólo dos cosas. Una, que a pesar de las sugerencias más o menos insistentes para que escribiera sobre Alejo Carpentier, o Jorge Amado, o Gabriel García Márquez, todos autores muy reputados en nuestro Departamento de Romanística y a los cuales se consideraba de insospechada vocación socialista, yo quería estudiar a un autor chileno o algún tema de nuestra novelística. Dos, que el resultado de mi investigación debía contribuir a una discusión por fin abierta de una serie de preguntas cada día más inquietantes, que se hacían en sordina y que bordeaban una suerte de clandestinidad muy propia de la vida académica de entonces y que se pueden formular así: ¿Cómo los lectores de la RDA, y especialmente los estudiantes de literatura latinoamericana, articulaban su creciente admiración por Cortázar, por Borges, por el propio García Márquez, con ese rígido código de preceptos del llamado realismo socialista?

La dificultad para concebir mi proyecto se transformó de pronto en una calamidad mayor aún, pues la tensión que me producía la ya larga superación de los plazos hizo que una úlcera de adolescente volviera a sangrar. Mis amigos saben que suelo caer en exageraciones. Entré al hospital de la Charité convencido de que podría sobrevivir sólo si cambiaba de rumbos y olvidaba para siempre el doctorado. Al momento de entrar al hospital un amigo que me acompañaba me regaló la primera edición de *Casa de Campo,* recién aparecida en España. Comencé a leerla esa misma mañana, luego de los primeros exámenes, y no pude dejarla hasta muy entrada la noche, y sólo porque era evidente que el extraño bulto en mi cama que de tarde en tarde miraba con desconfianza el enfermero era la flamante edición de *Casa de Campo* y una pequeña lámpara que se aferraba al libro y que me había llevado también este amigo, conocedor de los rigores nocturnos de una sala común.

Recuerdo que mucho antes de terminar la novela tuve ya la certeza absoluta de que había encontrado finalmente la tabla de salvación y que el milagro caído en mis manos resumía los dos propósitos que hasta esa situación tan penosa yo estaba decidido a defender: escribiría mi tesis sobre un autor chileno y lo haría sobre un tema que pusiera el dedo en la llaga. La novela era, desde el punto de vista político, inobjetable incluso para los criterios que prevalecían en el Departamento. Era una recreación literaria del período setenta-setenta y tres que mostraba con minuciosidad los conflictos entre las distintas clases y capas de la sociedad chilena, el tenor de sus reinvindicaciones y temores, sus pánicos reales o imaginarios, los accidentados desplazamientos del poder desde unos sectores a otros, el apocalíptico final de la casa señorial de Marulanda, caída primero en manos de unos extranjeros de patillas coloradas, ahogada luego por una avasallante invasión de vilanos. No cabía duda de que, conforme a la mentalidad de entonces, la interpretación propuesta en la novela era plausible —políticamente correcta, como se dice hoy— y el asunto era plantearse cómo una novela que abandonaba tan ostentosamente los cánones del realismo de corte mimético, la copia o imitación de la realidad real, podía dar cuenta tan perfecta, con tal abundamiento de circunstancias, de una realidad que atrapaba mediante su lenguaje alegórico. Y cómo era posible que esto ocurriera con tanta profundidad y con un punto de vista tan definidamente progresista, para decirlo usando un término muy empleado en esos días.

La úlcera cicatrizó rápidamente pero como debía permanecer en la Charité —una razonable cautela socialista hace que los enfermos salgan sanos de los hospitales y no en ese estado lamentable que aquí se llama convalecencia— escribí en mi involuntario retiro de la Universidad no sólo la fundamentación del tema elegido sino las ideas principales del trabajo que en su versión académica se llamó *Método realista y configuración no mimética en la novela de José Donoso CASA DE CAMPO*. Este alarde de pedantería académica ocultaba una idea bastante simple: el método realista de creación no puede reducirse a un cánon rígido de preceptos formales que impone la imitación de lo real como única forma válida de configuración de la materia narrativa. Visto del otro lado de la mampara, una novela intensionadamente irrealista, fantástica, hiperbólica, en virtud de su potencia metafórica, de su lenguaje poético, puede recrear la realidad desde el símil o la elegoría. Es más: esa realidad así recreada se sustenta en una mirada más profunda, que abarca aspectos mas variados, que nos permite ver lo que no es visible en la mirada cotidiana o ingenua. Había aprendido de Donoso una primera gran lección: la realidad de la ficción es una realidad de otra naturaleza. Si quieres más realidad, tiene que haber más metáfora.

Así, Donoso saltaba por sobre sus propios límites y sobre fronteras que al decir de Fernando Alegría enmarcaron nuestra novela realista durante varias décadas. Y desatendía esos límites no tanto para postular una ruptura definitiva con las formas miméticas de configuración novelesca, sino para crear otro espacio desde el cual innovar. Un espacio lateral si se quiere, tal vez complementario u opcional; en todo caso más libre, más exigente, más poético.

Es de la esencia del trabajo artístico la búsqueda de espacios más variados y más anchos para la expresión del creador. Los límites impuestos por el dogmatismo, y que en nombre de innovaciones revolucionarias termina implantando siempre la censura, es la muerte del arte. Este vive de la diversidad, de la transgresión, del descubrimiento de lo nuevo y de la negación de los límites.

Trabajé en esta tesis entre 1979 y 1982, pero la defensa sólo tuvo lugar el 12 de julio de 1984, el día del natalicio de Neruda. Ese mismo año regresé a Chile y conocí personalmente a José Donoso. Una tarde de septiembre llegué con el mamotreto a su casa de Galvarino Gallardo, llena de flores y de perros; tomamos té por primera vez en el altillo en que conversaríamos muchas horas en los años siguientes; él le sugirió a Ricardo Sabanes la publicación de la tesis doctoral en la nueva colección de Planeta, Biblioteca del Sur. Pero debía ser un libro con nombre cristiano y expurgado de cualquier rimbombancia falsamente académica. *José Donoso: originales y metáforas* fue el título que Pepe me propuso luego de leer el epígrafe, una cita de la Poética de Aristóteles en que se habla de la realidad —los originales— y la metáfora como un lenguaje que permite imitarla.

El ver profundo

La segunda aproximación a José Donoso me develó otra dimensión de su personalidad, otro recurso de Pepe para superar los límites.

Cuando el teatro Ictus le propuso que escribiéramos juntos la versión teatral de su novela *Este Domingo* se inició un período de contacto diario y de conversaciones que tampoco tuvieron fronteras a la hora de abordar las cosas de los libros y de la vida. Descubrí entonces que otro de los límites que parecía desconocer era el que a casi todos nos impone el cansancio. Yo llegaba a su casa todas las tardes a eso de las cinco y conversábamos, discutíamos escenas de la obra y escribíamos hasta cerca de las diez. Eran cinco horas cada día, pero hay que considerar que él ya había estado trabajando en su novela toda la mañana, entre las nueve y las dos, de modo que cuando se sentaba conmigo en el altillo, él llevaba ya sus buenas cinco horas de trabajo en el cuerpo. Súmese a esto el que al día siguiente empezaba la conversación hablándome de lo que había leído la noche anterior.

Esta maratónica potencia creativa tenía su paralelo en la profundidad de sus observaciones, en la rigurosa reflexión acerca de las conductas de sus personajes y en el consistente tejido de ideas que nutría su imaginación creadora.

Recuerdo que promediando la escritura de la versión teatral de *Este Domingo* surgió uno de sus temas recurrentes: las máscaras y las simulaciones. Yo hice una observación acerca de uno de los personajes de la novela, creo que la Chepa Rosas, y usé la expresión máscara en oposición a rostro. «Es que eso está mal», me dijo. «¿Qué está mal?», le pregunté. «Eso del rostro. Lo que hay detrás de la máscara nunca es un rostro. Siempre es otra máscara». «Entonces nos disolvemos en una interminable multiplicación de nuestras inautenticidades», le dije muy sorprendido. «¿Por qué?, me preguntó. La máscara eres tú, y la máscara que hay detrás de la máscara también eres tú, y así sucesivamente y con todas las otras. Y esas máscaras resultan de lo que te enseñaron a querer y a rechazar, y de lo que tú realmente quieres o rechazas, y de aquello que te sirve para defenderte, y de aquello que te sirve para agredir. Y mucho más. Las distintas máscaras son funcionales, las usas porque te sirven para vivir. Yo no sé qué es eso de la autenticidad. Nunca lo he entendido. Lo que sí creo es que la vida humana consiste en un refinado y complejísimo sistema de enmascaramientos y simulaciones. Tienes que defenderte. Esto es a muerte.»

Más adelante entendí que en su concepto la máscara y el simulacro no sólo tenían este carácter funcional o esta función positiva, esta especie de ortopedia imprescindible. También había en el enmascaramiento y la simulación un momento de pura negatividad. Si ponerse la máscara es un acto de impostación, una forma de simular, un ocultamiento, aquello que se oculta es lo que los otros no van a aceptar de tí en ninguna circunstancia, o lo que tu crees que no van a aceptar de tí, que casi siempre es lo mismo que tu no aceptarías de los otros. Entonces visto así, la máscara es adaptación, sumisión, renuncia a la conducta transgresora, capitulación.

Quiero decir que ésta es una de las conversaciones que la partida de Pepe dejó inconclusa. Hablábamos de esto muy frecuentemente y siempre surgía un aspecto nuevo de la cosa, y casi siempre esta nueva mirada resultaba de la observación de la vida misma, de las conductas que no dejaban de sorprenderlo, casi nunca o rara vez de una lectura especializada. Era un juego bastante especulativo, pero era también un desafío a ir más allá de la forma habitual de ver. Todo esto, así lo entendía yo, servía para aducar la mirada a lo no habitual, preparar el ver para esos huecos profundos que la realidad nos muestra como herida, esa herida absurda con que el tango define a la vida. Eso era lo importante, a fin de cuentas. Si lo normal es pensar que detrás de la máscara está el rostro, es decir lo auténtico, el juego que él proponía me obligaba a sacar todas las consecuencias de lo hasta entonces no pensado: que detrás de la máscara haya otra máscara. No estaba postulando ninguna lectura tardía y pedante de algún padre de la psiquiatría. Estaba ejercitándose en un juego que ayudaba a ver distinto, a ver lo otro, a pensar aquello que casi nunca se piensa. Como algunos hacen jogging o aeróbica, él mantenía en ejercicio constante su inteligencia; no le daba tregua, no la dejaba decaer, la estimulaba con el ejercicio del ver profundo.

La mirada y los tupidos velos

Pero este ejercicio del ver profundo, como todo en la vida, puede contener dentro de sí la negatividad, el movimiento de signo contrario, aquello que nos hace huir de la visión. Entramos entonces en el ámbito de la voluntaria ceguera y los tupidos velos que la hacen posible.

Entre los motivos recurrrentes que conforman el universo donosiano, el de los tupidos velos tiene la virtud de ser el que nos conduce de manera más directa a la dimensión trágica de su obra, al tiempo que nos muestra a Donoso orillando una vez más las situaciones límites.

Cubrir la realidad con un tupido velo para no verla e incluso para simular su desaparición, es probablemente el acto más humano y de más larga data que podamos registrar. Ha acompañado al hombre desde siempre, como la embriaguez y la poesía, como el carnaval y la música. Veladuras, enmascaramientos, simulaciónes, son todas respuestas vitales —es decir condicionamientos de la vida humana— para enfrentar lo que ésta tiene de horrible o intolerable. Esta conciencia de una realidad que nos sobrepasa, que no podemos soportar, que no podemos mirar sin correr la suerte de Edipo —arrancarnos los ojos— es el fundamento de la visión trágica del mundo.

En *El nacimiento de la tragedia,* Nietzsche cita a Sileno, exponente del sentimiento trágico por excelencia.

«Una vieja leyenda cuenta que durante mucho tiempo el rey Midas había intentado cazar en el bosque al sabio Sileno, acompañante de Dioniso, sin lograr conseguirlo. Cuando éste por fin cae en sus manos, el rey pregunta qué es lo mejor y más preferible para el hombre. Forzado por el rey, acaba pronunciando estas palabras, en medio de las risas estridentes: "Estirpe miserable de un día, hijos del azar y de la fatiga, ¿por qué me fuerzas a decirte lo que para tí sería más ventajoso no oir? Lo mejor de todo es totalmente inalcanzable para tí: no haber nacido, no ser, ser nada. Y lo mejor en segundo lugar es para tí... morir pronto"»

No haber nacido. No ser. Ser nada. Donoso conoce la atracción de esta negatividad radical. En su excelente ensayo dedicado a la génesis de la nouvelle *Los habitantes de una ruina inconclusa,* María Pilar Donoso nos cuenta que «La obsesión clochardesca de Pepe revive al terminar la gran catarsis de *El obsceno pájaro de la noche.* La tentación que lo lleva ante el abismo que se abre sobre la nada, ante la fuerza de "la otra cara del poder"; el poder de la negación, de no poseer nada, no hacer nada, no pretender nada, no codiciar nada, no envidiar nada...»

George Steiner ha observado con razón que la tragedia es ajena al sentido judeo-cristiano del mundo. Job, quien podría identificarse más cercanamente con una visión trágica propia de esa representación de la realidad, conoce no sólo el padecimiento atroz; finalmente tiene también la experiencia de la justicia y la reparación, y por lo tanto de una vida con sentido.

«Y bendijo Jehova la postrimería de Job más que su principio; porque tuvo catorce mil ovejas y seis mil camellos, y mil yuntas de bueyes, y mil asnos».

Donde hay compensación, dice Steiner, hay justicia y no tragedia. Dios es justo con el hombre. Puede serlo porque es racional. Esta visión del mundo supone un orden en el universo y una capacidad del hombre para comprender la racionalidad de ese orden. «Un mundo que se puede explicar hasta con malas razones es un mundo familiar» nos dice Camus en *El mito de Sísifo.* En la visión trágica, en cambio, todo está entregado a las fuerzas ciegas del azar y del deseo. La suerte del hombre depende de unos dioses que no se dejan guiar por la razón sino por vehementes impulsos que no requieren de justificación alguna. Esta conciencia del sin sentido dominándolo todo es la principal substancia del sentimiento trágico de la vida. A lo largo de la historia el hombre ha ido tendiendo velos que hagan tolerable esta realidad horrible, tupidos velos que incluso cubrieron el sentido primigenio de la tragedia, que en su origen estuvo más cerca de lo orgiástico que de lo artístico, más cerca de Dionisos que de Apolo. Paralelamente y también a lo largo de la historia, el sentido trágico revivió en Hamlet y el rey Lear; en Don Quijote; en Ana Karenina y Madame Bovary, heroínas con proyectos vitales opuestos y que sin embargo terminan imitando el común gesto severo de Yocasta, la suicida; en Josef K, que muere como un perro sin conocer la razón de su sacrificio; en los personajes de Faulkner y de Camus; en todos quienes prefieren ser libres en un mundo sin sentido, antes que someterse a la racionalidad de una visión que otorga en sentido lo que cobra en libertad. Y por supuesto en los personajes de José Donoso, trágicos en el sentido más profundo del término, ya sea que recurran a los velos seculares al entrever el rostro horrible del sin sentido, o que sigan caminando por un mundo vacío de razón con la dignidad y la grandeza de un Edipo, ennoblecidos por el padecimiento y la injusticia de los dioses.

El sentimiento trágico tiene sus raíces en la ausencia de una razón que compense las penurias y ponga orden en el caos que las motiva. En el universo trágico de Donoso sus personajes se instalan en la línea incierta que separa la razón de la caída en el abismo de la locura. Andrés, el protagonista de *Coronación,* padece la amenaza de una demencia cercana que ve anticipada en la insanía de su madre. En *Este domingo* la Chepa Rosas se ve atraída por un extraño imán que la domina: el Maya y sus recaídas en la la mano negra de la sinrazón. La violencia brutal que termina con los despojos del cuerpo ambiguo de la Manuela entre las zarzamoras que bordean el río nos habla de bordes y límites más amenazantes y más profundos cuya transgresión prefigura el infierno, como se advierte en el epígrafe de *El lugar sin límites. El obsceno pájaro de la noche* se sitúa íntegramente en el límite de la razón y de la sinrazón. Los *clochard* que pululan por sus cuentos no son sólo marginados sociales; son ante todo figuras que nos saludan agitando sus harapos desde esa otra orilla a la cual nos aterra acercarnos, tal vez porque la sentimos parte de nuestro horizonte virtual. En *Casa de campo,* novela en la cual se mencionan por primera vez los tupidos velos, una realidad demencial absorve a Marulanda con la fuerza centrípeta y avasallante de un tornado.

Para encontrarnos con estos personajes, para convivir con sus delirios, para recibir las señales que vienen de ese mundo imaginario que nos permite descubrir y develar nuestra extraña realidad, es preciso aventurarse en una relación más profunda con la literatura, un juego más provocativo, una entrega que estimule todas las secreciones de la conciencia y se deleite en los jugos de la pasión y del peligro. A la lectura psicológica a la que nos han habituado hay que oponer la lectura filosófica; a la mirada que busca definir las conductas —es decir, el cómo— hay que oponer la mirada que no descansa hasta descubrir el qué, la condición humana. Esa condición trágica en la que nos reconocemos y en la que confirmamos nuestra irreductible humanidad, más allá de las veladuras y los enmascaramientos, gracias a creadores como José Donoso. Gracias al velo de Maya, el velo del arte del que nos habla Nietzsche. El único que nos permite mirar la realidad cara a cara y tolerar el rostro verdadero de la vida.

¡A los setenta, quién habla de límites!

Setenta son los años del hombre, dictamina nuestro queridísimo y genial Gonzalo Rojas en el verso primero de un poema, y habría que apostar a esta sabiduría que llega desde tan alto y leer el poema entendiendo que esos años del hombre son años de esplendor, atendida la propia vitalidad del poeta y la que también tenía Pepe al cumplirlos.

En los meses cercanos a su septuagésimo cumpleaños José Donoso había vivido desafiando los límites. Sobrevivió a un maratónico homenaje realizado en Santiago y con una destacada presencia internacional de escritores y académicos; a una recaída grave de una antigua dolencia, ocurrida en Barcelona cuando partía ya hacia Madrid a recibir el reconocimiento de España; y a la no menos limítrofe negociación que concluyó en la mudanza a su nueva casa editorial —Alfaguara— del conjunto de su obra y, por supuesto, sus últimos libros.

Este hombre que ya había cumplido los setenta años y que vivía entrando y saliendo de la clínica, escribió en menos de un lustro cuatro libros de distinto género e idéntica rigurosidad. *Dónde van a morir los elefantes,* una de sus novelas más imaginativas y en su versión inicial la más extensa; *Conjeturas sobre la memoria de mi tribu,* sus memorias, expurgadas en más de noventa páginas por una censura familiar que acató; *Artículos de incierta necesidad,* recopilación de crónicas y ensayos periodísticos compilados por Cecilia García Huidobro y *El Mocho,* su novela póstuma que aparecerá próximamente en España y en abril en nuestro país. Recuerdo que lo entrevisté sobre *Donde van a morir los elefantes* para el suplemento cultural del diario *La Jornada* de México, que dirige nuestro común amigo Juan Villoro. Era una tarde cálida pero ya con anuncios otoñales en el jardín de al lado, que vemos desde el altillo en que Donoso trabaja entre doce y quince horas diarias, esa otra forma de seguir desafiando los límites. Fué la penúltima conversación larga, de varias horas. La última tuvo lugar también en el altillo y fué una suerte de despedida a la que asistió un testigo periodístico, nuestra amiga Mónica González de la revista *Cosas*. Es cierto que nos costaba hilar la conversación pues la sordera de Pepe se había agravado. Al final de este diálogo dijo que lo grave de la sordera es que los amigos se iban alejando y él se iba quedando solo. Lo grave, pensé entonces, es que empezaba a morir esta conversación. Sobre ese sentimiento escribí para la revista *Qué Pasa*. Permítanme terminar las palabras de esta noche con el párrafo final de ese artículo.

«Conversar es el acto más humano y al mismo tiempo más mágico que existe. Cada conversación es una llamada de nuestra inteligencia y de nuestra sensibilidad que se apaga con el silencio y sólo revive cuando el habla se reanuda. Cada conversación es única, porque activa ideas y deseos que sólo en ese instante están maduros y tienen pleno sentido sólo para esos interlocutores. Los amigos lo son porque van aprendiendo cuál es el sustrato común de experiencias que pueden enriquecer conversando. En rigor, aunque nos refiramos a lo mismo, nunca hablamos de lo mismo con amigos diferentes. El habla nace y crece en ese diálogo que va abriendo caminos que sólo esos conversadores pueden transitar. Cuando se pierde al interlocutor —en el caso de José Donoso un interlocutor enorme, culto, sensible, provocativo, generoso— el silencio cae sobre el camino ya imposible, ese camino que nunca más será transitado. Es una pérdida que no tiene remedio. Por eso ese domingo, apenas volví del pequeño cementerio vecino a la eternidad del mar, estuve esperando que sonara el teléfono, sin saber que aquello que esperaba era esa chispa que encendía ideas sólo en ciertos momentos y con un determinado interlocutor. Lo perdido, perdido. Tu me enseñaste que la vida es pérdida. Las ideas que había probablemente en mí y que tú activabas, ya no serán. Por eso, si tú te apagas, se apaga también una parte de mí mismo. Y una parte de todos tus amigos conversadores. Tus libros están aquí, muy cerca; puedo leerlos siempre, puedo tomar uno esta noche, ponerlo en el velador y prepararme a escuchar de nuevo tu voz. Pero esas otras palabras, las que me decías en un restaurant de Buenos Aires, en una calle de Cádiz olorosa a naranjos, en el famoso altillo, en la clínica o comiendo en nuestras casas, son palabras distintas. Y sobre todo las que llegaban desde el teléfono, puntualmente, siempre el domingo en la noche. Ese lugar sin límites que no era para mí el infierno de Marlowe, sino el espacio infinito del habla en el que nos encontrábamos. Esas palabras que sólo oíamos tú y yo. Esas palabras que extrañan una continuación que ya no es posible, ese aliento al que me aferro tratando de oírlas nuevamente, porque sin ellas, desde hoy y para siempre, me va a faltar algo en el aire.»

La desesperanza, novela de Santiago

FANNY RUBIO

La desesperanza es la primera novela escrita por José Donoso en Chile tras su regreso. Se había publicado en Barcelona *El jardín de al lado,* y tras un lustro de silencio, aparece este personaje, Mañungo Vera, que abre la novela escuchando los rugidos del león del zoológico, que tiene un doble en la casa de La Chascona, de Neruda: un doble de felpa. Mañungo retorna al país y a Santiago luego de trece años de silencio, silencio casi absoluto, —habida cuenta que, como escribe Donoso, los chilenos son pésimos corresponsales—, el día de la muerte de Matilde de Neruda. Los amigos están reunidos en La Chascona. La famosa Fundación Neruda quedará allí, como patrimonio de esa pareja de difuntos ilustres. Y como metáfora del patrimonio cultural de una izquierda chilena ante sus herederos morales, y los no menos próximos y amenazantes manipuladores de distintos signos.

Estos personajes que aparecen en *La desesperanza* son de sobra conocidos por los lectores y fácilmente identificables por los contemporáneos chilenos en su también probable plano histórico referencial, por lo tanto paso por encima de ellos. Mañungo Vera ya ha sido presentado aquí, viejo cantante de guitarra, sexo y metralleta, de edad mediana, con un pasado. Un hombre que ha sido un artista, un hombre que se pregunta por su identidad —otra vez, uno de los temas frecuentes en Donoso— quién soy yo, qué pinto aquí, qué hago, a qué vengo, justo ese día después de tantos años de ausencia.

Judith Torres, su pareja en esa noche de amor y

de miedo, víctima de la represión, aparece retratada como la santa laica de la izquierda, de rubia belleza equina, una Judith con quien Mañungo reanudará un diálogo político-amoroso en un paseo a todas luces romántico por una ciudad. Y esa noche van a aparecer los recuerdos de Mañungo en la ciudad de Santiago. Del papel adjudicado por el autor a Judith, no cabe duda: es la anfitriona de Mañungo, es la anfitriona de Lopito, es un personaje incomprendido y compadecido, a la par que admirado dentro de un territorio de desmoronamiento humano en cuya estructura terminan por desaguar, hablando del tubo digestivo, los represores, las víctimas, Lopito, la fealdad, la mugre, la desesperación.

Así, Mañungo decía: «Cuántos minutos crees tú que duraría nuestra conversación sin que se politizara?»

Están totalmente colonizados por el discurso político, condenados al discurso político. Judith es una incomprendida, es este personaje que enlaza muy bien con las grandes incomprendidas de la novela del siglo XIX, la gran novela realista del siglo XIX. «Quién entiende a Jú», dice Lisboa, el funcionario político, y recuerda cuando la Jú se salió del partido. Con Mañungo, Lopito y Judith, y los que se quedaron, Donoso edifica el edificio de *La desesperanza*.

Estoy de acuerdo en que esta es una novela de ciudad y terminaré precisamente con este pensamiento.

Con Mañungo y Judith, Donoso escribe treinta y ocho tramos de texto a recorrer en un avance minucioso, aterrorizado, amoroso y violento por la ciudad y sus fantasmas flotantes dentro de un caldo de cultivo de rencor, de sueño, nostalgia y política. Con ellos, Fausta Maquileo, personaje ejemplar, que «prestigiaba» la literatura chilena, aunque la literatura no pesara gran cosa en la vida nacional —se dice con bastante ironía—. Don Celedonio Villanueva, el ilustrado, más próximo a

los muertos, a los que se han ido, ilustre que saca un puro que no encendió para saborearlo y que reserva para
encenderlo entre los amigos; con Lisboa, el funcionario;
la chiquilla Adaluz, la entrometida; el influyente Federico Folch; los muchachos de camiseta roja, los niños, los
presentes y los invisibles. Matilde, misteriosamente, se-
ñala el fin del mundo. Visión apocalíptica dentro de estas páginas de *La desesperanza*.

La primera hipótesis de un lector elemental —yo
he querido ser lectora elemental, porque no he podido
con *La desesperanza*, *La desesperanza* me ha podido a mí,
he sido vencida por esta novela, no la he podido conquistar— es que nos hayamos ante una novela de corte realista, una novela-crónica. No hay sospechas apriorística-
mente en contra, primero porque en *La desesperanza* se
piensa en la política desde dentro de sus personajes, «cierto vitalismo esquemático de la Jota, que más que su propia verdad encarnaba el anhelo de ordenarse desde afuera
por la incapacidad de ordenarse desde dentro», como se
dice en la novela, es decir que hay personajes que repre-
sentan distintos niveles de conciencia y encarnan un papel social, un papel histórico, un papel político.

Segundo, porque desde el punto de vista histórico, es —como diría Foucault— el hombre en sociedad, como figura y como forma viva, el que interesa. Ese
Mañungo que llega al encuentro de lo que fue, y los que
siguen siendo, los que no se han ido y eran los suyos.

Tercero, por la confrontación con la realidad histórica chilena, y eso inevitablemente tiene que desembo-
car en un arte aparentemente realista, puesto que el artista
y sus personajes continuamente nos remiten al plano de
lo histórico. No obstante, la novedad en esta obra de Donoso es que el plano de lo real-histórico no está reñido
con el plano de lo real-imaginario, y es en este cruce, en el
plano de lo real-histórico con el de lo real-imaginario,

donde sitúa el autor su taller literario, su observatorio de escritor. En este ángulo histórico-imaginario, Donoso descubre de nuevo sus constantes, como la alegoría, que estaba en *Casa de campo,* donde hay alegorías políticas que narran el Golpe y que desconstruyen la ideología del poder mediante el manejo metafórico de tópicos sociológicos, como la familia aristocrática.

En este libro también están los procedimientos alegóricos y él, Donoso, que era escritor «de» obsesiones y no «con» obsesiones, como han dicho sus críticos, vuelve a sus recursos en *La desesperanza.* A este respecto, deberíamos considerar el ensanchamiento al máximo del contexto de la realidad que se efectúa aquí. Yo no estaría tan de acuerdo con la idea de subnovela, de género novelístico, desde el punto de vista de la novela histórica. Donoso dijo que *El obsceno pájaro de la noche* era una novela laberíntica, esquizofrénica, donde los planos de la realidad y la irrealidad, del sueño y la vigilia, lo onírico y lo fantástico, lo vivido y lo por vivir se mezclaban y entretejían, y yo pienso que eso sucede aquí también.

En *La desesperanza,* Donoso narra su mundo de los años 80 en Chile, en Santiago, en la confrontación de su personaje, el artista Mañungo, con el mundo de los otros: los amigos, los testigos, también los enemigos, y los animales... Esa escena tremenda de los perros, esa procesión de perros en la noche, esa perra muerta que se abraza a Judith, es esa maternidad frustrada de alguna forma también, ese quebranto de lo biológico, donde también cabe lo animal. Esos niños, esa Marilú, ese Lopito, ese Jean Paul, el hijo que habla francés, donde se rompe ese hilo natural de que el hijo hable la misma lengua del padre... Todos ellos están invitados a la gran fiesta de los muertos vivientes, que es el día del velatorio, curiosa y anecdóticamente, cuando tiene lugar el paseo nocturno y se desemboca en la mañana del entierro de Matilde Urrutia.

Ahí también está el invisible Neruda. Neruda está muy presente en la obra, a través del inventario que don Celedonio hace de su biblioteca. Es toda una página de crítica literaria, patrimonial, es un testamento literario lo que hay en los fondos bibliográficos de esa casa y del futuro programa de la Fundación, de los que se habla minuciosamente. Cuando con ironía se dice que Neruda es «el de la justa correspondencia conservada», que no es un fanático de las epístolas. En ese amplio concepto de lo real-histórico, y de lo real-imaginario, Donoso introduce fantasmagorías auditivas: el oído es protagonista. Mañungo tiene oído, no voz. Mañungo calla para oír. Y, aquí la paradoja que conoce por su propia oreja, es el rumor del océano rompiendo que los isleños de Chiloé llaman «la voz de la vieja», ese ronquido que vaticinaba el cambio. Con apariencia de disgresión habla en el capítulo 23 de esa lancha que cruzaba una vez por semana, a veces dos, el lago, el sonido de la vieja, el lago y la bruja, doña Petronila, que aporta elementos mágicos al hipotético retorno de Mañungo Vera.

Es curioso que casi cien páginas centrales ocupen simbólicamente el segundo apartado de la novela, también que el compañero sea la noche, como espacio de dilatación de la culpa del protagonista. «Un débil», dice Mañungo Vera. «Eso decían de mí porque me quedé mucho en un escenario, pero sobre todo, porque me psicoanalizaba y rehuía las reuniones optimistas y esperanzadas a pesar de todo, y desterré mi guitarra como metralleta. Quería mi derecho a echarme a morir».

«¿Qué pretendía yo haciéndome pasar por un mártir?». Una culpa que oscurece más aún el futuro de Mañungo Vera. Y luego la pregunta: «¿Esperar qué? La respuesta a la voz de vieja esfinge vestida de negro que desde lejos se acercaba por la playa de rompientes que estremecía el suelo».

Voy a terminar diciendo que en *La desesperanza* he creído ver que Mañungo busca al otro y a la otra con la mirada suspendida, y en esa búsqueda, donde también se suspende el tiempo, como muy bien afirma Saramago, en esa búsqueda aparece lo social y lo mágico que hay en sí mismo, porque a quien Mañungo busca no es a los demás, en el retorno a Santiago, sino a sí mismo. La parte que fue sustraída de él y que transmite a través de los otros para explicarse a sí mismo en una mezcla de luminosidad y timidez, porque Chile pasó de moda con los años. Él, como artista, lo sabe; como artista que ha vivido en Europa durante trece años. En esos años, él ha podido hacerse un pequeño burgués; pero también un traidor, palabra que cuenta en la novela, para justificar su culpa.

Y con relación a la ciudad: en efecto, *La desesperanza* es la novela de la ciudad. Está La Chascona, siempre hay una casa, pero es la novela de la ciudad en la noche y está vista a través de la mirada de un poeta, no de la mirada de un novelista. Creo que me pueden permitir esta herejía, esta disgresión. Es la mirada poética de la ciudad en la noche y, justamente por eso, la ciudad se manifiesta de una manera muy particular. No estamos ante la soledad del hombre en la ciudad, de un Werther o un Larra, por poner ejemplos excesivamente conocidos. Ni estamos sobre la ciudad mirada desde arriba, propia del novelista del siglo XIX. Ni en la visión de la tierra removida de Dámaso Alonso, en el poema «Los hijos de la ira». Ni tampoco se habla de la ciudad como lo haría una poetisa que necesita conquistar primero la ciudad antes de reconciliarse con ella. No, Donoso escribe contra la ciudad, por presencia y por ausencia. Escribe y muestra su actitud con relación a la ciudad en la noche, porque la ciudad es el poder, pero él lo resuelve perfectamente, haciendo de ella el lugar de la transgresión.

La ciudad de Santiago en *La desesperanza* es un espacio para la vertebración de las palabras. Es la ciudad de la lengua, del diálogo, de las conversaciones. Es el espacio de la contemplación y del terror. También el espacio del ensueño, y en la ciudad está Mañungo, el artista, es decir, el escritor, su doble, como piedra de escándalo, como vértigo, como quien nombra la pasión o como el que intenta suprimir las diferencias entre él y la ciudad. Y esta mirada desde el punto de vista poético, alrededor de la muerte de lo que quedaba de Neruda, el poeta contemporáneo más considerado dentro y fuera de Chile.

El tema de la ciudad no es nuevo. Desde el punto de vista poético tenemos ejemplos —Apollinaire, T.S Eliot, Paz— de la relación del hombre con la ciudad, pero en este caso concreto, la ciudad son los otros y al conversar con ellos, Mañungo, el artista, es decir el doble de Donoso, conversa con la ciudad, se reconcilia con ella, después de haber establecido una lucha con la ciudad, y en esa relación vemos su actitud ante lo que le rodea. En primer lugar, en la actitud del lenguaje y en la subversión del lenguaje, se revela también la actitud del escritor ante la realidad, es decir, estamos ante una novela itinerante, donde cabe un sueño de reencarnación en el espacio urbano como una reconciliación con la ciudad.

No son tiempo de conmemoraciones en la urbe. Ni son tiempos de repetir las escenas del hombre en la ciudad de manera festiva, aunque haya un conato de fiesta al final. Tampoco es hora de reproducir la fascinación por la ciudad. No se está hablando de la ciudad bella, no: se está creando una nueva estructura en el diálogo con la ciudad hasta lograr internalizarla, y hacer de ella la voz de quien la vive, es decir Donoso luchando contra la ciudad. Y paseando por la ciudad en la noche ha fundado la ciudad. Vuelve a fundar la ciudad elevando como oda fundacional el único patrimonio con el

que cuenta, que es la fealdad inocente de esa niña, Lopito, único patrimonio inocente y víctima que posee la
ciudad, es decir una niña «orfeisada» y reintegrada, por
tanto, a la memoria colectiva, a la fealdad de la ciudad, a
la complejidad del lector, que es, en definitiva, quien la
hace posible.

Libros de José Donoso*

Veraneo y otros cuentos. Santiago, Editorial Universitaria, 1955, 117 p.

Dos cuentos. Santiago, Editorial Guardia Vieja, 1956, 47 p.

Coronación. Santiago, Editorial Nascimento, 1957, 300 p.

El charlestón. Santiago, Editorial Nascimento, 1960, 165 p.

Los mejores cuentos de José Donoso. Prólogo, datos bibliográficos y selección de Luis Domínguez. Santiago, Editorial Zig-Zag, 1966, 192 p.

Este domingo. Santiago, Editorial Zig-Zag, 1966, 212 p.

El obsceno pájaro de la noche. Barcelona, Editorial Seix Barral, 1970, 543 p.

El lugar sin límites. México, Editorial Joaquín Mortiz, 1971, 140 p.

Cuentos. Prólogo de Ana Moix. Barcelona, Editorial Seix Barral, 1971, 284 p.

Historia personal del «boom». Barcelona, Editorial Anagrama, 1972, 125 p. Segunda edición con apéndice del autor y «El 'boom' domestico» por María Pilar Serrano. Barcelona, Editorial Seix Barral, 1983, 161 p.

Tres novelitas burguesas. Barcelona, Editorial Seix Barral, 1973, 274 p.

Casa de campo. Barcelona, Editorial Seix Barral, 1978, 498 p.

La misteriosa desaparición de la marquesita de Loria. Barcelona, Editorial Seix Barral, 1980, 198 p.

Poemas de un novelista. Santiago, Ediciones Ganymedes, 1981, 94 p.

El jardín de al lado. Barcelona, Editorial Seix Barral, 1981, 264 p.

Cuatro para Delfina. Barcelona, Editorial Seix Barral, 1982, 268 p.

Sueños de mala muerte. (teatro, en colaboración con el Ictus). Santiago, Editorial Universitaria, 1985, 144 p.

La desesperanza. Barcelona, Editorial Seix Barral, 1986, 329 p.

Taratuta. Naturaleza muerta con cachimba. Santiago, Mondadori, 1990, 159 p.

Este domingo (versión teatral), con Carlos Cerda. Santiago, Editorial Andrés Bello, 1990, 156 p.

El lugar sin límites. El obsceno pájaro de la noche. Prólogo, cronología y bibliografía de Hugo Achugar. Caracas, Biblioteca Ayacucho, 1990, XXXV, 400 p.

Donde van a morir los elefantes. Buenos Aires, Alfaguara, 1995, 337 p.

Conjeturas sobre la memoria de mi tribu. Santiago, Alfaguara, 1996, 284 p.

Nueve novelas breves (1972-1989). Santiago, Alfaguara, 1996, 606 p. Reúne Tres novelitas burguesas, Cuatro para Delfina, Taratuta y Naturaleza muerta con cachimba.

El Mocho. Santiago, Alfaguara, 1997, 193 p.

Artículos de incierta necesidad. En preparación por Editorial Alfaguara.

---

* Salvo en casos excepcionales, sólo se registran primeras ediciones.

José Donoso

La desesperanza

Para mi hija Pilar

Primera parte

El crepúsculo

1

Mañungo Vera se preguntaba si Pablo Neruda eligió vivir en el faldeo sur del cerro San Cristóbal para oír los rugidos de *Carlitos,* el león del zoológico. Característico suyo, este motivo para elección de residencia, se dijo, cumplimiento de quién sabe qué anhelos infantiles, de esos que solían animar con un asalto poético tantas de sus acciones cotidianas. En el taxi que lo llevaba a la casa que fue del vate, Mañungo no lograba deshacerse de esta ocurrencia, actualizando con la tristeza de la circunstancia presente las veladas en el saloncito de la embajada en París, hacía años, cuando lo escuchaba dirimir las sutilezas de la proyectada edición de La Pléiade que su traductor discutía con don Celedonio Villanueva.

Despaturrado cerca de los pies del poeta, un gran león de peluche, inútil y lujoso, comprado en una juguetería parisina, toleraba la peineta con que Matilde, arrodillada junto a la bestia apócrifa, le batía la melena para dotarla de un estilo similar al de la suya, del mismo tono cobrizo. Es probable que recordara a su lastimoso vecino enjaulado en la ladera del cerro santiaguino, ese compatriota nacido en el circo más pobre de Iquique, hijo de un enclenque león boliviano que vio la luz en cautiverio a muchas millas y generaciones de su parentela selvática. Decían las malas lenguas que al compañero *Carlitos* le faltaban casi todos los dientes, que sufría de mal aliento y de *spleen,* y que sus achaques lo incapacitaban hasta para asustar a los niños que con la boca untada de algodón de dulce se burlaban de él porque no rugía más que en la noche y de miedo: un león de porquería, en suma. Pero era nuestro león y el país no disponía de medios para comprar uno mejor. Pablo y Matilde, más de alguna vez en sus noches conyugales, debían haber despertado desde el fondo de su abrazo con el lamento adenoidal de la desgraciada bestia.

Desde el taxi Mañungo escuchó ese saldo de cuerdas vocales estropeadas, resonancia congruente con un chicle de felpa pero no con una fiera. Entrando a Bellavista le bastó oír las cacofonías del carnívoro para saber que su taxi se acercaba a la casa de Pablo y Matilde: el barrio, sin embargo, recién emperifollado con boutiques y restorancitos, iba sufriendo un paralelo desvarío de tráfico, semáforos inútiles, calles de dirección variable o en un solo sentido o cortadas, que tenían perplejo al taxista, incapaz de encontrar el callejón de Neruda.

—Preguntemos... —propuso Mañungo.

El chofer iba a parar frente a un mendigo cortado de la cintura para abajo, un cuchepo con el calañés torcido sobre un ojo, que desde encima de su patín pedía limosna. Mañungo indicó, un poco más allá, la figura sin duda más efectiva de una púber de minifalda que sorbía la anilina venenosamente lila de un chupete de helado: en Chiloé los chupetes color lila eran de falsa canela, creyó recordar de su infancia, y asomando su cabeza por la ventanilla le gritó:

—¿Por dónde se va a la casa de Pab...?

Antes que terminara la pregunta, la interpelada, extendiendo la mano con el chupete lila, señaló en dirección del cerro:

—Segunda a la derecha, primera al fondo y gira —dijo, y sorbió su envidiable golosina.

—Gracias.

Mañungo dedujo que lo instantáneo de la respuesta se debía a que todos, esta tarde, estarían haciéndosela. ¿Cómo se llega a la casa de Neruda? Innumerables vehículos se enredaban en las callejuelas y ella se divertía dirigiendo a los afuerinos. Además, pensó Mañungo, la púber lo había reconocido. Aun en París, hasta dos o tres años atrás —aquí seguramente seguiría sucediéndole—, era frecuente que lo reconocieran en la calle, sobre todo los adolescentes y universitarios. Este intercambio entre él y la muchachita, sin embargo, fue demasiado breve para que lo identificara, aunque por su barba y su pelo largo —que, *hélas!*, comenzaba a retirársele de la frente—, era fácil clasificarlo entre los marginales más o menos artísticos de un post-hippismo que él sabía ya extinto en Europa. Aquí, los desdeñosos bienpensantes lo incluirían en la llamada «onda lana», catalogándolo entre los inofensivos cultores epigonales de las artesanías, los expertos en ovnis y religiones exóticas, macrobióticos, marihuaneros y eclécticos sexuales. Los más jóvenes —y los más viejos— no comprendían este código de la disconformidad, sensibles sólo a la semiótica del amanerado atuendo. Pero muchos de la generación de Mañungo Vera siguieron luciendo ese sello rabioso porque sus conciencias habían nacido con un *ethos* rebelde. Él conservaba estas insignias no sólo por fidelidad a su propia historia sino porque formaba parte de su imagen pública, y su agente le imponía seguir explotándolas pese a que a los treinta y cuatro años se consideraba demasiado maduro para atavíos que gustoso hubiera atenuado.

La chiquilla a quien le preguntó el camino para entrar al callejón de la casa donde estaban velando los restos de Matilde —leyó la noticia en el trayecto desde el Air France de las seis hasta el Holiday Inn; instaló a su hijito en el hotel con su equipaje, y pese a su llantina siguió camino en el mismo taxi— seguramente lo identificó así, genéricamente, antes de reconocerlo. Pero cuando el taxi siguió la indicación de la baqueana no pudo resistirse a mirarla por la ventanilla trasera. No, mirarla no: lo que hizo fue más bien mostrarle su cara para que siquiera alguien lo reconociera a su llegada a Chile después de trece años de ausencia. La adolescente se había quedado observándolo. Al ver por segunda vez su champa bravía y su barba negra, sus anteojitos diminutos, sus dientes insinuados al centro de su sonrisa un poquito de liebre, recortado en el vidrio trasero como en un póster —¿cómo no reconocer al ídolo, por sus cassettes, por sus long-play, por los festivales y la insistencia azucarada de las revistas del corazón?— se le iluminó la cara, e incrédula le agitó la mano desde la esquina, afligida, sin duda, por no haber aprovechado la oportunidad de pedirle un autógrafo. Cuando la perdió de vista, derecho otra vez en su asiento, oyó a *Carlitos* emitiendo un rugido de reconocimiento para anunciar que Mañungo Vera regresaba de París a velar los restos de Matilde en la casa donde en otro tiempo lo invitaban no solo para que cantara sino porque les complacía su presencia.

No era, por cierto, el mejor programa para el primer día de su regreso. Sobre todo porque regresaba a su país idiotamente, sin tener para qué, en la hora recién estrangulada por el nuevo estado de sitio. Dirigirse inmediatamente a la casa de Pablo era la única ruta clara que se le presentaba: la ruta de la gratitud, de la admiración y del recuerdo. Si al llegar no se hubiera encontrado con esta dolorosa noticia que trazaba un itinerario para sus horas inmediatas, ¿qué hubiera hecho? ¿A quién hubiera visto? ¿Dónde hubiera ido y qué pasos dado? Se imaginó abriendo sus maletas solo, como tantas veces en los hoteles donde lo llevaban sus recitales, mientras Jean-Paul prendía la televisión. Después hojearía los periódicos por si sus ojos tropezaban con algún nombre familiar, hasta por fin ponerse en contacto con su engominado representante, que era el programa más depresivo que podía concebir. No le quedaban amigos después de trece años: los chilenos eran pésimos corresponsales, y él, el peor de todos. ¿Y si saliera a pasear con Juan Pablo en la avenida Providencia por si lograba reconocer alguna cara? ¿Si llamara por teléfono a su padre, arrancarlo de sus potreros de Curaco de Vélez para atraerlo a la central del pueblo y asegurarle que pronto viajaría a la isla a pasar una temporada con él para que conociera a su nieto francés? ¿O atreverse a más aunque el viejo no comprendiera, mostrándole de sopetón todos sus desgarrones, que para eso era su padre, anticipándole las desmadejadas sensaciones que lo traían de vuelta, para que así, cuando lo abrazara por fin, pudiera darle alguna forma a su indeterminación?

En el fondo, lo más fácil hubiera sido prevenir a su representante para que le tendiera una red de conferencias de prensa y festejos, protegiéndolo con ese ritual de su precipitación en la soledad. Pero el menester de despedir a la que desde la mañana de hoy era sólo un cuerpo deshabitado definía para sus horas inmediatas los puntos cardinales de su corazón.

Una respetuosa amistad de muchos años lo había unido con los Neruda, protectores —¿descubridores?— suyos desde Chile, luego patrocinadores en París cuando el poeta fue embajador. Mañungo puso música a varios de sus poemas y los cantó: su long-play nerudiano, *Cancionero para poetas guerrilleros,* disco de oro en Francia, fue en su tiempo el mayor triunfo de un cantante latinoamericano en Europa. Ahora último oía rumores que su conciencia prefería escamotear, acerca de cierto mal que estaba matando a Matilde. Regresar por casualidad la tarde de su deceso y asistir a su funeral que el vespertino anunciaba para mañana, en cierto modo era una justificación del atropellamiento de su viaje.

A medida que se acercaba a la casa de la ladera del cerro oía rugir más y más al león de felpa. ¿O lo oía ronronear satisfecho, tumbado en la alfombra, mientras Matilde, con una peineta verde adquirida para este pasatiempo, le esponjaba la melena chascona como la suya? Supuso que Matilde, igual que él, probablemente compartía sólo en parte el interés por los pormenores literarios de la discusión del traductor con don Celedonio, que con su puro y su bastón de empuñadura de oro y sus elegantes decenios en París era el compañero preferido de Neruda no sólo para frecuentar a libreros de viejo, sino para revolver los caldos de un rutilante París pretérito que protagonizaron junto a Juan Gris, Huidobro y Juan Emar: deslumbrante cháchara para Mañungo con tanto que aprender, sobre todo la lección de que la nostalgia no tiene por qué ser murtuoria sino regocijada, si, como este par de cómplices, se vivió el pasado en forma tan completa que nada quedó afuera para deplorar. Tal o cual café ya no existe..., docenas de contertulios muertos comentados sin eufemismos, aunque don Celedonio sufría los achaques propios de su gran edad y Pablo estaba aquejado de un triste tinte gris del que era mejor no mencionar aunque se lo veía salir hacia ciertas clínicas antes del desayuno. Ni la risa de Matilde y la generosidad de su mesa, ni las bromas surrealistas de don Celedonio, ni la esperanza en la política de la UP o de Cuba parecían pronosticar otros peligros que los divulgados peligros de nuestro torturado tiempo. Matilde era para Mañungo el presente eternizado en el canto del amor y la materia: ahora iba a enfrentarse con un objeto que fue esa mujer, para muchos dura —aunque no para él, que también conocía los rigores campesinos—, pero capaz de trazar un círculo de reserva alrededor de los incongruentes módulos que configuraron la grandeza del poeta.

2

Había llegado el momento para Mañungo Vera de transformarse en otro. No utilizando las viejas artes de la hechicería para convertirse en búho que de noche agita sus alas presagiosas junto al campanario de tejuelas, o en sabandija que muerde el talón del que huye de clamores imprecisos al caer el sol, sino por medio de un cambio voluntario de las circunstancias que habían llegado a hacer engañosos sus propios contornos, como el perezoso fluir de la niebla que disfraza a una isla de cerro, a un lago de mar, de río, de buque, a una lancha de vaca o de jeep, coagulándose en lluvia negra que borra los caseríos durante semanas y semanas. Hacer un viaje no cuesta nada —¡no iba a saberlo él, inquilino habitual de asientos de primera clase en Jumbos que lo transportaban de Roma a Tokio, de Los Ángeles a Amsterdam!—, pero tampoco cambia nada: un Hilton, un Sheraton, un Holiday Inn durante cuatro noches triunfales son idénticos a otro Hilton, Sheraton o Holiday Inn durante otras cuatro noches, fueran donde fueran. O habían llegado a serlo porque así sucede cuando uno viaja para ser visto y oído, lo que es idéntico a no ver ni oír. El viaje planteado ahora se venía gestando desde hacía tiempo, este saldo de la desdibujada continuación de su propia historia perdida en la misma neblina que confundía al buque mágico, continuación que iba a entrañar cambios cuyo dolor esperaba ser capaz de afrontar: puro masoquismo esto de querer ser otro, había comentado Nadja sin comprender que para muchos latinoamericanos de hoy es necesaria una breve residencia en ese infierno si el cambio que se intenta es algo más que un ejercicio en el formalismo de la evasión. ¿Pero evadirse de qué, en buenas cuentas, si todos estos años fueron como cuernos de la abundancia para él, y todavía, hasta hoy, sería fácil dejarse seducir por su agente parisino que le aseguraba que no era demasiado tarde para lanzarlo otra vez, y todo podía volver a ser como en los mejores tiempos? Su agente no tenía por qué acalorarse tanto con su alegato porque el problema estaba situado en regiones a que el pobre carecía de acceso: por cierto que Mañungo aún se sentía capaz de reproducir su instante meridiano de salir a escena para enfrentarse al público de los hemiciclos dispuesto a creerlo todo..., galvanizado por su adrenalina encendida como una llamarada de certeza total, de amor que trascendía aunque incluía el masoquismo: el cantante-guerrillero era poseído por la potencia de su guitarra-sexo-metralleta disparando con el clavijero de su instrumento sobre el público, ¡pam... pam..., pam! y berlinesas y parisinas caían como torcazas en su cama después de las ovaciones..., podía improvisar aún, con su voz, con sus gestos, la máscara justa que expresa el instante de potencia total, transformándose cada vez en ese «otro» que sin embargo era él, reconocible, táctil, moreno, con la alta temperatura de su delgado torso febril enjaulado por costillas sudadas, con el ritmo preciso de su glotis punteado por su guitarra-sexo-metralleta.

Sí, todavía era capaz de darle todo eso al público. Pero no lo otro, no lo que le dio en otros tiempos, cuando no necesitaba engañar a nadie: entonces él era lo que cantaba, y permitía que los estudiantes le tocaran sus vestiduras y su barba con la naturalidad de un joven santón del arte y las revoluciones. La certeza de antes, el convencimiento que le daba temperatura a su melodía y que terminó esfumándose quién sabe cómo y por qué, ¿dónde estaba ahora? ¿No se había transformado todo en un engaño, para él y para los demás? ¿Tenía derecho, a estas alturas, a desprenderse de los ropajes del aclamado cliché con el fin de comprobar si quedaba algo de sí no devorado por su máscara? ¿Cantar, ahora? ¿Cantar qué? ¿Para decir qué, si las palabras y la música y el ritmo de sus largas piernas diestras y de su pelvis desenfrenada ya no significaban ninguna cosa? Cantante sí, para toda la vida, aunque no cantara ni una sola nota. Pero actor no, que en buenas cuentas era la proposición de su agente para que no abandonara los escenarios y mantuviera vigente su rentable cliché.

Por eso la transformación de ahora: distinta a las de los escenarios justamente porque se trataba de no actuar sino de ser, y lo que antes él podía ser ahora sólo podía actuarlo. Sentía extinguirse su triunfo, pero sin nostalgia porque antes se le extinguió el convencimiento, y esto lo dejó sin crédito para sobrevivir. Ahora —no se daba cuenta su agente— no se trataba de conquistar nada ni a nadie, sino de ser. ¿Pero ser qué? ¿Isla, nubarrón, cerro, figura que para esconder su identidad brumosa se encorva sobre la humareda de los palos de coigüe empapados? Ser otro, ser algo, alguien desconocido a sus treinta y cuatro años, descifrar ese contorno disuelto en el humo, atender a otras voces más inciertas que su música y su revolución, oír la voz de la vieja, sí, en el limitado ámbito auditivo de su departamento de la rue Servandoni, desde más allá del persistente chirrido de su oído izquierdo que los médicos diagnosticaron como tinnitus, si ponía un poco de atención lograba oír las olas retumbando en la desolada costa oeste de la isla grande. Ese ronquido como de garganta agónica venido desde el océano era interpretado por los chilotes del mar interior como presagio de cambio. La ilusión de cambio en su país se había disuelto aunque lo negaran sus contertulios de los desgarrados cafés del exilio, donde él enmudeció al darse cuenta que la desesperanza, por desgracia, no tiene música. ¿Qué cantar? ¿Su padre, un Curaco de Vélez?, trabajaba aún su menguada heredad, o con los años se fue empobreciendo también ese humus y ahora sólo se oía en su pecho un ronquido como la voz de la vieja, como el del pobre león de felpa en su encarnación final, la de hoy, la de la derrota, la de la muerte, doce años después de la embajada en París, un cachureo apolillado y olvidado? ¿Existía aún ese león? ¿Dónde irían a parar sus restos después del entierro de Matilde, mañana, si aún lo conservaban?

Abrió su ventana sobre el hexágono de tulipas jaspeadas del Jardín de Luxemburgo. ¿Para qué abrir si hacía tantos meses que grabando, o en un taxi, o estuviera donde estuviera —últimamente casi no salía, convenciéndose de que era su deber acompañar a Jean-Paul a todas horas—, desglosándolo del chirrido pertinaz de su oído, lo único que oía en el amplio horizonte virtual era el rumor del océano rompiendo en esos cien kilómetros de arena ininterrumpida que los isleños de la costa interior, encogida sobre la fractura de islitas-hijas en la bolsa marsupial de Castro, llaman la voz de la vieja? Sí, cambio. Cambio de lugar. Cambio de tiempo. ¿No lo iba a destruir su intento de abordar de nuevo, en dirección contraria, el buque de arte de tan incierto periplo, para incorporarse a un mundo del que quizás no quedara más que la pura alegoría?

¿Y Juan Pablo? ¿Qué le iba a suceder a Jean-Paul? En esta tarde lastrada, semanas después que Nadja se lo vino a dejar —no podía asegurarle por cuánto tiempo, le dijo; en todo caso por mucho, o para siempre; imposible confiarle dónde iba; y como se trataba de un operativo comprometedor prefería, para protegerlo, no dar ni nombres ni pistas. Sentía mucho que esto interfiriera en su programa de recitales y lo iba a obligar a replantearse

su vida, pero ahora le tocaba a él apechugar con Jean-
Paul por la razón tan simple que ahora le tocaba a ella
vivir—, acababa de gritarle a su hijo que si no quería
que le sacara la cresta a patadas detuviera inmediatamente ese cassette atronador en que escuchaba, parecía
que por millonésima vez, *Au clair de la lune mon ami
Pierrot* cantado por la voz empalagosa de un mayor, evidentemente depravado, imitando una voz infantil. Su
irritación, refrescada tanto por su estallido como por la
ventana abierta al invierno parisino que al fin y al cabo
no era tan distinto al cielo de Achao, con la voz de nuevo suavizada llamó a su hijo para enseñarle la conjun-
ción de ambos cielos. Encuclillado, lo abrazó por detrás.
¡Era tan chiquitito! Y con su cara barbuda pegada a la
pequeña cara fija en la ventana por donde chorreaba la
lluvia austral, le dijo:

—*Écoute.*

—*Quoi?*

—*Tu n'entends rien?*

Juan Pablo se esforzó por oír lo que su padre
quería.

—*L'autobus dans la rue d'à côté?* —preguntó.

—*Non. Quelque chose d'autre.*

—*La musique du café au coin?*

—*Non. Quelque chose de plus lointaine encore.*

Después de un segundo el niño se definió:

—*Non. Je n'entends rien.*

Entonces, al saberse no sólo perdonado sino
vencedor, se desprendió del abrazo de su padre, corriendo a poner de nuevo *Au clair de la lune.* Su madre le había advertido que no tuviera miedo si su papá oía ruidos
extraños. Se trataba de una dolencia más bien inofensiva
—aunque en la coyuntura de peinar a su hijo para llevarlo a la rue Servandoni temió que fuera contagiosa— que
atacaba sobre todo a los burgueses y se llamaba neurosis.

Sí, neu-ro-sis: que aprendiera esa palabra, porque cuando se sabe el nombre de las cosas no se las confunde sino que se las desnuda, desarmándolas al tornarlas manejables. Los artistas, que ejercen la perversa profesión de cambiarle el nombre a todas las cosas, eran neuróticos precisamente por esa razón. Mañungo, su padre, era un gran artista —se abstuvo de matizar que desde su punto de vista y para los conocedores, Mañungo *había sido* un gran artista, pero debido a su ablandamiento político ya no lo era—, y le aconsejaba no asustarse si se ponía un poco odioso.

No fue el chirrido de su neu-ro-sis lo que Mañungo intentó compartir con Juan Pablo ante su ventana abierta a la lluvia de París. Cerró la ventana y corrió la cortina de sabanilla —a tantos años y kilómetros de distancia, con la más ligera humedad exhalaba olor a oveja, a pasto, a Chiloé, a poncho paterno mojado—, que en otra época, la de la construcción de su vida que creyó permanente y ascendente, se hizo mandar desde allá por la Nelly Alarcón cuando ella transformó la moda folk-chilota en atavío único y exportable. La sabanilla más fina, de lana seleccionada, de la mejor calidad, eso le pidió, lo mejor que la isla produjera. Jean-Paul no había sido capaz de sentir ese olor, ni de oír los presagios del Pacífico austral, de la zona donde comienzan los ventisqueros, y las razas y especies en peligro de extinción. ¿Qué, quiénes iban a ser ellos dos si el niño no era siquiera capaz de oír la voz de la vieja?

Mañungo reconocía que su intento de cambio podía resultar suicida. Lanzarse al Rin, igual que Schumann loco con sus fantasmas auditivos, según le contó Nadja cuando por primera vez hablaron del tinnitus deambulando por los muelles de una escarchada ciudad hanseática después de su recital. ¿O fue previo a un recital de arpa de Nadja? Años antes, recién llegado de Chile,

un domingo paseaban abrazados entre los turistas banales de la Butte de Montmartre: de pronto la hizo detenerse en medio del gentío y cerrar los ojos, y él también
los cerró. Nadja le confirmó que sí, ella también oía lo
que él llamaba la voz de la vieja, un grito de esperanza
asegurándoles desde el otro hemisferio que en su pobre
país pronto sobrevendría el cambio por el que todos los
de esta orilla luchaban. Eso fue antes que el insoportable
chirrido de la neu-ro-sis hiciera su aparición. ¿Neu-ro-
sis? No. Ni un simple *stress*, diagnosticó un médico ilustrado: una lesión del oído interno, no construido para
resistir la polución auditiva del mundo contemporáneo... Era necesario huir, esconderse de todas las polu-
ciones, auditivas, humanas, políticas, para no enloquecer con el rasguño del tinnitus. Nadja condenaba toda
huida. Al abandonar a Mañungo después de varios años
más o menos juntos le había confesado, en la clásica escena, tirándoselo como el peor insulto a la cara, que era
demasiado evidente siquiera para discutirlo que nadie
podía escuchar las olas del océano Pacífico reventando
como montañas que se derrumban en el centro de París.
Era verdad que le había mentido en el momento de
conquistarlo, específicamente durante ese paseo por
Montmartre, tal como se había hecho embarazar por él
—¡qué inútil era repetirle cuánto y cuán dolorosamente
se arrepentía ahora de esta estupidez!— con el propósito
de atarlo a ella, porque desde el principio lo adivinó re-
gido por atavismos tan primitivos como el sentimiento
de la paternidad. Desatino propio de su juventud, de su
irresponsabilidad de entonces, ingenua y pre-ideológi-
ca, romanticismo bien intencionado producto de cierto
momento político chileno reflejado en la primera llamarada de gloria de Mañungo entre los universitarios
de París... La arrogancia del 68 aún viva, la aceleración
del gentío, las alabanzas arremolinándose en torno a él,

claro, todo eso lo había mareado, seducido: «enamorado» era una palabra que Nadja rechazaba, equiparándo-
la con el desorden, clasificándola entre las neu-ro-sis,
junto al tinnitus. ¿Por qué Nadja tenía que rechazarlo
todo, se preguntaba Mañungo? ¿Por qué negar algo que
fue verdad simplemente porque ya no lo era y sólo ne-
gándolo ser capaz de cambiar? Él no tenía que negar nada para no seguir queriendo a Nadja. ¡Hacía tanto tiempo que no la quería! Pero aceptaba lo que fue, y su tacto
nostálgico a veces revivía la minucia de su pesado pelo
negro, tan ruso, tan grueso y pesado y sedoso, que al
verla dormitar a su lado después del amor iba tomando
las hebras entre su pulgar y su índice como pellizcos de
sal, y jugaba a contar cuántas hebras cabían en cada pe-
llizco, desgranando perezosamente el regocijo de esas
madejas. ¿Era posible que Nadja negara conservar ese
recuerdo de su índice y su pulgar si una vez, para demostrarle cuán sensible era toda ella a todo él, dibujó de
memoria el laberinto exacto de sus huellas digitales?

¿Cómo iba a oír Juan Pablo lo que él quería que
oyera ante la ventana abierta sobre las tulipas estáticas
como emblemas del Jardín de Luxemburgo? No sin razón Nadja decía que Mañungo era un ser tan rudimen-
tario, tan intolerante de toda autonomía en los demás,
que exigía que las personas amadas sintieran las mismas
emociones que él. ¿Qué quería que Jean-Paul supiera de
su océano Pacífico, fuera de haber escudriñado juntos
alguna vez esa desmigajada costa, tan remota en el espacio y el corazón que durante el interrogatorio el niño la
había confundido una vez con el mapa de Alaska y otra
vez con el de Noruega? No, no tenía derecho a exigirle
que oyera las mismas cosas que él oyó a sus mismos siete
años en una casa de tejuelas plateadas, relucientes de
lluvia como las escamas de un jurel recién sacado del
agua, casa humana, casa persona que crujía y se quejaba

y sufría igual que un organismo animado por viejas historias transformadas por la penumbra en presencias que quedaban un poco más allá del recuerdo personal, en el ámbito no del todo misterioso del recuerdo colectivo.

O que atendiera —cuando soplaba la travesía desde el Cucao polinésico que cuadra su espalda ante el Pacífico, y don Manuel lo abrazaba junto a la cocina hembra que ocupaba el espacio afectivo de la madre muerta— a la voz de la vieja, ese ronquido que como ahora en la rue Servandoni, vaticinaba cambio. No: Juan Pablo era otra cosa. Otro. Difícil aceptar esta diferencia. Sobre todo porque era un niño en que Mañungo reconocía poquísimos ingredientes suyos. Al principio intentó conquistarlo cantándole sus canciones, pero eligió canciones de amor y el amor parecía no tocar a Juan Pablo, a quien Nadja, por educación o genética, había colocado más allá del alcance de esta palabra. Además, las canciones eran en castellano. Y el niño, como entrenado por su madre para rechazar cualquier aporte suyo —Nadja no era mala, sólo hostigada, ingenuamente intolerante de las cosas no racionales; si predispuso al niño en su contra no podía acusarla de que lo hizo por venganza sino porque sus ideas eran siempre definitivas aunque cambiaban con frecuencia—, se había resistido a cualquier cosa que no fuera francés. No era extraño, entonces, que las más bellas canciones de su padre desazonaran a Juan Pablo, prefiriendo las tonterías de *Au clair de la lune mon ami Pierrot*.

Vio al niño junto al estupendo equipo profesional de música, lo único de su padre con que había logrado relacionarse desde que llegó a la rue Servandoni, probablemente porque ninguno de los padres de sus amigos del barrio proletario donde Nadja lo llevó a vivir sus convicciones con su nuevo compañero poseía uno comparable. Orgulloso de la posesión e indiferente a la música:

poseer cosas no era un vicio que Nadja le hubiera incul-
cado sino algo que el pobre niño bebió en el maldito aire
de nuestro tiempo.

—*Arrête inmmédiatement cette musique infernale.*
—*Pourquoi?*
—*Parce que je ne veux plus écouter des sotisses.*
—*Je peux mettre les écouteurs.*
—*Je ne veux pas. Tu vas les abîmer.*
—*Pourquoi?*

Por nada, claro. Por lo del oído interno estro-
peado. Por lo del stress. Por la neu-ro-sis. ¿Cómo analizar lo que le pasaba para que su hijo entendiera? En todo
caso, ¿era necesario que su hijo lo entendiera todo, como
Nadja —y él en este momento— lo exigía? ¿Había entendido él, cuando niño, por qué desde el sur, desde las
islas Guaitecas y las islas Chonos y desde toda esa geografía fracturada por los cataclismos, llegaban al muelle
seres distintos, cargados de peces irreconocibles, de cue-
ros y cochayuyos, y que tenían una relación distinta a la
suya con la lluvia y la niebla y el frío? El deslumbrante
vicio de la explicación fue posterior, adquirido gracias a
la Ulda en la escuela, y en la universidad, cuando todo se
reducía a una dialéctica fragante de marxismo... y más y
más en Europa, donde la explicación era una esclavizan-
te manía para descomponer y componerlo todo y volver
a armar el mundo según esquemas diversos. Ahora se
proponía cambiar porque ninguna explicación le bastaba para justificar el mundo que lesionó su oído interno:
tinnitus, stress, neu-ro-sis, lo que fuera, en todo caso necesitaba transportarlo lejos para reaprender a oír el roce
de las sombras, tirado como un perro en algún sitio a la-
merse la herida que le dejó el haber significado algo, y
entendido, y ya no significar nada ni entender.

A veces a Mañungo lo acometía la ansiedad de
analizarlo todo de nuevo con Nadja. Sacó la cuenta: hacía

siete semanas que había desaparecido. Cuando le vino a
dejar a Juan Pablo le dijo que era una despedida total.
Trajo al niño con todas sus pertenencias, incluso sus documentos de identidad, a los que Mañungo entonces no
dio importancia, metiéndolos en un cajón cualquiera
quién sabe dónde, pero que en vista de este viaje surgido
urgente como una inflamación sería necesario exhumar.
Juan Pablo no se iba a entusiasmar con la idea del viaje:
poco le gustaba salir, incluso al Jardín de Luxemburgo y
a los *grands magazins* que les gustan a todos los niños.
Prefería quedarse junto a la televisión, aun cuando la
primavera parisina se anunciara gloriosa de flores en las
rotondas y de colores inéditos en el gentío que salía recién acuñado de las boutiques. Pero, claro, no se trataba
de que a su edad Juan Pablo «eligiera», esa palabra terrible, reverenciada por Nadja, que, aunque lo negara, no
lograba convalecer de Sartre: lo había obligado tantas
veces a elegir que el pobre niño miraba cualquier circunstancia que presentara más de una opción, con ojos
dilatados por el pavor. Verlo protegido por los fonos que
finalmente se puso, manipulando el equipo que ocupaba media pared con sus platos giratorios, amplificado-
res, lucecitas rojas, verdes, ámbar, parpadeantes, osci-
lantes, inundó a Mañungo con el anhelo de que Juan
Pablo fuera capaz de apreciar las cosas como propuestas
que por lo menos lo intrigaran, no como órdenes tiráni-
cas de un padre enfermo de no saber, y por eso grita y
emprende viajes disponiendo de él como de un objeto,
todo con el propósito de disimular su fragilidad con el
autoritarismo que sólo causa temor al que lo emplea.
Pese a no plantearse el problema de hacer elegir a Jean-
Paul, y porque él fue criado en escuela cuyas durezas
fueron distintas, sentía que su deber era hablarle a su hijo para compartir con él su desasosiego. Pero era muy
chico: estado de sitio, censura, injusticia, miseria, todo

eso carecía de significado para él, y tal vez también para Mañungo mismo, ahora. En fin, para facilitar la estrategia del viaje debía por lo menos intentar seducirlo con palabras cariñosas de las que se sabía poseedor. ¿No le había contado el cuento de la beata y el loro?

—*Non.*

—*C'est très amusant, écoute.*

Una vez en Chiloé, en el pueblito de Chonchi, había una beata que vivía sola con un lorito muy inteligente al que le enseñó a rezar el rosario. Ella rezaba la primera parte del avemaría y el loro le contestaba con la segunda, y así pasaban las tardes. Un día el loro desapareció volando y la pobre beata casi se murió de añoranza porque ya no tenía compañero con quién rezar. Al año siguiente, sin embargo, llegó volando por los cielos del pueblo una enorme bandada de loros que repetían desde los aires y los árboles la segunda parte del avemaría. Todos los habitantes de Chonchi, al oírlos, salieron a las calles persignándose e hincándose porque creyeron que era el fin del mundo, y gritando: ¡Milagro! ¡Milagro!

Mañungo esperó la sonrisa de su hijo.

—*Elle était mechante, cette femme* —comentó Jean-Paul.

—*Pourquoi?*

—*Ça serait stupide que les oiseaux prient.*

—*Mais c'est une histoire amusante. Tu ne trouves pas?*

—*Je ne crois pas que c'est vrai.*

—*Mais ça ne fait rien...*

—*Ah, non, si ce n'est pas vrai, c'est une bêtise.*

¿Por qué iba a seducir a su hijo todo esto si ni siquiera estaba seguro de que lo sedujera a él, más allá de la intrigante posibilidad ofrecida por una tierra que tenía la obligación de cobijarlo? ¿Cómo exigirle certeza, si ni él estaba seguro adónde lo podían llevar sus fantasmagorías auditivas, que no eran más que las horribles sílabas de sus titubeos? Al cerrar su ventana, el tinnitus se transformó en huracán capaz de tragarse al buque de arte con mástiles de oro en que aspiraba a embarcar sus perplejidades hacia playa segura, tan atronador que anulaba todo lo que no fuera el tinnitus mismo y su impulso de lanzarse al río como el pobre Schumann, con el fin de cancelar sus demonios cancelando su vida: ahogarse en el agua lenta y verde del río Cipresales que invertía la atmósfera vertiginosa enredada por las lianas de la locura, en que se hundían las copas de los coigües y los ulmos, y de la perezosa corriente emergían troncos de peltre torturado, barbudos de musgos y cancerosos de líquenes y hongos.

3

No es un estilo, opinan los habituales opinantes. Sólo esnobismos, alegan los jóvenes que visten ropas de marca y beben *schops* en los pubs de Providencia. Con otro tono y en otros sitios lo confirman los reventados y malditos de siempre a quienes nada complace, acusando al naciente narcisismo del barrio Bellavista de artificial, de decadente, imitación de San Telmo, Soho, St. Germain-des-Prés, todo reducido a mezquina escala chilensis, antro de marihuaneros melenudos y politicastros de izquierda, barrio feo al que le falta verdadero carácter según unos, invención de estetas nostálgicos a quienes Santiago no les ofrece alternativas más interesantes porque nunca las tuvo y a la fuerza están tratando de transformar todo eso en centro de boutiques, galerías de arte, cafés, falsos anticuarios, artesanos y teatritos de bolsillo: la lata de siempre, puro comercio para turistas que ojalá no lleguen.

Hasta hace poco Bellavista parecía un apacible pueblito campesino olvidado en el centro de Santiago, separado de él por el Parque Forestal y el río Mapocho, limitado cinco cuadras más al norte por el cerro, con su viejo funicular ferruginoso y perpendicularísimo. Una ventana con visillos a la calle, una puerta, dos ventanas, otra puerta, algún callejón, la ocasional casita de dos pisos con balconada de madera o con almenas o torre, techos de teja, zócalos pintados, una palmera enhiesta en el fondo de un conventillo, árboles no demasiado venerables al borde de las calzadas, doméstico arrio de almacenes de esquina con un gato romano dormitando encima de un montón de diarios para empaquetar caramelos o pan, barrio que hasta hace poco no ofrecía otro espectáculo que los funerales que lo cruzan desde el oriente para dirigirse a los cementerios de detrás del cerro. Hace cinco años Bellavista parecía sumido en la caquexia anacrónica del olvido: el gobierno, en ese tiempo, propiciaba otro estilo, lo opulento, lo nuevo, y Santiago se confitó de inmuebles cristalizados con vista panorámica para guarecer a mil familias rubias, a mil hipotéticas tiendas, a mil dentistas, mil masajistas, mil peluqueros/as unisex, y cuando de la noche a la mañana se disipó ese sueño megalómano, los edificios quedaron varados en las riberas de las nuevas avenidas incompletas, saurios de otra época paleontológica descartados de una siniestra opereta de cartón piedra.

En parte como reacción a este fracaso, cierto sector de la juventud que volvió a adoptar melenas y barbas comenzó a fijar sus ojos en el simpático barrio Bellavista: era barato, era central, era viejo sin ser museística y opresivamente antiguo. Las casas de dimensión humana significaban la sobrevivencia de placeres simples y de una vida sin tensiones: en la tarde, alguna señora sacaba a la vereda su silla de paja para saludar desde su puerta a vecinos de toda la vida, y a la luz de los faroles las niñas jugaban al luche en la calle. Algunas casas fueron discretamente remozadas. Se instalaron tiendas con modestas pretensiones de ser por lo menos «distintas». Circulaba una juventud que llevaba la esperanza metida en partituras y carpetas debajo del brazo, y muchachitas pollerudas con el pelo teñido de henna acudían a «actos de arte» o a citas amorosas en un conventillo con veleidades de Bateau-Lavoir nacional, o a restoranes un poquito más cuidados, y un poquito más caros que los de antes, o a tomarse las medidas para un chaleco en una tejeduría artesanal.

Don Celedonio Villanueva, antiguo montparnassiano que visitaba a Camilo y Maruja Mori en su estudio cuando el pintor lo construyó cuarenta años atrás, en la placita ornamentada con lo que parecía una reducida interpretación estilo Disneylandia de un castillo Luis II de Baviera, aseguraba haber adivinado hacía tiempo que éste iba a ser el destino de Bellavista. Pero don Celedonio siempre «sabía» las cosas de antemano. Era imposible sorprenderlo con ningún vaticinio, ni con cualquier noticia política ni social, ni con el título de un libro que no hubiera leído. El destino del barrio le pareció cumplirse cuando en el fondo de uno de los callejones más tortuosamente discretos se instaló Pablo Neruda, que además de su tremenda facultad convocatoria era un gran inventor de geografías: Isla Negra, que uno sospechaba que jamás hubiera existido sin él, un Valparaíso completamente suyo que sobreimpuso al real borrando todos los otros Valparaísos, un Temuco donde llovía como jamás había llovido en Temuco, los crepúsculos morados de la calle Maruri, los aromos amarillos de los campos de Loncoche, y uno terminaba haciendo un aburrido viaje a Loncoche, y como ya no quedaban aromos, *ça ne valait pas vraiment le coup,* rabiaba don Celedonio. Incluso esta América nuestra a que nos había condenado la maravillosa poesía nerudiana era más nerudiana que verdadera, cosa que por otra parte le daba todo su interés. Estaba escrito que tarde o temprano la gente iba a seguir a Neruda a Bellavista, que según don Celedonio era un barrio muy feo. ¡En fin, cosas de Pablo! Tenía la facultad privilegiada de escoger un objeto en el canasto de un cachurero, el frasco de tono azul preciso que no podía ser sino estilo Charles X, la bola de jugar *pétanque* curiosamente deformada por el uso, y transcontextualizándolos, dotaba a estos objetos carentes de mérito intrínseco, de un lirismo, de una ironía que llevaban el personalísimo sello de su invención.

Su casa de Bellavista era pura fantasía. Creada en el último faldeo del cerro, escarpada, incómoda, miscelánea, secreta en el fondo de su callejón, fue la «casa chica» del poeta, construida para Matilde antes de formar pareja oficial con ella: la casa de la amada que acepta que se la visite sólo discretamente para no herir lealtades más antiguas. Y *La Chascona,* apodo cariñoso con que Neruda designaba a Matilde, se llamó también la casa del cerro, que irradió su presencia en el barrio y fue la casa de los poemas de su madurez y de sus grandes actuaciones políticas: Neruda símbolo, Neruda embajador, Neruda Premio Nobel, la casa, en fin, de su gloria. Matilde les parecía a muchos una mujer demasiado simple y abrupta. Pero nadie discutía sus cualidades de inteligente administradora de la paz y de la casa, con sus complejidades culinarias y sociales, ya que en esos años pasaron por *La Chascona,* tan gregaria y festiva, todos los ilustres del mundo. Matilde era, además, una mujer joven, deseable, popular, de pulpa jugosa como la de un damasco, mujer de largas siestas vinosas compartidas, misteriosamente relacionada con el estro del poeta por las complejidades de la fisiología.

La casa muestra una insignificante fachada muy compuestita al callejón. Pero al abrir la puerta, una estrecha escalera de piedra se empina de allí mismo y es como si desde el primer peldaño se desplegara toda la magnificencia del cerro, al que esta escala fuera el mágico acceso para los elegidos. Se llega al patio donde están el bar y el comedor, y trepando por una escalera de troncos evocadora de Capri, entre diamelos y cedrones, se alcanza el salón en el nivel superior, y de allí el dormitorio. Se atraviesa el roquerío del jardín con vista sobre las tejas y campanarios de Bellavista, hasta el estudio de Pablo, donde escribió sus últimos versos.

El patio, generalmente fresco porque es sombrío

como una caja encerrada por rocas y hiedras, no es un sitio de estar. Sin embargo, el día de la muerte de Matilde,
en ese patio y en la escalera de troncos y en los senderos
del jardín, a medida que se iba disolviendo la luz y la brisa del cerro se asomaba entre las hojas, los amigos dispersos en la vegetación atenuaban su charla, entrecortándola
con los fragmentos del anecdotario amable de la extinta.
¿Qué más agregar, al fin y al cabo? ¡Tanto tiempo que
Matilde estaba muriendo empecinada y orgullosamente
sola! Su muerte señalaba como pocas el fin de un mundo. Cuando los muchachos de camiseta roja que custo-
diaban la puerta dejaron entrar a don Celedonio, envi-
diado y temido por poseer secretos nerudianos jamás
divulgados si él no elegía hacerlo, se produjo un silencio
para abrir paso a este figura diminuta, empaquetada en
su antiguo traje de franela oscura de estupendo corte: incongruentemente, completaba su atuendo con sandalias
artesanales sobre calcetines de lana en pleno verano. Respondía cortés, pero sin reconocer más que imprecisa-
mente, a los saludos de los más cercanos, agradeciendo
con medias palabras a quienes lo tomaban del codo para
ayudarlo a subir un escalón o a sortear un banco cuya
posición conocía desde antes que ellos nacieran. Su voz
no era más que una réplica a la hora marchita y a la so-
lemnidad de este recinto tan poco solemne, donde él, sin
ser pariente —y pese a discretísimas parientes de Matilde
que se sabían cercanas por la sangre aunque lejanas por la
vida—, era el deudo principal. Los bordes deshilachados
de su conciencia adivinaban, sin embargo, lo que estarían murmurando algunas siluetas apenas identificadas
que lo miraron entrar: Fausta Manquileo, con el maquillaje ajado por la fatiga bajo el ilang-ilang, allá arriba, y
ese recién llegado del exilio cuyo apellido se le escapaba.
¡Tanta gente de identidad apenas abocetada que venía a
hacerse presente! Mientras, los intensos muchachos de

camiseta roja seguramente trataban de descifrar, como cada vez que él entraba en escena, la razón para la amistad de este residuo de aristócrata y poeta de pretensiones cosmopolitas, con el que para ellos no debía ser, no podía ser otra cosa que el símbolo de la revolución y la voz del pueblo.

Al alcanzar el salón archiconocido, querido, discutido, criticado, admirado, gozado, vívido de historias que animaban cada uno de los objetos y los muebles, y ver entre ellos aquel cajón intruso rodeado de cuatro velones —«verdaderos por insistencia de Fausta, no eléctricos: con olor a abeja y a humito, como Pablo lo hubiera dispuesto»—, el anciano tuvo la sensación de ingresar en un salón distinto al que conocía, reducido a su realidad material que era apenas una sombra de sus sugerencias. En la pared, como siempre, perversamente a la cabeza del féretro, como para sustituir a quien ocultaba la tapa de caoba, campeaba el retrato de Matilde bicéfala pintado por Rivera hacía tantos años. Ese retrato, antes divertido, carecía ahora de encantamiento para convocar a la verdadera Matilde: fue siempre un mal Rivera, aun en el caso de que a uno le gusta Rivera. Hoy era francamente feo. Todo feo en esta casa inanimada, cuya fealdad quedaba de repente al descubierto porque desapareció la pareja de ilusionistas cuya presencia lograba transubstanciar en poesía lo que era apenas corriente: una serie de objetos inertes, y entre ellos el objeto inerte que ahora era Matilde. El salón no respondía más que al dudoso gusto de Pablo adquirido en México en los años treinta —el mundo de María Asúnsolo y Frida Khalo—, el espantoso gusto rústico totonaca contaminado por el no menos espantoso gusto de los españoles republicanos de la Guerra Civil, mechado con evocaciones sentimentales de Capri. Esta estancia, antes maravillosamente compleja, hoy era fácil de analizar: revelaba su verdad más modesta, así, abandonada por los artífices gemelos de la poesía y del amor que, igual que el salón de Pablo, morían al reducirlos a sus componentes.

Al pie del féretro, don Celedonio, dócil ante la muerte, se apoyó en su bastón e inclinó su cabeza. Tres universitarios y una muchacha rubia de deslumbrante belleza equina, parecida a Virginia Woolf, montaban guardia alrededor del túmulo, repletos de la gravedad de su cometido. Menos Virginia Woolf, claro, porque era Judit Torre, que lo saludó frunciendo apenas sus párpados cómplices y él cerró los suyos en respuesta. No supo cuánto tiempo los tuvo cerrados. Al abrirlos, con la cabeza aún inclinada, don Celedonio se distrajo observando una corona de flores blancas con una hoz y un martillo de claveles rojos que campeaba al pie del cajón.

—A río revuelto, ganancia de comunistas —se dijo.

Judit, claro, no vestía camiseta roja. Pero a los pocos minutos el incansable Lisboa —su apellido era Lisboa: pertenecía a esa nueva raza de los «yo-estuve-exiliado-y-por-lo-tanto-soy-mejor-que-ustedes», investido con autoridad en el extranjero y organizando todo como si se tratara de una gimkana— intentó atar en el brazo de Judit un pañuelo colorado que ella rechazó sin alterar su postura. Don Celedonio volvió a cerrar sus ojos. Un molesto picor en la córnea —¡ni siquiera honradas lágrimas! ¡A estas manifestaciones inferiores se reducía ahora su dolor!— fue la respuesta fisiológica a su tristeza, automática y previa a asumir el hecho de que era la inmovilidad eterna de Matilde, a un metro de él, lo que inmovilizaba toda la casa. Entonces, con un fervor que no recordaba desde el oratorio de la casa de su abuela en la calle Huérfanos, a raíz de sus primeros y más interesantes pecados, sus labios formularon la más antigua oración, para la más venerada de las mujeres:

—«Dios te salve, María, llena eres de gracia, el Señor es contigo, bendita tú eres...»

Se detuvo porque en ese momento no logró recordar más. Si bien uno no era creyente, pertenecía a la civilización católica, a la olorosa penumbra de viejos ritos poblados de sobreentendidos que de ella dependían. Y uno, y hasta Pablo y Matilde aunque se propusieran contradecirlo estos mocosos que querían alterar la historia, estaba relacionado por infinitos ligamentos con ese antiquísimo rezo. Se olvidó de escarbar en su memoria en busca del resto de la oración porque buscaba el pañuelo en su bolsillo para secarse las lágrimas que por fin corrieron por sus mejillas. Pero pronto, con el agotamiento del dolor, se borró hasta esta necesidad, y se dejó caer en el sofá, un ancianito acongojado víctima de sus recuerdos, último sobreviviente de un mundo que con la muerte de Matilde, tanto más joven, se clausuraba. Él mismo nunca se engañó respecto a su propia posición en ese mundo: jamás protagonista, no pasaba de ser un procesador de las influencias extranjeras, amigo de Neruda y de los grandes de las artes, divertidísimo charlador que sabía todas las anécdotas, conocía a todos los personajes y había leído todos los libros. Su obra, contenida en media docena de plaquetas ya imposibles de encontrar, no significaba nada, ni siquiera como versos de poeta marginal o dandy, de esos que ahora estaban tan de moda: servía sólo como espejo de lo que sucedió en París en la década de los años veinte, en España en la década de los años treinta, en Nueva York en la década de los años cuarenta, y de los escritos y de las diversas glorias de sus íntimos. Fausta, para animarlo en sus momentos de depresión, le aseguraba que su epistolario era extremadamente valioso. ¿Pero conservaron sus corresponsales las cartas de Celedonio Villanueva con el celo con que él atesoró, por ejemplo, sus cuatrocientas y más piezas firmadas por Neruda a través de los años y los continentes, y las cartas de García Lorca, Diego Rivera, Trotski, Gerald Brennan y Anaïs Nin? Sabía que en este momento de melancolía irremediable, cuando la marea estaba más baja para su país humillado, y Matilde desaparecía tan duramente sola que en los últimos meses ni siquiera quiso verlo, y le oía la voz adelgazada por el sufrimiento cuando le encargaba por teléfono cosas nerudianas para ejecutar después de su muerte, sí, en este momento resultaba trivial quedarse sopesando su propio valor. ¿Pero cómo no preguntarse, con el mayor de todos los dolores, si uno había existido realmente alguna vez salvo como reflejo en los ojos de la gente que uno admiró? ¿Qué importancia podían tener sus consideraciones sobre la relativa magia de esta habitación si aquí se velaron los restos de Pablo en 1973, en medio de la catástrofe de libros y cristales destruidos por los impensantes, y la efigie trágica de Matilde en medio de esa destrucción fue transmitida por los teletipos a todo el mundo? ¿Cómo imaginar a Matilde definitivamente quieta en la oscuridad de su cajón si era imposible olvidar cómo volaba su capa ante las metralletas de las fuerzas del orden frente a los Tribunales en 1977, durante las primeras protestas de la oposición, y entonces este objeto que había sido esa mujer les gritaba tómenme si se atreven, mátenme, disparen, y un capitanzuelo desinformado la tomó presa y la noticia voló por el mundo?

Habían sustituido a la linda Virginia Woolf, esta tarde más Virginia Woolf que la familiar Ju, por un muchacho aindiado, sin otra expresión que la voluntad cuadrada de su mandíbula adornada por una pelusilla oscura. En el ángulo de su sofá don Celedonio se quedó dormido.

4

¿Dormido? Tal vez no. Sólo traspuesto, suspendido en ese ámbito de la conciencia donde la fatiga transforma en otra clase de lucidez la negativa de los viejos a seguir viviendo. Algo como una red muy sensitiva colocada un poco más acá del sueño procesaba los acontecimientos del salón: alguien encendía una luz, alguien abría un postigo abatido por la brisa, gente inidentificada iba y venía cuchicheando o se paraba frente a él con la intención de presentarle sus respetos pero al darse cuenta que dormía pasaban de largo, más flores que sumaban su fragancia a la de los cirios, aroma de muerte que penetró hasta la conciencia dormida del anciano, inconfundible aroma de velorio, desde los más gloriosos hasta los más humildes, aroma del suyo dentro de poco tiempo: encierro dentro de un cajón hermético pese a las ventanas abiertas a un tajo de frío que se le hundía entre el cuello y la camisa amplia, porque había enflaquecido mucho su pobre cogote de pellejo áspero por los años. Don Celedonio despertó sobresaltado con la brusca oscuridad producida por alguien que apagó la luz.

—¿Quién apagó?

—Nosotros —respondió Lisboa desde el otro lado del cajón.

—Ah, Lisboa; prenda, pues, Lisboa...

—Ahora, don Celedonio. Estamos quitando de aquí esta lámpara de cristal colorado para sacar este mueble, no ve que de otro modo no va a caber tanta gente ni tanta corona que viene llegando.

Con la ayuda de su bastón el anciano hizo un

ademán de alzarse para azotar a ese idiota de Lisboa que
se arrogaba la libertad de alterar el orden de esta habitación en que algo de Pablo y Matilde sobrevivía. Pero no
se alzó. Lo que estaba haciendo Lisboa era sórdido, robarle los dientes de oro a los cadáveres después de la ba-
talla, buitres, Lisboa y esa mujercita chiquitita y entrometida que lo ayudaba y cuyo nombre tampoco recordó,
pero que ahora último, como un pájaro de mal agüero,
desde que la Matilde se agravó, aleteaba en esta casa que
jamás conoció festiva y creadora.

    —¡Prendan...! —gritó don Celedonio—. No
cambien nada. No importan las coronas. Amontónenlas
no más. Sáquenle las tarjetas. Aunque no sé para qué. No
creo que nadie vaya a agradecerlas. Las coronas de los
muertos son todas iguales.

    —Mandan algunas muy lindas —opinó la mu-
jercita, con su voz de...

    ¿Voz de qué? ¿Voz de pájaro? No, carente de
agudeza. ¿De gato? No, insuficientemente acariciadora.
¿De niñita...? No, le faltaba ingenuidad. Voz de lana,
muelle, monótona, lana de ovillo que se devana indiferente, los bordes tan imprecisos que las palabras no al-
canzan a definir sus contornos ni a significar lo que deben: odiosa costumbre criolla, esta del habla
aproximativa, sobre todo para un amante de la precisión
francesa como él. Pero por otro lado era necesario reconocer que el de esta mujer era un tono poco exigente,
seguramente relajador. Sus palabras no importaban nada. Por eso la Matilde la había mantenido más o menos
cerca durante los últimos meses, ya que con seguridad
era incapaz de preguntar nada molesto ni enfrentar a la
enferma con recuerdos dolorosos. Ahora, revelando su
solapada naturaleza carroñera, la estaba descuartizando:
terrible chacal, exageró don Celedonio por hábito literario, pájaro de mal agüero, hiena, pertenecía a esa raza

de mujeres que ofician en los entierros y les rezan a los muertos sin amor ni piedad, y ofrecen té y café con el fin de demostrar que tienen acceso a alacenas vedadas para los demás, plañideras rituales, ni viejas ni jóvenes —ésta tenía bonitas piernas rosadas, observó don Celedonio: jamones muy consistentes donde la pollera las disimulaba—, de esas que aparecen en los entierros aunque permanezcan inidentificables, opacas primas de primas que en ocasiones adquieren una pasajera nitidez, sirvientes antiguas a quienes el aire de la muerte convoca quién sabe desde qué rincones de la ciudad. ¿Quién iba a organizar la ceremonia de su partida cuando le llegara la hora a él? ¿Quién vigilaría que cupieran las coronas en su biblioteca estilo Imperio donde seguramente se organizaría el velorio, que no se extraviaran las tarjetas ni se encharcara el triste asunto en los convencionalismos insufribles de su nuera viuda y sin hijos, a quien, en lo posible, él no veía más que dos veces al año porque no lograba perdonarle su actitud con Fausta? Era de suponer que Fausta lo iba a sobrevivir. ¿Para qué pensar, si era evidente que ella se ocuparía eficazmente de todo, puesto que su autoridad dentro de su vida era un hecho histórico, reconocido hasta en notas a pie de página en algunos textos de literatura? No pudo suprimir una sonrisa maligna, sin embargo, al imaginar la pugna de pequeñeces que para esa ocasión se iba a establecer entre esas dos hembras inflexibles, que por fin liberadas de su arbitrio blandirían sin pudor sus prerrogativas.

—Prendan..., déjenla tranquila...

Después de sostener la vista del anciano un segundo, Lisboa volvió a depositar la lámpara de vidrio rojo sobre el mueble que había arrinconado otra vez donde siempre estuvo. Encendieron. Alrededor de los guardias sustituidos o no por otros en las esquinas del cajón, entre gente que entraba a quedarse un instante contemplando el féretro, la mujercita y Lisboa se ocuparon de amontonar las coronas en la escala, por los rincones, afuera —«con el fresquito de la tarde no se marchitarán», murmuró la mujer, como si eso importara—, o donde buenamente cupieran. Don Celedonio, ya completamente despierto, saludaba. Alguien se sentaba a charlar con él un rato en el sofá. Lisboa, seguido de la mujercita, se disponía a salir. ¿Cómo diablos se llamaba esa mujercita insignificante a quien don Celedonio quería pedirle algo? Servil aunque no sirviente, tenía un nombre notablemente absurdo que no recordaba...

—Ada Luz... —recordó justo a tiempo para enunciarlo—. ¡Perdone que la moleste! ¿Puede hacerme el favor, si va a bajar, de decirle a alguien que me suba una taza de café? Que no sepa la Fausta que no me deja tomar café a esta hora porque dice que después no duermo...

—Con mucho gusto, don Celedonio —exclamó ella, halagada por que el deudo principal la identificaba—. Yo se lo voy a subir ahora mismo.

Lisboa despejó las ramas del caqui para que Ada Luz lo precediera por la escala capriota. La siguió, retirándose un poco para dejar subir a las visitas o para permitirles bajar más de prisa que ellos. Lisboa iba refunfuñando que era el colmo que la burguesía de este país se creyera con derecho a todo, don Celedonio en esta casa, por ejemplo, porque se suponía que era el ejecutor literario de Neruda. O creía serlo. La verdad es que aún no se conocían los codicilos dictados por la señora Matilde a última hora para establecer la Fundación Pablo Neruda. Antes que terminara este asunto todos podían llevarse un chasco. ¿Cómo no iba a ser natural que se sacaran los muebles para organizar una capilla ardiente donde cupieran con dignidad las visitas y las coronas?

—¡Las cosas hay que hacerlas como ellos mandan, beatos de porquería...! —murmuró Lisboa.

—Don Celedonio no es beato.

—¿Quién dispuso, entonces, que colocaran ese crucifijo en el ataúd?

—Vino así de las Pompas Fúnebres y así quedó.

—¿Qué tienen que ver Pablo Neruda y la señora Matilde con los curas? Como el agua y el aceite. Nada, pese a que la Iglesia y el Partido ahora están tan amigos, cosa que a mí, personalmente, no me gusta. Desde que el Partido anunció la lucha armada para combatir a este régimen, la Iglesia no debe tener nada que ver con nosotros: es una contradicción.

—No crea que ellos no tenían nada que ver con los curas.

—¿Quiénes?

—Don Pablo y la señora Matilde.

Al llegar al rellano, junto al cedrón, Lisboa detuvo a Ada Luz esperando que explicara. Abajo, en el patio, pese a que los muchachos de la Jota tenían orden de filtrar a la gente para que el velorio no se transformara en un acto público, la concurrencia se desplazaba densa entre los fragmentos de luz que las siluetas destrozaban. La capacidad era limitada: éste, al fin y al cabo, no era el palacio de un ricachón, sino el refugio nostálgicamente capriota-ibicenco de un poeta. Desde el rellano, ocultos por las ramas, veían circular por el patio a antiguos amigos, los que iban quedando, o correligionarios y poetas cercanos a Neruda, y por la escala subían y bajaban próceres de la vetusta izquierda, figuras del sindicalismo arteramente desbaratado y de las universidades empobrecidas por el régimen, apenas disfrazados por los coletazos de la penumbra crepuscular. Después de rendirle un breve homenaje al cajón, los visitantes se distribuían cerca de los arbustos, sentados en los bancos o en esos poyos de piedra rosada de Pelequén que Pablo descubría en los sótanos de los cachureros —aquí resultaba imposible decorar su propiedad con mármoles tiberianos—, llamándose unos a otros con un gesto para dedicar un instante al recuerdo de la extinta antes de retirarse. Ada Luz se desprendió de la mano que Lisboa le deslizó por el talle porque éste no era el lugar adecuado, ni el momento: el ambiente, pese al gentío, conservaba un aire de recogimiento que la complacía. Comentando las últimas palabras de Lisboa le tomó la mano sobre la barandilla para que no se sintiera rechazado.

—La señora Matilde no era atea.

—Agnóstica, entonces.

—Por lo que decía, ni eso.

Lisboa, de pronto ceñudo, la emplazó a que se explicara.

—Bueno —comenzó Ada Luz, tartamudeando un poco—. Cuando la señora Matilde llegó de Houston la última vez y ya no se volvió a levantar, le vine a traer dos mañanitas que me había encargado que le tejiera, una amarilla, muy clarita, casi beige, un tono muy fino que ella misma eligió antes de irse, y otra color agua. Esa tarde estaba muy deprimida y cuando le pasé su espejito de mano que me pidió, comenzó a hablar de su muerte. Su carita... estaba tan mal... No la vi de frente cuando me habló sino reflejada en el espejito y tenía lágrimas, me pareció. Yo me sentí un poco rara porque no teníamos intimidad y hablarle de esas cosas a una extraña..., bueno, claro, como era tan solita...

—¿Qué tiene que ver todo esto...?

—Es que entonces, mientras se miraba en el espejito de mano, de repente me contó la cosa más rara.

—¿Qué?

—Que ella, en Houston, había pedido la extremaunción.

—¿Y se la dieron?

—Sí. Y que comulgó. ¿Qué raro, no? Quedé muy confundida. ¿Y sabe qué más me dijo?

—¿Quién? —preguntó Lisboa, aturdido por esta revelación.

—La señora Matilde, pues, Lisboa.

—¿Qué?

—Que a ella, para su funeral, le gustaría que le dijeran misa.

Lisboa la enfrentó:

—¿Y eso qué tiene de particular? Está dentro de la nueva consigna del Partido, aunque ella no pertenecía: la unidad de la oposición. A mí, personalmente, me da un poco de risa estar aliado con la Iglesia, pero...

—Y entonces me dijo que le gustaría que su misa se la dijera uno de esos curitas revolucionarios que viven en las poblaciones.

—¿A ver? Eso es muy distinto.

—¿Por qué va a ser distinto?

—No me gusta nada este asunto de las misas y las comuniones. Un curita cualquiera que dice misa en un funeral no es más que eso: un cura que dice misa en un funeral. ¿Comprende? No nos hace daño.

—Claro que no.

—Pero un cura revolucionario sería una bandera demasiado poderosa si le dice una misa a la señora Matilde. En ese caso la oposición se transformaría en resistencia, y la resistencia la tenemos que encabezar nosotros, no los curas.

—¿Qué vamos a hacer con lo de la misa, entonces?

—¿Por qué no me lo dijo antes?

—Porque no creí que tuviera importancia.

Él le tomó la mano encima de la barandilla y le sonrió benigno.

—Y así es: no la tiene. Olvídese del asunto, mijita. ¿Lo ha comentado con alguien?

La amenaza de su mirada fue más efectiva para acallarla que la mano musculosa que había dejado caer

sobre la suya, delicada como un coleóptero autóctono:
pese a lo difícil del momento, era un placer que no se negaba —aunque tenía sus bemoles, porque Lisboa era casado—, esto de verse envuelta por él. En el espacio de la
penumbra intercalada entre las luces de arriba y las de
abajo, sintió el destello azul de los calculables ojos de Lisboa aprisionándola con una fuerza que le hizo sudar la
nuca. ¿La iba a ir a visitar esta noche? ¡Hacía meses que
no iba! Pese a esto, si insinuaba una visita debía desalen-
tarlo porque ella, hoy, tenía otros asuntos que despachar.
Quiso retirar su mano para que su tentación de recibirlo
no la doblegara: fue la mirada azul de Lisboa, al fin, no
su mano, lo que se lo impidió. Él suavizó su mirada y su
voz para decirle:

—Mejor no lo comente.

—¿Por qué no?

—Es que la gente podría usar lo que dijo la señora Matilde para cualquier cosa, y resultar negativo para nosotros.

—A mí no me meta en su «nosotros», Lisboa.
Nosotras no tenemos nada que ver con nadie. Ni con
ustedes. ¿Por qué va a resultar malo para ustedes si todo
el mundo sabe que el Partido y la Iglesia están íntimos?
La Ju se salió del Partido cuando se anunció la lucha armada. Eso no significa que no siga con nosotras.

—¿Quién entiende a la Ju?

—Nadie, es cierto.

—¿Y a la Iglesia? Tampoco. Uno nunca puede
confiar en la Iglesia. Los curitas son muy diablos, capaces
de aprovechar cualquier situación que les convenga. Si
un curita revolucionario dijera misa de cuerpo presente
para la señora Matilde, agrupando a todos los partidos
políticos que están en contra de este régimen, aparecería
la Iglesia, que es lo que ellos quieren, no el Partido, pa-
trocinando la unidad de la oposición y encabezando la

lucha. Esto no podemos permitirlo porque esa pelea la tenemos que dar nosotros. ¿Entiende? Quédese bien calladita entonces, mijita. No le diga nada a nadie, ni a la Ju, que quién sabe en qué anda metida.

—No es que una entienda a la Ju, Lisboa, pero quiero que le quede bien claro que sin lo que nos ha enseñado y con lo que nos ayuda con su buen gusto y sus relaciones, no sabríamos qué hacer.

—Por lo menos no lo comente con ella hasta después del entierro, mire que es muy amiga de doña Fausta y quién sabe qué armarían ella y don Celedonio con lo de la misa. Claro que ya casi no queda tiempo para hacer nada en ese sentido. Cuando haya pasado el entierro puede publicarlo si quiere, y mandar a decir todas las misas del mundo, que entonces no tendrán el alcance de una misa de cuerpo presente dicha por un curita revolucionario.

—La señora Matilde es más que un cuerpo presente para que ustedes lo utilicen, sépalo, Lisboa.

—Ya lo sé. Lo digo con todo respeto. En todo caso, Adita, créame y haga lo que le aconsejo. ¡Tan anárquica que son usted y sus mujeres!

—¡Y a mucha honra!

—En todo caso, cállense para que no haya misa antes del entierro. ¡He tenido tantas discusiones con los dirigentes por el asunto de los curas! Estoy seguro que tengo más razón que ellos. Se lo estoy pidiendo por el bien del país y del Partido.

—Yo no tengo nada que ver con su famoso Partido, oiga. Lo que me dijo la señora Matilde fue un comentario no más. Ahora me arrepiento de habérselo contado porque está armando este enredo.

—Para que lo sepa: nada de lo que dijo la viuda de Neruda puede ser «un comentario no más». Todas sus palabras tienen un alcance político, aunque ella no fue nunca de los nuestros.

Soltó la mano de su interlocutora después de darle una ligera palmadita que irritó a Ada Luz porque la sintió tan desprovista de erotismo.

—No sé... —replicó ella.

—¿No sé qué? No sea tontita. ¿Vamos? Nos necesitan allá abajo.

5

—Mira —le señaló Lopito a Judit—. *Lisboa descending the stairs.*

—Sí —repuso ella—. Pero no por Duchamp. Por algún pésimo imitador latinoamericano que no se dio cuenta que estaba haciendo cubismo.

—Algo le pasa a Lisboa.

—Sí, viene de malas.

Estaban sentados en el reborde de piedra que limitaba el patio donde circulaban los grupos que cernían con sus sombras la escasa luz que iba quedando.

—Sí, algo político. ¡Los peos yo los conozco en el olor!

—¡Tan roto, Lopito! —exclamó Judit, olvidando que hacía años que se había jurado no tratar de reformarlo—. Míralo allá en la cocina con sus guardias, furioso como un jefe de *boy-scouts* porque uno de sus niños le desobedeció.

Ambos bostezaron, contemplando esta reunión de personas que ya no se volvería a repetir. Después de observar el gentío en silencio, Lopito dijo:

—Tú podrías convencerla.

—No te entiendo.

—Eso que estábamos comentando antes de *Lisboa descending the stairs.*

—¿Lo de la Ada Luz?

—Lo de la pieza que quiere arrendar. Y aquí en Bellavista, pues Ju, que queda tan a mano.

—Estás loco, Lopito. La Ada luz es mi amiga. ¿Cómo se te puede ocurrir que le voy a infringir un pensionista como tú a la pobre? No le pagarías jamás y le harías la vida imposible. Y como es tan tímida no se quejaría.

—¡La mujer ideal para mí! ¿Has oído a mi mujer quejándose de mí? Bueno, es como para grabarla. En videocassette, claro. ¡Porque además de los chillidos, pone unas caras! Hace una semana me echó de la casa: tres camisas, dos calzoncillos, un chaleco y eso sería todo. Se quedó con mis libros como pago por sus servicios, eso me dijo la muy puta, como si sus servicios fueran tan buenos, y me juró que los iba a vender para pagarle la matrícula a la Moira en marzo. Pero no le va a alcanzar la plata a la tonta porque yo ya vendí los mejores. Me quedan muy pocos. ¡Pero tiene mi Rimbaud! ¡Me hace una falta mi Rimbaud...!

—Francamente, no sé cómo pudo aguantarte cuatro meses esta vez. ¡Santa de altar, la encuentro! Yo no te podría aguantar ni una semana.

El humo del cigarrillo se escapaba entre los escasos dientes verdosos de la sonrisa de Lopito, fija y arcaica como la de un huaco. La piel del desollado que le ocultaba el rostro verdadero parecía quedarle estrecha, revelando el rojo crudo de sus encías y del borde de sus párpados. Como para desechar las intolerables verdades de Judit, se pasó una mano desde su frente calzada hasta su mentón prognático y fue como si con ese gesto bajara una cortina que transformó su mueca sonriente en una máscara de tortura. ¿Fueron —se preguntó Judit al ver una vez más el cambio que conocía desde hacía tanto tiempo— estas señales de un dolor ancestral, residuo de experiencias brutales acumuladas por civilizaciones primitivas clausuradas para ella, lo que la impulsó una vez, pese a la fealdad y la mugre de Lopito, a acostarse con él al entrar en la universidad, cuando ambos militaban en el MIR? ¿Cómo resistirlo, si era una ventana abierta a experiencias condenadas? Lopito, que no temía ni a lo abyecto ni a lo ridículo ni a la humillación porque jamás conoció otra cosa, la perseguía por los patios de la universidad y en las reuniones políticas, llorándole para que hiciera el amor con él, tan rubia, tan delgada, tan inteligente, una mujer inalcanzable hasta para sus sueños, imposible pensar acercarse a ella, que ese año era la transitoria diosa de los jóvenes revolucionarios. ¡Qué podía importarle a él que sus compañeros se rieran de sus pretensiones! La abyección le daba la libertad de no poder caer más bajo. Judit consentiría, aunque sólo por compasión: le bastaba. Llorándole sin pudor le rogaba que lo dejara tocarla, o verla desnuda siquiera para masturbarse soñándola, no le pedía más, implorándole acceso a su cuerpo con un desgarro de tristeza que ella pudo identificar no como deseo, sino como una variedad de hambre. Por eso, pese a que la noche que pasaron juntos técnicamente fue un desastre, a otro nivel nutrió a Judit, porque todos los hombres le parecían respetables, incluso los que hacían de ella su objeto. Lopito inauguraba un mundo de dolor sin paliativos, y era la primera vez que el dolor la tocaba como experiencia propia porque en esa época Judit tenía diecisiete años y sus otras incursiones no habían sido más que ejercicios retóricos comparados con el abismo de torpeza y anhelo de Lopito, y el hedor de su noche con él. Pedro López, Lopito —«si me hubieran bautizado con un nombre como Celedonio, por ejemplo, nadie me diría Lopito»—, el popular Lopito a quien todo el mundo soporta y hasta cierto punto quiere, pero a quien nadie incluye. Sin embargo, un afecto con forma de complicidad se estableció entre Judit y Lopito después de esa noche, y pese a que ya no militaban en las mismas filas —¿en qué filas podía militar Lopito a estas alturas, después de haberse quemado en todas? ¿En qué militaba ella, ahora totalmente enredada en sus culpas?—, los fue uniendo un largo historial de derrotas públicas y fracasos privados. Nada se rompió entre ellos cuando Judit se fue a vivir con uno de los militantes más valerosos de esa época, conocido con el nombre de Ramón, que murió en la tortura. Sin embargo, la amistad tuvo que suspenderse durante el tiempo que Judit anduvo perdida en la clandestinidad, desde donde alguna vez pedía ayuda, que Lopito no podía darle porque su pobre pellejo también estaba en peligro. ¿Para qué tratar de reformarse mutuamente y ser más nobles, para qué tratar de mejorar, para qué, incluso, hacer el esfuerzo de coordinar sus vidas con las distintas posibilidades de lo verdadero, conociéndose tan bien y con las cosas como estaban?

Después que la mano de Lopito ensombreció sus facciones, la piel del desollado fue encogiéndose poco a poco otra vez sobre su rostro, revelando sus encías de sangre, y la sonrisa arcaica de dolor se estableció de nuevo no como gesto festivo sino como una defensa contra la atávica intemperie de los miserables. Se escurrió entre sus dientes el humo del cigarrillo siempre lacio, pegado a sus labios.

—La culpa es de ella esta vez —dijo.

—No te creo nada.

—Tú siempre descalificándome. ¿Por qué me condenas de antemano sin saber lo que pasó?

—La única gracia que tienes —repuso Judit, sabiendo que hacía una frase para eludir la verdad de lo que él le estaba diciendo— es que no necesitas que nadie te condene porque naciste condenado. A ver, cuéntame, ¿cómo fue esta vez?

—Es que le pegué a la niña.

—¡Qué bruto! ¡Pero si tiene siete años! Estabas borracho.

—*Elementary, Watson.* ¡Una botellita no más!

—Te curas con el olor.

—No me acuerdo qué habíamos estado celebrando con el compadre Ríos.

—No creo que con Ríos nadie tome una sola botella de nada.

—¡Es que estaba tan pesada la Moira López esa noche!

—¿Qué estaba haciendo?

—Llorando que no paraba.

—¿Estaba enferma?

—No. Es que yo estaba leyendo en voz alta *Le bateau ivre,* que es lo único que me consuela cuando estoy deprimido y tengo frío, y como era la quinta o sexta vez que lo leía sin parar y la niña y la Flora no podían dormir, quién sabe por qué...

—¿Qué hora era?

—Cerca de las tres de la mañana. La tomatina con el compadre Ríos fue harto larga.

—Francamente, si alguien me leyera a mí *Le bateau ivre,* a las tres de la mañana por sexta vez...

—Lo que pasa es que la Flora es muy intolerante.

—No me vengas con cuentos.

—Bueno, quizás no intolerante. En todo caso detesta a Rimbaud. ¿Te imaginas a alguien que deteste a Rimbaud? ¡Increíble! Y la chiquilla lloraba y lloraba cada vez que yo volvía a comenzar. Fíjate que esta cabrita, como buena hija mía, nació con sentido poético porque lloraba justo cada vez que yo volvía a comenzar, como si por la estructura del poema adivinara cuál era el fin y cuál el comienzo, y chillaba que daba miedo cada vez más fuerte cuando yo comenzaba, cabra de mierda, hasta que la agarré y la zamarrié bien zamarreada. Entonces la Flora me atacó con el taco del zapato que por suerte era de corcho... mira cómo me dejó, y vieras las cosas que me dijo la muy concha de su madre: que hacía años que ya no escribía un verso, no te puedo decir que no sea verdad pero no por eso uno deja de ser poeta, que me había arrancado del hospital para borrachos y me había caído al litro otra vez y ella ya no me aguantaba más, que ya no se usan los poetas malditos, como si la muy ignorante supiera qué se usa... Tú comprendes, Ju, que yo no podía aguantar eso y le pegué y me echó, y hace una semana que ando por ahí durmiendo donde puedo, en las casas de mis amigos y mis conocidos: no son muchos los que me aguantan porque tú sabes la mala fama que uno toma en este pueblo chico lleno de gente chismosa que es Santiago.

—¿Y tú quieres que con esa historia te meta en la casa de la pobre Ada Luz, que se acuesta a las ocho y a las nueve tranca su puerta de puro miedo? Si quieres puedes dormir esta noche en mi casa. Pero no más. Ya no te puedo ayudar más. No tengo vocación de madre ni siquiera con mi hija y tengo mi propia vida, que no pienso sacrificar para reformarte. Así es que no te alojo más.

—Aceptado. Gracias.

—Ah, con una condición.

—¿Cuál?

—Que te bañes. Estás fétido.

—No hay problema.

—Toma la llave.

—Gracias.

—¿Dónde vas a comer?

—¿Me convidas?

—Creo que en la casa me quedan huevos.

—¿Nos vamos juntos de aquí?

—No sé todavía...

6

Con los años, Fausta Manquileo había llegado a ser una señora de gran calado, un soberbio paquebote de lujo que navegaba con inexplicable donaire en el proceloso ponto de la política y la literatura nacionales. Si bien jamás fue una belleza, tenía lo que las novelas del siglo pasado llamaban un «porte de reina», que esta tarde de duelo lucía como nunca, aureolado de tristeza, entre las sombras vegetales que se disolvían en el patio enlutado donde ella era el centro del besamanos. Después de publicar siete libros de inspiración más bien errática, la señalaban como el primer Premio Nacional de Literatura que se otorgaría en cuanto cambiaran las condiciones políticas del país que ahora se lo negaba por comunista, cosa que jamás fue, o por disidente, que la demagogia oficial definía como lo mismo. Cuando le mencionaban el Premio, Fausta aseguraba, no por coquetería sino con el fervor de quien comenzó siendo discípula:

—Celedonio lo merece más que yo.

Lo que no era verdad. Más independiente que él de los gustos establecidos por los modelos internacionales, dotada de una imaginación más bravía y con más *pathos,* eran otras las características que le impidieron alcanzar lo más alto: una veta un poco comodona sobre todo, que la hacía preferir su posición de diosa lugareña, descartando la aspiración a la soledad de la grandeza. Porque a su edad, reconocía, más que la literatura misma era la vida literaria lo que movilizaba sus pasiones, las presentaciones de libros, la escaramuza de amistades y resentimientos, la manipulación de premios y prebendas para prodigar entre sus protegidos y los de don Celedonio. En un melancólico atardecer como el de esta despedida, donde la escasa claridad que iba quedando apenas rescataba las identidades de los grupos dolientes congregados en el patio, cumplía admirablemente su papel de administradora de la tristeza. ¿Cómo no iba a desempeñarse bien en una situación que tenía tanto de social?, decían los que la observaban desde las ventanas escenográficas abiertas al espacio dominado por su importante figura. En buenas cuentas nació haciéndolo, como hija única y mimada de un senador radical, un potentado en su tiempo, dueño de cuantiosas tierras arrebatadas a los indios en Temuco, cuyo nombre ahora yacía olvidado en una calle a trasmano. A los veinte años, un buen verano, Fausta cometió la estupidez de casarse con el capataz del fundo y adoptó su apellido indio. A los diez meses el capataz murió —en un banco del patio, el autor de *Djktrplñ/poemas,* le relataba a la novelista de *Nidos* que el padre lo habría mandado matar, hipótesis no improbable dadas las costumbres de La Frontera por aquellos años—, episodio que don Celedonio solía recrear con un divertido paso de comedia en casa de los Neruda ante comensales nuevos, adornándolo con variables aditamentos que Fausta tenía el buen sentido de no desmentir para que así creciera su leyenda. Durante su primer año de viudez, encerrada en el feudo de donde su padre no la dejó salir a ventear su vergüenza, escribió su primer libro: *Ventana abierta a un mar de trigo,* novelita autobiográfica que Alone lanzó desde las páginas de *El Mercurio.* Una muchacha muy sensible y muy frágil, totalmente distinta a Fausta, pero era como ella se veía porque así se usaba en las novelas femeninas de la época, queda misteriosamente viuda y elige permanecer sola en su hacienda para investigar si es verdad su sospecha de que su padre hizo matar a su marido: original combinación de género criollista con género policial opinó el sagaz crítico, señalando las muchas felicidades del texto que se publicó bajo el seudónimo de Fausta Manquileo. El padre no tardó en descubrir que su hija, María Angélica Rosales, educada en las monjas más melindrosas de Santiago para que contrajera un matrimonio según las convenciones, era la autora de este libro difamatorio del que todo el mundo estaba hablando, y que frívolamente —porque Manquileo jamás le importó un carajo a la idiota de la Queca y fue todo cuestión de una calentura veraniega que se podía haber arreglado de otro modo—, en buenas cuentas lo acusaba a él de asesinato.

—Es lo único pasable que ha escrito —le comentó a su compañero un muchacho de la Jota que acababa de leer la novela en la escuela.

—Prefiero *La red azul,* es más telúrica, más nuestra —le contestó su interlocutor, abriéndose paso entre la gente para bajar la escala de piedra y montar guardia en la calle.

El lamentado senador había muerto al poco tiempo. ¡Cómo no le iba a dar un infarto con una hija como la Queca, que se estaba poniendo tan bohemia! Después del deceso, Fausta se trasladó a vivir a Santiago, arrastrando consigo un estilo de vida combativamente acampado, en una inmensa casa incómoda en un barrio al margen de la moda, repleta de inmensos muebles oscuros sin restaurar y de parrones y de plantas en teteras de loza desportillada y de perros que circulaban por el comedor durante las cenas y de sirvientes sin funciones más precisas que relatar historias familiares o preparar postres olorosos a infancia:

—Te pareces a madame Hanska recién llegada a Ucrania a Neuchâtel con su comitiva —le dijo don Celedonio Villanueva, enamorado de la dimensión feudal de todo lo que Fausta emprendía.

Le hizo leer a Balzac en cuanto la conoció con su colorido séquito criollo en Roma, de donde volvieron convertidos en una pareja cuya larguísima estabilidad derrotó a los agoreros. En Santiago abrieron su casa a los amigos «poco convencionales»: así, entrecomillado, porque según le comentó la autora de *Nidos* al autor de *Djktrplñ/poemas,* ésa era una frasecita con un aroma bastante pasado de moda, y como se estaba haciendo tarde y había tanta gente ella prefería irse porque todos estaban demasiado ocupados para informarle acerca de la Fundación Neruda y poder escribir su artículo. Entre estos amigos «poco convencionales» se encontraba Pablo. Según se murmuraba hasta hoy, aun en el patio fúnebre, el poeta, fugazmente —porque se definía a sí mismo como «monógamo sucesivo»—, le perdió el corazón a esta princesa autóctona de tez demasiado morena y cabellos tirantísimos en las sienes atados en un moño en la nuca, teñidos desde que apareció su primera cana hasta los casi setenta años que uno se atrevía a adjudicarle ahora, de un inalterable color ala de cuervo. Afirmaban algunos que durante un viaje por Italia con su corte de amigos, Neruda habría amado a esta carnuda greda de Quinchamalí de párpados añil y labios granates, poseedora de una carcajada tan potente que de acuerdo con lo que don Celedonio aseguraba en su departamento lleno de *petits meubles* y de encuadernaciones del dieciocho, era capaz de trizar no la tradicional copa de champaña de cristal *mousseline,* sino un potrillo lleno de chicha: observación muy García Márquez, aunque, en fin, era tan fácil imitar a García Márquez, y todos lo estaban haciendo. ¿Cómo fue, se preguntaba la gente incluso ahora, después de tantos decenios, al verla saludar a las visitas o despedirlas con un abrazo o con una sonrisa, que un cosmopolita como Celedonio Villanueva se pudo enamorar de una mujer tan obvia como

Fausta, precursora de «artesas», adornada con pectorales de plata araucana y lanas chilotas antes que se pusieran de moda y después que convinieran a su edad, luciendo el poncho de vicuña de su padre cuando junto a Matilde desafiaban a las fuerzas del régimen en las manifestaciones políticas?

Fausta mantuvo su amistad con Matilde después de la muerte de Pablo. Crítica de su postura un poco acartonada de suma sacerdotisa que dedicaba su vida a alimentar la llama de la gloria del vate, la impulsaba sin éxito, porque Matilde era recalcitrante a toda intrusión, a vivir una vida propia. Si bien ninguna de las dos mujeres era ni cálida ni tierna, eran, en cambio, parejas en lo apasionadas, inteligentes y valerosas, hembras de buen diente aficionadas a los trapos, y a la risa y a las discusiones con hombres comprometidos en audacias, sobre todo cuando han bebido demasiado vino. Desfilaban vociferando en las protestas, firmaban cartas, escondían a perseguidos y trabajaban en la Comisión de Derechos Humanos y en ls Agrupación de Familiares de Detenidos y Desaparecidos sin temer represalias. Para Matilde, su trabajo durante el último tiempo de salud y el primero de enfermedad fue muy claro: ordenar, dentro de lo posible, con ayuda de don Celedonio y Fausta, pero sobre todo de don Celedonio, la inmensidad de papeles que dejó el poeta, originales, cartas, autógrafos, obras inconclusas, labor monumental a la que no se le veía el fin, material valiosísimo guardado bajo llave en algún lugar de la casa de la ladera del cerro donde tantos amigos, este atardecer, se hallaban congregados: esos papeles debían formar el núcleo de la Fundación Pablo Neruda.

¿Qué diablos iba a pasar con todo esto ahora si los Neruda no tenían más heredero que la Fundación, proyecto que parecía estar atascado en algún trámite?

Era demasiado rico el legado para dejarlo sin la más fina cautela legal, esas primeras ediciones y autógrafos, esos originales inéditos, correspondencia, bibliotecas, cuadros, además de la fortuna en derechos de autor que debía permanecer formando unidad coherente con estas colecciones. Se había hablado mucho de la Fundación, aun en tiempos de Pablo, que siempre la postuló como algo ajeno a la política. Pero sobre todo Matilde, ya enferma, las manos y la voz desfallecientes, se ocupó obsesivamente en la tarea de tratar de darle forma, porque además de establecer otro pilar más para la inmortalidad del poeta, la Fundación consolidaba la base material para un centro de fermento en Latinoamérica, sirviendo sobre todo a escritores jóvenes necesitados de estímulo. Encerrada en su dormitorio fragante de aromas destinados a disipar el olor de los medicamentos, su índice incansable marcaba números y más números en el teléfono sobre su colcha, machacona y exigente, la voz quebrada tratando de construir esa gran nave que lograba vislumbrar desde su fiebre, aunque sabía que jamás iba a verla navegar. El legado, que esperaba legalización, se hallaba misteriosamente detenido en el despacho de algún burócrata, malintencionado o no, eso no se podía saber. Nadie había logrado noticiarse sobre el dichoso legajo ni obtener datos sobre el estado en que los trámites se hallaban. En sus últimos meses Matilde desesperaba, temiendo que debido a oscuras maniobras la Fundación jamás saliera adelante. Las influencias movilizadas por su nombre no lograron nada, sobre todo porque era imposible saber si convenía, temiendo la jugarreta de algún anónimo empleadillo enardecido por el celo político que veía en cualquier cosa relacionada con Neruda una maquinación comunista. ¿Cómo no, si la casa de la Isla Negra fue regalada al Partido hacía tanto tiempo, y entonces, cuando la Junta confiscó los bienes del Partido, pasó a ella? Pero sólo el edificio, no los enseres: no los mascarones de proa que desde los faldeos de docas escudriñaban el mar, no las colecciones de cristales azules y caracolas opalescentes en las habitaciones selladas, que se excluyeron del regalo. Ahora, en el interior de ese inmueble que la muerte de Matilde iba a clausurar, las cosas quedarían esperando perplejas su destino, acumulando polvo y alimentando termitas hasta que los trámites de la Fundación se pusieran en marcha otra vez y el régimen, o quien fuera, por fin aprobara el proyecto.

Fausta navegaba de un grupo a otro, o subía a cambiar frases amables con algún personaje preclaro junto al féretro, intentando que la charla derivara hacia el buen recuerdo más que a las perturbadoras lucubraciones acerca del destino de la Fundación. La verdad es que todo este asunto ocupaba más el pensamiento de don Celedonio que el de Fausta, porque como administrador y coordinador del vasto detritus nerudiano, su silueta, jamás muy nítida para el público porque su genio fue intimista, iba a adquirir un flamante contorno que sus libritos jamás le dieron. Rejuvenecer. Hacerse potente otra vez. Más potente que nunca. Ésa era la absurda tentación que Fausta le ponderaba para entusiasmarlo. Él no sabía si a estas alturas eso le interesaba, porque le parecía preferible dejarse apagar serena e irónicamente. Fausta lo guiaba del brazo por el patio, temerosa que no llegara a tener ni salud ni fuerza para nada, deteniéndose con él a saludar a Lopito, a darle un beso a la Ju, a preguntarle a Lisboa si todo estaba dispuesto para que el funeral partiera de esta casa mañana justo al mediodía, a abrazar al viejo senador socialista recién llegado de su exilio en Suecia, a aplacar con una chirigota al grupo de jóvenes levantiscos y con un halago a un Premio Nacional que se retiraba por considerar que nadie le hacía caso. ¿Esta gente servía por lo menos para engañar el dolor de modo que el cariño no porfiara por regresar junto al cajón donde Matilde reposaba entre avemarías? ¿Quién diablos podía estar haciendo el papelón de rezarlas? ¿Quién les mandaba…? Don Celedonio sacó un puro que no encendió. Por el momento prefería mantenerlo así, entre sus dientes, aspirando su aroma seco. Más tarde, cuando partieran los ociosos y el círculo de amistad estrechara su ruedo, lo encendería, porque un buen puro requiere paz en el corazón para gozarlo. Éstos se los había mandado Miguel Barnet desde Cuba con un chasqui que dijo traérselos como homenaje de Casa de las Américas. La verdad es que no eran tan buenos como los de antes. Nada era tan bueno como lo de antes. Empezando por Casa de las Américas, que había perdido el embriagador aroma del primer momento. Calló su pensamiento al sentir que Fausta, arrastrando su largo atuendo negro, mezcla de machi con euménide, le soltaba el brazo para dirigirse con una precipitación que no le era propia hacia la entrada. La oyó decir con voz demasiado perentoria para la escena:

—¿Qué está pasando aquí?

Recortada contra el vano iluminado de la escalera que bajaba a la calle, con una mano teatralmente apoyada en una jamba y la cabeza inclinada hacia adelante, su espalda poseía una autoridad tan incontestable que la concurrencia desplazó instantáneamente la atención hacia el incidente que protagonizaba. Se había producido un pequeño altercado, al parecer, que culminó con un portazo, entre los guardias que suspendieron su charla literaria, y que Fausta, atenta a todo, no dejó pasar inadvertido porque no era conveniente que cosas así sucedieran en una tarde como ésta: podían presagiar altercados desagradables en el entierro de mañana. Era necesario tener mucho cuidado. Unos peldaños más abajo, recortado uno hasta la rodilla, otro hasta el pecho, uno con cara de angelote rubio de primera comunión, otro igualmente ingenuo pese a la tentativa de agresión de su barbita incipiente, los dos muchachos de la Jota continuaban su reyerta, que Fausta zanjó con un:

—¡Shshshshshsh! ¿Quién era?

—Fox.

—¿Freddy Fox?

—Sí: don Federico Fox.

—¿Dónde está?

—Se fue.

—¿Por qué?

—Es que este tonto no quiso dejarlo entrar.

—¿Están locos?

—Éste fue.

—Bueno, señora Fausta, Lisboa nos puso aquí para que coláramos a la gente y no dejáramos entrar a los del gobierno. ¿Quién más del gobierno que don Federico Fox?

Fausta se quedó en silencio un segundo, luego decidió:

—No puede ser. Háganlo subir.

Abrieron la puerta de la calle. Desde el umbral le gritaron a Fausta:

—Se fue a su auto.

—Corran a buscarlo.

Lisboa se acercó preguntando qué pasaba, seguido de un grupo ansioso de entrar en acción. Fausta lo encaró: esta noche, le dijo, no estaba dispuesta a tolerar medidas torpes como despedir a Federico Fox de la casa que era de Matilde. La otra, la de Isla Negra, podían reclamarla como propia porque el Partido no aceptaba la legitimidad del régimen militar, pero esta casa no le pertenecía al Partido sino a la Fundación. Sobre todo a Matilde, porque para ella se construyó, un ser humano, no un peón en el tablero de la política, y nadie iba a echar a ningún amigo personal de la extinta de su propia casa con su cuerpo todavía ahí. Ellos creían que este régimen al que acusaban de estúpido pero que por desgracia parecía no tener nada de estúpido porque se había sabido mantener durante trece años de mentiras, violencia y desastres económicos, sí, creían que este régimen podía cometer el desatino internacional de dar un paso en falso en relación a la muerte de Matilde. Era como si quisieran un ataque, como si desearan un allanamiento, un hecho de sangre, aquí y ahora, para utilizar la muerte de Matilde. Ella no les importaba absolutamente nada. Federico Fox podía ser uno de los sinvergüenzas que contribuyeron a enredar al país en la ruina irracional, robando tantos millones con el beneplácito de las autoridades que se decía era uno de los culpables del espantoso descalabro económico nacional. Pero pese a esto, que se fijara, Lisboa, que aprendiera: Freddy Fox era inteligente, sí, capaz de hacer reír a Pablo y a la Matilde, y ellos le tenían simpatía porque Pablo no era un sectario esquemático, eso jamás, ni un beato con el puño en alto como única respuesta a todos los problemas. Lo miró, bajando la voz para continuar:

—Usted, en cambio, si quiere saberlo, Lisboa, con su triunfalismo ingenuo, les parecía una lata.

—Yo he oído comentar que don Pablo jamás permitió que Federico Fox pisara su casa —contestó Lisboa, impermeable a lo que le tocaba de la andanada de Fausta.

—No se dio la ocasión. O las cosas se arreglaron para que la ocasión, con los problemas que hubiera acarreado, no se diera. Pero a veces se encontraban.

—¿Dónde?

—En mi casa, por ejemplo. Tenían mucho tema. Nadie en Chile, salvo Pablo, tiene una colección de primeras ediciones y de autógrafos como la de Federico Fox.

Oyó pasos subiendo la escalera. Se asomó:

—¿Freddy? Oye, sube no más. Parece que estos chiquillos se confundieron.

—Otro error del Partido —comentó él.

La entrada de Federico Fox causó un estremecimiento en la concurrencia, semejante al que causa el villano de un dramón que sorpresivamente salta con su espada en ristre desde una ventana al centro de una fiesta. Le hicieron espacio para que pasara. Lo siguieron con la mirada para verlo saludar a don Celedonio, que lo abrazó, y besar a la autora de *Nidos,* a quien le acababa de conferir un premio que en esta casa la literata hubiera preferido disimular, y preguntarle algo a un pintor hiperrealista y ofrecerle patrocinio a uno de la transvanguardia, y luego, lentamente, remontó la escala de troncos del brazo de Fausta, seguidos por don Celedonio.

—¡Pensar que nunca había estado en esta casa! —comentaba con Fausta—. Quiero que me la muestres entera para ver los tesoros acumulados con el oro de Moscú por este comunista con gustos de aristócrata. Estoy seguro que lo dejó todo al Partido para expiar su culpa por la buena vida que se dio a costillas del proletariado. ¡Qué casa más rara! No sé si es horrible o preciosa. ¡Qué incómoda! ¿Cómo diablos pasan de este sector al otro sin mojarse cuando llueve? Pero primero subamos a rezarle unas avemarías a la difunta para ayudarla a salvar su alma, mira que todos nos vamos a ver en aprietos delante del pesado de San Pedro.

—Menos mal que lo reconoces.

—¿Tú no, pecadora?

El aspecto de Federico Fox no era como para causarle estremecimientos a nadie, aunque tenía algo de lo hipertrofiado e ingrávido de los personajes que en las pesadillas flotan como globos. Muy alto, muy gordo, muy blando, parecía un proyecto de inmenso bebé lubricado con aceites fragantes, que cuando saliera del estado fetal y se le formaran las facciones y le creciera la pelusilla del cráneo, quizá llegaría a ser un bonito niño rubio. Su papada unía con una comba espléndida a su mentón con su vientre, que rebotaba dentro del tiro altísimo de sus pantalones sostenidos por suspensores. Chupaba sus labios en un simulacro de perpetua lactancia, e insatisfecho, se reconfortaba con los mimos de sus manos de muñeco de loza que acariciaban su propio cuerpo. Miraba con gula aunque sin hambre a las mujeres demasiado jóvenes, o los libros que le interesaban para su colección acumulada en su viejo palacete de adobe emperifollado en el barrio bajo, donde sus hijitos, parecidos a él antes de hipertrofiarse, crecían a cargo de clérigos sobrealimentados. No miraba con hambre porque desconocía esa honrada experiencia del común de los mortales según don Celedonio, que decía apreciarlo por su aspecto Botero, pero su gula era capaz de devorarlo todo porque Freddy era puro tubo digestivo, que a veces, en medio de una reunión de directorio, protestaba al no ser gratificado instantáneamente. Su prima Judit Torre, criada en el fundo de al lado, explicaba que nadie podía extrañarse que lo aquejara tan obscena gula: de chico, sus padres millonarios y consentidores pero ignorantes y prepsicológicos, para que su hijo único no llorara exigiendo más y más gratificaciones, lo tuvieron hasta los doce años con un collar de ambarinos chupetes de goma colgado alrededor del cuello, los que el pequeño Freddy, insaciable y repulsiva y sucesivamente, babeaba y mascaba para reconfortarse quién sabe de qué oscuras carencias. Judit lo odiaba, no solo porque su posición política era radicalmente contraria a la suya, sino porque de adolescente, despechado por el rechazo de sus primas mayores, se escondía entre los fardos de la bodega a la hora de la siesta arrastrando hasta allí a sus

primas más chicas para hurgar en la sabrosa humedad
de sus calzones, amenazándolas con castigos horripilan-
tes a que las someterían los grandes si se enteraban de
estos experimentos: desde entonces el inocente olor a
fardos de paja solía provocarle ahogos asmáticos a Judit.
Gracias a su vengativo chismorreo, raro en ella, que por
celosa de toda vida privada tenía fama de huraña, el in-
fame cuento del collar de chupetes infantiles de Federico Fox, presidente de cooperativas y financieras, anduvo en boca de todos, desarticulando su seguridad.
Subiendo a visitar el féretro sintió el frío de quien está
seguro que hablan de él detrás de su espalda: la oposición reunida en el patio y desde allí contemplando su
ascenso, sin duda había quedado preguntándose si, sin
el cuento de los chupetes y el rumor de complacencias
menores que circularon en cuanto Freddy comenzó a figurar, su gestión hubiera podido transformarse en un
peligrosísimo paso por la cartera de Economía cuando
la autoridad estuvo a punto de nombrarlo. Él, en ese
momento, viajó para demostrar su tácita negativa, colo-
cándose afuera del alcance de la maledicencia antes que
pudiera rozarlo públicamente. Se le sabía ávido com-
prador no sólo de manuscritos y ediciones príncipe,
aquí y en el extranjero, sino de empresas y fábricas, de
tierras, de construcciones a medio terminar, de cuanto
estuviera herido o agónico o trizado, que iba adquiriendo a medida que se declaraban en quiebra las firmas incapaces de pagar sus deudas o en bancarrota los posee-
dores de gobelinos y de arcángeles estofados.

Alcanzó a santiguarse frente al cajón antes de
dejarse caer junto a don Celedonio en el sofá, comentando lo fea que encontraba esta renombrada residencia.
Sus ojos inquisitivos parecían tasarlo todo, como si poseyeran el poder para volcar un tazón y mirarle la marca,
o palpar la felpa para evaluar la calidad de su pelo. Nada

bueno. Todo ordinario, horrible. No había nada que hacer: el refinamiento no se adquiere ni cuando se es un genio como Neruda, porque es una cosa distinta a la cultura, algo enigmático, como un don que viene con la cuna y con la sangre, y Neruda, ni en política ni en gusto, sabía, francamente, dónde estaba parado. ¡Todo esto era un mamarracho! ¿De qué hablaba la gente cuando ponderaba esta casa?

—Bueno —repuso don Celedonio—. Lo mejor son los libros y los manuscritos. Y la correspondencia, aunque no la conozco bien. Fuera de los originales de Neruda que aún no se han abierto.

—¿Todos ológrafos?

—La mayoría.

—¿Qué va a pasar con todo esto, Celedonio, por Dios? ¡Qué preocupación! ¿Quién se va a quedar con las primeras ediciones, con las cartas de la hermana de Rimbaud que creo que son un tesoro, con la primera edición de Whitman anotada por él, con la *Educación sentimental* dedicada por Flaubert a George Sand... con el folio de Shakespeare?

—Bueno, se trata, justamente, de que la Fundación proteja esas cosas para que no se dispersen. La pobre Matilde estaba muy preocupada.

—Espero que la Fundación se preocupe también de que no las manden a Moscú.

Y con un amplio gesto de su mano de canónigo, tan brusco que don Celedonio temió que sus uñitas rosadas salieran volando de la punta de sus dedos, Federico continuó sin transición:

—Me contaron que la pobre Matilde, cuando ya no quería hablar con nadie ni por teléfono y yo a veces la llamaba para preguntar cómo seguía...

—Y para ofrecerle comprar las colecciones. Supe que le dejabas recados. Hasta precios.

—¿Cómo no, pues, Celedonio, si dicen que la Fundación está detenida sin esperanza de moverse porque el gobierno sospecha que los comunistas andan metidos en todo esto? Pueden pasar años y el asunto de la Fundación se va a transformar en uno de esos eternos juicios que se estancan en la burocracia sin resolverse, como en no me acuerdo qué novela de Dickens. Mientras tanto, las cosas valiosísimas de que estos juicios son objeto se van dispersando hasta que al final no queda nada. Así va a pasar con lo de Neruda por culpa de ustedes los comunistas..., no me lo niegues, por lo menos que en tu tiempo has sido, cuando se usaba y todo el mundo era comunista, hasta la Nancy Cunard...

Don Celedonio sintió que se iba a ahogar. No sólo porque en cierta medida se daba cuenta de que parte de las palabras de Freddy correspondían a la realidad, sino porque el aliento del banquero le llegaba cargado con el tufo de la trabajosa digestión de patés, mariscos y salsas. Apoyándose en su bastón se puso de pie. Federico Fox también, persiguiéndolo con su palabrería por la escalera de troncos hasta el patio, alegando que Neruda le había regalado a la Biblioteca de la Universidad de Chile hacía más de veinte años una colección de libros, valiosísima, que prácticamente había desaparecido, o estaba bajo llave, en todo caso faltaban centenares de volúmenes importantes y nadie cuidaba lo que iba quedando, ni lo catalogaba ni lo ordenaba ni lo limpiaba, además de otros cientos de volúmenes dispersos en bibliotecas de barrio o de instituciones incapaces de apreciar su valor. ¡No podía ser que los chilenos siguieran siendo tan incivilizados! ¿Era verdad que las cosas de Neruda tenían la calidad que les adjudicaba la leyenda? A él se le ocurría dudarlo, porque Pablo, como buen artista, era muy fabulador.

—¿Quieres ver la colección? —le preguntó don Celedonio, animándose de repente.

—Me encantaría.

—¿Con ojos de buen mercader?

—¡Qué pesado estás! Francamente, se te está pegando lo roto de tus amigos.

—Y a ti lo sinvergüenza de los tuyos. Estoy muy alterado con la muerte de la Matilde, Freddy, y asqueado con todo el mundo tratando de sacar partido. En fin, estoy viejo y cansado, y la idea de que me voy a tener que hacer cargo de la Fundación me agobia.

Iban bajando. En la penumbra de la escala Federico Fox detuvo a su amigo. Posó afectuosamente su manaza de hombre práctico sobre la delicada espalda de poeta menor de don Celedonio, y titubeando, más por táctica que por sensibilidad, le dijo:

—Espera...

—¿Qué quieres?

—Hace tiempo que quería preguntarte algo. Me parece que ésta es la mejor ocasión. ¿Es verdad lo que dicen, que tienes un autógrafo de Trotski?

—Cuatro.

—¡Cuatro!

—Cuatro cartas ológrafas dirigidas a mí, viviendo yo en Cuernavaca y él en Coyoacán...

—Ah, claro. Esa época cuando se murmuraba que Neruda anduvo metido en el asesinato de Trotski con Siqueiros y toda la mafia stalinista, y en pago de su intervención el Partido lo habría elevado a la eminencia a que posteriormente lo elevó.

—¡No seas frívolo, Freddy, alimentando la leyenda negra de una de las pocas personas de genio que ha producido este pobre país! Me vas a hacer el favor de callarte. En fin, tengo cuatro cartas autógrafas de Trotski y cartas de García Lorca y de Anaïs Nin... y de Miller...

—¡Dios mío! ¡Eso vale una fortuna!

—¿Quieres comprármelas?

Don Celedonio no oyó la respuesta de Freddy. Era la primera vez que pensaba en separarse de lo único que continuaba tensando su nudo vital. Hoy tenía claro que iba a morir muy pronto: la fiesta se había acabado. Pero una Fundación Celedonio Villanueva sería una ridiculez, porque dentro de poco nadie recordaría su nombre. Después moriría Fausta, y de él, entonces, no quedarían ni esas ascuas. ¿Por qué no dispersarse ahora, descuartizarse él mismo para saber dónde quedaban los trozos de su cadáver sin esperar que lo hicieran los chacales como Ada Luz y Lisboa? Vender algo que, como esas cartas, sentía formando parte de su ser, significaba que, modestamente, algo suyo valía: sí, el viejo son fenicio de las monedas se lo aseguraría al caer en su mano desde la mano regordeta de Federico Fox. Algo suyo, después de su muerte y liquidados los afectos, seguiría interesando, o mejor que eso, quizás dando placer. Diligentes estudiosos norteamericanos escudriñarían esas cartas para redactar una nota a pie de página, un comentario esclarecedor, una glosa que iluminaría la figura de algún grande con la luz que emanaba de él, un pequeño. Académicos curiosos acudirían a la colección Fox —las cajas instaladas en anaqueles con molduras de bronce en salas climatizadas de la Biblioteca Nacional, el nombre del mecenas donante ornando de oro el dintel de la sala y su propio nombre, Celedonio Villanueva, reducido a una serie de tarjetitas en el catálogo para certificar la procedencia de los documentos e identificar al destinatario de las piezas— en busca de pistas y huellas, nunca para obtener información central. Era triste pensarse así. Pero hoy todo era triste: melancolía, melanoma, melanina, melaza, meláfido, melanita. *Mela:* raíz del griego, «melas, melaina, melan», negro, decía doña María Moliner. Melanoma: negro, muerte, aunque la distinguida lexicógrafa no incluyera esa voz. ¿Pero... se llamaba así lo que había matado a la Matilde? Quién sabe, porque al fin y al cabo otra voz, carcinoma, por ejemplo, serviría igualmente para matar. Tal vez doña María Moliner excluyó melanoma porque cualquier cáncer no es más que una derivación de la tristeza: melancolía..., mela..., negro. Tristeza. Pero no miedo, porque hoy por primera vez le parecía más espantoso que la muerte haber vivido en torno a los grandes sin ser invitado más que como espectador a ese banquete. Sí, todo negro, salvo Federico Fox, radiante y rubicundo, que aun después de bajar con él hasta el patio seguía proponiéndole la compra de su alma a buen precio de coleccionista glotón para agregar quién sabe cuántos chupetes más a su infantil collar baboseado. Freddy lo tomaba del codo, gesticulando persuasivo, superior a todos por su impunidad. El gentío parecía agitado con su presencia, alguien haciéndole señas grotescas desde el otro lado de las sombras, pero, claro, ante la posibilidad de una transacción conveniente con don Celedonio no podía concentrar su avidez más que en él. Un poco más allá, Freddy se detuvo con la frase desmigajada, con el gesto congelado en el aire, como si todo en él, en un segundo, se hubiera transformado en materia gelatinosa. Don Celedonio también se detuvo, siguiendo la mirada de Freddy, que penetró los bultos de oscuridad al otro extremo del patio: Lopito le estaba haciendo señas al banquero. Tirando su cigarrillo húmedo de saliva se puso de pie junto a Judit, y conteniendo su risa avanzó por el callejón de personas que se había abierto hasta Freddy. Con sus pulgares enganchados en su cinturón, acezando como si le costara desplazarse, caricaturizando el andar bamboleante de un matón del Far West que se dirige a su adversario en un duelo, Lopito, guiñándole un ojo siniestro, se acercaba a Freddy Fox entre los que reían al comprender que Lopito aludía al banquero al llevarse los dedos a su boca desdentada de bebé infernal, y los mamaba, quejándose de regocijo, seguido de Judit Torre, cuya presencia parecía avalarlo.

—¡Lopito...! —le gritó don Celedonio.

Lopito siguió acercándose a Freddy, inmóvil en medio de las miradas que lo atraparon, impidiéndole obedecer su impulso de huir hasta la calle porque quién sabe de qué sería capaz el salvaje de Lopito. ¡Qué imposible entender la amistad de la Ju con este criminal, este terrorista que debían exiliar! Los MIR jubilados nunca se jubilan de veras. ¡Él había metido a la pobre Ju en el marxismo! ¡Huir, era lo único! ¿Pero cómo moverse si el monstruo se acercaba chupándose los dedos delante de todo el mundo, respaldado por la Ju, cuya mirada de víbora lo mantenía clavado como un pájaro listo para el sacrificio? ¿Lo que habían sido las niñitas Torre! En los tierrales de Colchagua, las Torre, vestidas de organdí y hablando francés con la mademoiselle a la hora de la siesta, hacían *petit-point* sentadas en los sillones de mimbre blanco del prado, el hazmerreír de la criolla chiquillada de los fundos vecinos que se caían de los caballos y tenían impétigos y se bañaban en los tranques barrosos y había que raparlos al cero porque les pegaban piojos. Pero no las Torre: a la hora de las pilatunadas ellas hacían *petit-point* con la mademoiselle bajo los castaños.

—¡Freddy! ¡Mi dilecto amigo! —exclamó Lopito con su aliento avinagrado—. ¡Cuántos recuerdos de juventud nos unen! ¡Ah, la Escuela de Derecho era un paraíso en nuestro tiempo, demasiado, ay, breve para mí...!

¡Claro! ¡Breve! ¡Cuatro meses y lo echaron por robarse los fondos de la Federación de Estudiantes! Cada uno tenía su historia. Lopito más que nadie. Pero cuando sintió su aliento de borracho envolviéndolo, en vez de encararlo, a Freddy se le heló el corazón y se le trabaron las palabras, y dándole la espalda huyó a tranco largo hacia la puerta perseguido por Lopito, que lo iba a alcanzar antes que lograra salir de esta maldita casa de comunistas, Lopito, baboseando sus dedos como chupetes, muerto de la risa ante los ojos de todos los que sabían qué significaban esas payasadas.

Junto al precipicio de la escalera de piedra Freddy se supo atrapado: Lopito lo agarró de atrás, del faldón de la chaqueta. Freddy tiró para zafar de las inmundas manos del enemigo su bella chaqueta príncipe de Gales de Hermenegildo Zegna. Con ese esfuerzo su gran altura perdió el plomo, precipitándose por la escalera. Azotó su rodilla en el filo de una grada, rajó su pantalón y se hizo un tajo. Desde lo alto de la escala Lopito reía, mostrando sus tenebrosas encías moradas, sus dientes verdes, echando humo como un pebetero, un monstruo sarcástico que le preguntaba con fingida dulzura a Freddy por qué huía si su único propósito era recordar juntos sus felices tiempos de estudiantes y la Ju no deseaba otra cosa que evocar la dorada época de inocencia infantil que compartieron.

Judit, pese a la expresión de repugnancia con que observó el derrumbe de su primo, bajó a ayudarlo a ponerse de pie con un acto maquinal de solidaridad que estaba en contra de todos sus principios, porque caídos como Freddy Fox es preciso dejarlos desangrarse. Acudió Fausta, que increpó a Lopito por alborotar, y se llevó a Freddy a la cocina. Le enjugó la sangre de la rodilla con agua oxigenada y le puso un parche. También le prendió con un alfiler la rajadura del pantalón para que pudiera salir con un mínimo de dignidad de la casa de la Matilde y no se riera de él su chófer, como sin duda toda la concurrencia se estaba riendo.

7

Insoportable, el tal Lopito. ¿De dónde había sacado trago? Desde que llegó estuvo metiéndose en todo y con todo el mundo, hasta con don Federico Fox. ¿Capaz que sin que ella se diera cuenta hubiera entrado a la cocina a hurguetear y encontrado una botella? Pero Lopito, claro, siempre estaba borracho, aun sin necesidad de trago, y además con esa disnea que daba tanto susto porque parecía que el pobre iba a estallar o quedar sin respiración, pensó Ada Luz al pensar en la posibilidad de alquilarle una pieza en su casa. No, con sus ronquidos no la dejaría dormir. Después de la partida de don Federico Fox había estado acosándola otra vez con el asunto de la pieza, Adita por aquí, Adita por allá, pero por suerte había tanto que hacer en el patio que resultó fácil sacárselo de encima. Sólo que ahora, cuando la gente comenzaba a ralear, pareció interesarse de nuevo en el tema de la pieza y reanudó su persecución hasta que Ada Luz huyó a refugiarse en la cocina, cruzando el patio con él a sus talones. Por suerte Lopito fue sorpresivamente interceptado por la llegada de un extraño muy alto y muy flaco, con un morral de cuero muy fino y una champa de pelo hasta los hombros —Ada Luz sólo lo vio de espalda: *hippy* extranjero, alcanzó a clasificarlo por algo indefinible en su aire—, extrañada ante el entusiasmo con que Lopito se lanzaba a sus brazos con aspavientos y exclamaciones, hundiéndole su cara emocionada en el pecho mientras todos se abalanzaban a abrazar al recién llegado, palmoteándolo y acariciándolo, especialmente las chiquillas.

—No será para tanto —alcanzó a pensar Ada
Luz.

Con la distracción de Lopito pudo abrir la puerta de la cocina y entrar y volver a cerrarla. La garganta
seca: un vaso de agua, quería. Como a la Ema la tenían
de portera y las otras chiquillas quién sabe dónde anda-
rían flojeando, no se encontró con nadie en la cocina.
En la oscuridad sorteó los muebles, y teniendo cuidado
de no hacer ruido se dirigió a la alacena donde guardaban los vasos de diario. Sin encender, sacó uno. Preferible no encender. Quería descansar un rato, que no la
mandara la señora Fausta, que no le pidiera cosas don
Celedonio simulando no pedirle nada, que Lisboa no la
vigilara por si decía algo sobre la misa de la señora Matilde, que no la persiguiera el pegajoso de Lopito. Podía
calcular que era ella quien andaba trajinando en la cocina, y la idea de verse encerrada en cualquier parte con
Lopito, y sentir cerca su trabajosa respiración, le ponía la
carne de gallina. Claro que a ella se le ponía la carne de
gallina con mucha facilidad, miedo, desagrado, placer,
emoción, cualquier cosa le repercutía en la piel, sobre
todo en la parte de arriba de sus muslos y en sus antebra-
zos regordetes. Todavía le resultaba difícil distinguir estas sensaciones de la concupiscencia, como la llamaba el
padre Anselmo cuando era chiquilla. ¡Pero no relacionada con Lopito! El muy intruso estaba en la casa de la señora Matilde desde las tres de la tarde siendo que una
visita de pésame jamás debe durar tanto, y ahora serían
cerca de las nueve. Siempre torpe, Lopito, y bromista,
aunque era difícil distinguir cuándo hablaba en broma
de cuándo hablaba en serio. Ella nunca sabía cómo tomarlo, pensó Ada Luz bebiendo a sorbos su vaso de
agua en la oscuridad, junto al lavaplatos. Tenía urgencia
de hablar con la Judit para confirmarle el mensaje que
don César le llevó más temprano, cuando él se dirigía

rodando en su patín a mendigar después de vender sus cartones. Los detalles de la cita tenía que transmitirlos ahora, porque era para esta noche: Mercedes azul, las Hortensias, a partir de las doce. Pero había sido imposible hablar a solas con la Ju, porque Lopito no se separaba de ella, y tenía que ver manera de asegurarle que la esperaban en su casa esa noche. Al encontrarse con Ada Luz, Lopito le decía mijita linda —¡A ella le venían con mijita linda! ¡Había que ver! ¡Y Lopito!—, mijita linda, lo que quiero es irme a vivir con usted para hacerla feliz, viera lo cariñoso que soy. La idea de que Lopito le hiciera cariños le daba vuelta el estómago de asco, asco purificado sólo pensando en Lisboa, tan bien presentado, él, con su pelo y su bigotito gris y sus ojos azules porque era hijo de españoles: mandón, claro, y a ella no la quería más que para de vez en cuando porque de querer de veras quería a su señora belga. Estaba depositando el vaso vacío boca abajo en el zinc del lavaplatos cuando se encendió la luz de la cocina.

—¡Señora Ada Luz! ¿Qué hace aquí tan oscurito? —le preguntó la Ema.

—¿Y usted? ¿No la tenían encargada que vigilara los chiquillos en la puerta de calle?

—Sí, pero como llegó ese señor Mañungo, con el que parece que todos se hubieran vuelto locos y olvidado a la pobre señora Matilde, dijeron que mejor ellos se iban a encargar de la puerta otra vez. ¿Le sirvo algo? ¿Quiere que le prepare un tecito? Está con cara de cansada.

—Me voy a sentar aquí en este piso un rato. No, gracias.

—Yo me voy a preparar uno porque ya no puedo más.

Y la Ema comenzó a desplazarse por su ámbito natural con la economía de gestos de quien está en su espacio propio, preparándose un té, murmurando que ella también estaba agotada, tanta gente, todo el santo día, y el velorio iba a durar de toque a toque: era mucho. Ada Luz mantuvo un nuevo vaso de agua entre sus manos, acunado en su regazo, sin beberlo.

—¿En qué piensa? —le preguntó la Ema.

—De Lopito me estoy escondiendo aquí.

—¿Para qué se esconde? Con pegarle un grito... ¡Más miedoso! Yo le he visto a la señora Matilde llamarle la atención y se le saltaban las lágrimas como a una mujer. Si la molesta, grítele y va a salir corriendo.

—Es que quiere arrendarme mi pieza.

—Con decirle que no porque él no tiene con qué pagarle y usted necesita una entrada fija...

—Sí, pero no sé. Es como si la Ju, como si todos, como si yo misma le tuviéramos miedo, miedo de romperlo, creo, porque no me venga a decir que Lopito es para tenerle miedo, a no ser que sea por lo feo...

—Asusta.

—Y me decía: «Le juro, Adita, que voy a ser ordenadito como una monja.» ¿Qué sabrá él de monjas, oiga? «Le juro que la voy a ayudar en todo», seguía, «a limpiarle la casa, a barrer, a hacer la compra, y me voy a ocupar de la cocina. Y la voy a ayudar hasta con sus tejidos». «¿Cómo, pues, Lopito?», le pregunté yo, la tonta. Y me dijo que se iba a sentar a mi lado en un pisito de totora sosteniendo la madeja de lana en sus manos como cuando se la sostenía a su abuela cuando era chico en el campo, para que yo fuera ovillando desde mi sillón frente a él y conversáramos de todo, y él me iba a contar todas las penas de su vida mientras movía sus manos así, así, los brazos abiertos, así, para que yo ovillara bien ovilladito...

Al ver cómo Ada Luz movía lenta y rítmicamente los brazos frente a su pecho sosteniendo una madeja imaginaria y poniendo cara de Lopito, la Ema no pudo contener la carcajada, figurándose al monstruo en tan felices circunstancias domésticas. Reían aún cuando Fausta entró a prepararse un café, pero al verla se lo pidió a la cocinera. La cosa se estaba encrespando afuera con la llegada de Mañungo Vera, dijo, que tenía enloquecida a la gente. ¡Qué ridiculez tan grande, tanto alboroto en una noche como ésta! Las tres mujeres pronto derivaron a elaborar la imagen de Lopito ovillando con Ada Luz, tomando puntos con un *crochet,* con un delantal de vuelitos, planchando un trabajo recién terminado…, hasta que Fausta lanzó una de sus célebres carcajadas que hacían tintinear la cristalería mientras se echaba el último trago de café al cuerpo: era demasiado cómico imaginarse a Lopito envuelto en el discreto discurso femenino, preocupado del punto corrido o el punto de arroz, o si la Flaca iba a querer tres o cuatro chalecos del mismo modelo para su boutique. Cuando Fausta terminó su café tomó un sorbo de agua del vaso de Ada Luz para no levantarse. Lopito era lo de menos: ella se iba a tener que preparar para una noche agotadora debido a la presencia de Mañungo Vera que ojalá no se quedara a velar a la Matilde, porque entonces, por curiosidad, todo el mundo se iba a quedar en el velorio de toque a toque. ¿Por qué la Ada Luz no se volvía a su casa a dormir y mañana se venía tempranito porque seguro que la iba a necesitar? ¿Y la Ema, por qué no se iba a acostar? Debía de estar con la espalda rota de cansancio con todo lo que había traqueteado durante el día. La Ema se dirigió a la puerta del patio, entreabriéndola:

—Bueno. Pero antes voy a aguaitar —dijo—para ver si el famoso Mañungo Vera es para tanto.

8

¿A rey muerto, rey puesto?, se preguntó Lisboa presenciando desde la escalera de troncos el trastorno causado por la aparición del ídolo, un ídolo de pacotilla, por cierto, de yeso o cartón-piedra, puro simulacro, producto comercial creado por los medios de difusión de masa europeos para un público que después del hastío quería consumir revolución y protesta, materias con que Latinoamérica debía vigorizar, como antes con el guano, el desgaste de los países desarrollados. Espurio, eso era Mañungo: vacío. Y sin embargo, temió celosamente, el entusiasmo de esta gente incapaz de discriminar podía colocarlo en el lugar antes ocupado por Pablo, sin detenerse a cotejar la calidad de uno con la del otro. Su llegada había alterado un instante, como si se hubiera encendido un foco teatral, el recogimiento establecido en el patio, dotándolo de un ritmo festivalero, y todos y todas, jóvenes y viejas y viejos acudían a saludar y a tocar al astro como si se tratara de un icono milagroso, extáticos, crédulos, prendiéndose de él como con la esperanza de que se cumplieran quién sabe qué rogativas gracias a los buenos oficios de este santón alto y flaco, de barba negra y *jeans* y camisa alba: el uniforme de toda una camada, si se quiere, que debían haber servido de nivelador social. Pero no resultó así. Algo en la versión de Mañungo del uniforme, un desparpajo, un estilo —quizás fuera solo una costosísima exclusividad profesional en su corte de pelo o su camisa— lo identificaba con un universo estético inalcanzable para los muchachos nacionales, también barbitas, también *jeans,* pero en el caso de estos solo circunscribían como un grueso lápiz rojo, lo limitado de sus posibilidades. Lo que tanto atraía en Mañungo era su afortunada combinación de luminosidad y timidez —timidez afectada, porque ¿qué derecho tenía a ser tímido con los bolsillos pesados de oro y las mujeres entregándosele famosamente, se preguntaba Lisboa?—, en su manera de ingresar con ademanes furtivos en el patio, aunque precedido por los guardias exultantes que abandonaron sus puestos para pregonarlo. No tuvo más remedio que prodigar su sonrisa al ser recibido de esta manera, pese a su propósito —propósito también afectado, claro, ¿porque cómo creer que pensó pasar inadvertido después de doce años de ausencia, si su barba y su palidez y sus anteojitos de marco dorado se habían transformado en un venerado icono de la juventud?— de que nadie se fijara en él. No. Lisboa no podía dar crédito a estas insinceridades.

Al cabo de diez minutos, sin embargo, se restableció cierta discreción en el patio. El entusiasmo, después de los primeros instantes reasumió un tono de sordina. La gente bajaba del salón donde dejaron los restos de Matilde para disfrutar de la primicia de este fenómeno nacional: el único hombre después de Neruda que había puesto en alto el nombre de nuestro país en el plano internacional, repetían. ¿Pero... era para tanto? ¿No se trataba, insistía Lisboa para sí mismo, de una peligrosa exageración? No podía negar que él, como todos, había sufrido un desengaño cuando Mañungo oficializó su negativa de entrar en la Jota porque él no podía ser nada, declaró entonces, antes de *hacer* algo que lo definiera, y él aún no había hecho nada. Al llegar a Santiago desde la Universidad de Concepción, un goliardo andrajoso con la guitarra terciada a la espalda, aspirante a profesor de música que derivó en cursos de literatura y filosofía, fue el Partido el que le dio el primer impulso.

Estrenó sus canciones en las peñas propiciadas por los chiquillos de la Jota,.que además de alimentarlo y alojarlo fueron sus primeros admiradores. Pero cuando le tocó definirse, Mañungo le dijo «no» al Partido:

—Estoy con Cuba, con la UP, con la revolución, pero estoy demasiado confuso. Quiero ser dueño de mis dudas para solucionarlas desde adentro, porque para mí, por ahora por lo menos, ser artista significa rechazar todos los rótulos. Tengo que conocer, que conocerme, que viajar, que leer y conocer gente distinta y estudiar antes de elegir y definirme. ¿Individualismo pequeño burgués? Puede ser. Lo asumo con dolor aunque también con deseo de redimirme. Comparto todos los entusiasmos populares de mi generación, pero todavía no estoy listo para encerrarme dentro de una sola idea. Quizás después...

Pero no hubo «después« para Mañungo Vera: se fue a Europa a triunfar con la palabra «revolución«, aunque sin participar en ella como los exiliados de veras, los que después del 11 de septiembre quedaron al garete en el desconcierto de la derrota. Esas persecuciones y esas muerte Mañungo jamás las conoció sino por los comentarios de las desesperadas tertulias en capitales exóticas, donde en torno a la lectura obsesiva, día a día, de la prensa chilena o de *Le Monde* se reconstruían con la añoranza y la solidaridad unos tristes simulacros de patria, y a la vera de ese calor vinoso y amistoso la historia de cada uno recuperaba cierto significado, y una intensidad que por lo menos servía para sobrevivir. Mañungo se fue transformando en el cliché del revolucionario más revolucionario de todos, que vendía revolución aunque no lo conocía. ¿Cómo quedaba gente que se atrevía a negar que Mañungo Vera utilizó al Partido para hacerse carrera si bastaba recordar que fue gracias a una invitación del Partido que salió de Chile a un festival en San

Francisco de California, un año antes del 11 de septiembre? Cantó con Joan Báez en esa ocasión, que el remoto Chile que preparaba el cambio presenció en los noticieros: eran los heroicos tiempos de Vietnam, de las poleras estampadas con el rostro del Che, de las «palomas» de greñas hasta la cintura, y las palomas y los palomos marihuaneros se amaban indiscriminadamente en los parques mientras Mañungo se constituyó en el «super-palomo» de exportación, maniquí de muestra de las posibilidades de esa imagen que entonces parecían infinitas: sus canciones eran enardecidamente revolucionarias. Después del 11 le escribieron que no regresara porque el ambiente estaba peligroso, sobre todo para él, que dejaba tan mal puesto el nombre del nuevo Chile en el extranjero con las cosas que cantaba, y las autoridades se estaban haciendo cargo de que todo el que pudiera pasar por comunista estuviera en vías de exterminación. Que esperara antes de volver. Le resultó fácil esperar, invitado a festivales pro Chile en La Habana, en Milán, en Berlín y en París, donde, hacía un tiempo, había fijado su residencia, su nombre exonerado por Neruda hasta que el poeta volvió a Chile a morir de tristeza. Durante seis, siete años, la estrella de Mañungo Vera en los escenarios europeos siguió subiendo: otro Neruda, aclamaba la muchachada incapaz de discriminar, el alma del país mártir. Hasta que fue pasando el tiempo y Chile comenzó a interesar menos porque a los consumidores de espectáculos les gusta la acción, los disparos, la sangre, y si no hay jaleo se aburren y abandonan el cine o apagan la televisión. Nicaragua, ahora, era mucho más apasionante, mientras que Chile, instalado con su dictador, enredado en pleitos internos que solo los expertos en política eran capaces de dilucidar, pasó de moda, como Stroessner y el Paraguay, y el público lo fue olvidando junto con olvidar a Mañungo Vera, poco a poco, cruelmente, y el Partido no lo subvencionó como a otros músicos porque al fin y al cabo Mañungo jamás fue miembro del Partido y el Partido no le debía nada. Lisboa recordó que él, diez años mayor que Mañungo, fue uno de los primeros en prohijarlo a su llegada de Concepción, cuando traía ofuscada la cabeza con los resabios de los mitos de su isla, hacia los cuales, con atractivo pintoresquismo, solía derivar su pensamiento y su música. Por eso, por lo que fue, ahora le resultaba tan difícil perdonarlo. Lo admiró demasiado al principio. Creyó con demasiado fervor en él. Sintió su defección, o más bien su incompetencia para el compromiso, como una traición personal a su esperanza de que Mañungo, como todo gran artista, sirviera de instrumento para salvar el mundo. Antes del viaje de Mañungo a San Francisco ya no se hablaban. Y en Europa, durante el exilio de Lisboa en una capital no muy distante de París, no se buscaron.

Ahora bastaba mirar a Mañungo allá abajo, en el patio: un muñeco amanerado, desprovisto de pasión, una percha para el famoso uniforme de los que se reunían en los empobrecidos recitales de los Intillimani y de los Quilapayún, donde sombras vacías como él se congregaban con la ilusión de que bastaba participar en el griterío del carnaval con los mismos disfraces de antes para hacer revolución, y no que esta era un trabajo, un sacrificio silencioso y lento dentro o fuera del país, pero que rara vez alcanzaba el brillo de las primeras planas internacionales. Solo los grandes narcisistas como Mañungo, que había llegado a ser más un nombre, una marca, que una persona, permanecieron en exhibición después que la causa chilena pasó de moda. ¿Tenía Mañungo conciencia de esta tragedia que era necesario remediar? No: bastaba mirarlo ahora, pavoneándose como un objeto de lujo ante la vista de todos aunque simulara no querer hacerlo, entre gente y luces aplacadas allá abajo, en el patio de Matilde. Desde su atalaya, entre la vegetación, Lisboa sintió el impulso de gritarles: «¡Mañungo no tiene importancia! ¡Que no los engañe! Es un fracasado porque no fue capaz de compromiso. Ahora, olvidado en Europa, viene a refugiarse en Chile porque en Europa ya nadie quiere tener nada que ver con él. Su música ya no mueve a las multitudes porque saben que es falsa. No le crean, viene a nutrirse de nuestra lucha y de nuestro sacrificio para elevarse de nuevo sin darnos nada. No se equivoquen, Mañungo Vera no tiene ninguna importancia.»

Además, era verdad que su llegada no tenía importancia comparada con la tontería —trascendental y sin embargo tontería— que media hora antes. Ada Luz le confió acerca del deseo de Matilde que le dijeran una misa de cuerpo presente. Desviando la irritación anterior hacia esta, pudo postergar las perplejidades suscitadas por a otra: el pensamiento de que la viuda de Pablo Neruda se hubiera confesado en un hospital de Houston era un irritante insoportable. Desde su puesto de observación en la escasa de troncos Lisboa vio entrar en la cocina a Ada Luz. Iba a seguirla para someterla al más despiadado interrogatorio e inmovilizarla con las más terribles intimidaciones respecto a la misa, cuando vio que la seguía Fausta Manquileo: era una verdadera conferencia, porque ya hacía diez minutos que estaban adentro, a puerta cerrada, seguramente en un conciliábulo de brujas acerca de la misa cuyos alcances políticos echarían por tierra todos los proyectos del Partido para el funeral de mañana. No era imposible que en un momento más Fausta saliera corriendo a comunicarle a medio Santiago algo que su narrativa transformaría en una vistosa conversión al catolicismo de Matilde, y alerta a las posibilidades políticas del asunto conferenciara con dignatarios eclesiásticos organizando una aparatosa misa de difuntos dicha por un cura revolucionario, arrebatándole así su protagonismo al Partido. Ese funeral, estaba convencido Lisboa, debía ser la primera manifestación política de la izquierda en un Chile en un estado de sitio, un reto frontal al régimen; el planteamiento por fin de una resistencia activa —no una disidencia pasiva—, que el Partido debía encabezar porque estaba listo para ella. Dentro del cementerio —gritando lo que gritaran, y Lisboa se encargaría de que no faltaran consignas—, la policía no iba a actuar. Frente a los nombres de Pablo y Matilde tendrían que permanecer con los brazos cruzados. Porque ¿qué incalculable revuelo internacional causaría una represión con bombas, aunque fueran solo lacrimógenas, dentro del cementerio durante el entierro de la viuda de un Premio Nobel? Lisboa se tensó de entusiasmo ante esta expectativa que sabía, por desgracia, imposible.

Don Celedonio y Mañungo se abrazaron allá abajo: Mañungo desparramado, como con extremidades de más como una araña, don Celedonio sintético, encapsulado en su traje oscuro, el fino dibujo de las cuencas de sus ojos sombreado por la actividad de sus cejas blancas. ¡Entregado a la veneración del ídolo, él también, que se decía tan crítico! No alcanzaron a hablar mucho rato porque salió Fausta de la cocina sin aparente vehemencia —por suerte: Ada Luz había callado—, y después de una breve intervención acompañó al anciano a hacer la ronda de las despedidas, porque lo encontró agotado. Fausta pudo convencerlo de que ella era capaz de quedarse al mando de todo mientras Ada Luz, que también tenía que irse, lo acompañaba hasta su casa en un taxi. Fausta le entregó su pareja a Ada Luz, que le dio el brazo, y bajando la calle, desaparecieron.

Lo que no era como para que Lisboa quedara satisfecho. Por la tranquilidad de ambas, era claro que Fausta y Ada Luz no habían tocado el tema que lo preocupaba. Aunque Ada Luz podía hablarle del asunto a don

Celedonio en el taxi y él era igualmente poderoso que Fausta, muy capaz de alentar el proyecto de la misa de mañana. Pero lo vio salir tambaleante, agotado, su atención no tan alerta como para determinaciones dramáticas. En todo caso era necesario hablar con Ada Luz otra vez, comprobar su silencio, y amenazarla para que lo negara todo. Decidió ausentarse en un rato más, calculando que Ada Luz ya estuviera en su casa, que quedaba cerca.

Fausta había tomado del brazo a Mañungo y comenzaron a ascender muy lentamente, seguidos de un séquito, la escalera de troncos. Lisboa, durante un segundo, consideró la posibilidad de darle curso a su impulso afectivo, tan viejo, tan emocionante, de salir al paso de Mañungo para abrazarlo con la misma efusión que don Celedonio. Pero resistió su deseo, cobijándose en su rincón. Los dejó pasar casi rozándolo, sin que el cortejo se dignara verlo, que era lo que quería.

Sin embargo, porque no estaba dispuesto a perderse el paso de comedia trágica que iba a desarrollarse arriba —¿cuántas mentiras adornadas por su declamatorio romanticismo le contaría Fausta a Mañungo en vez de suministrarle los duros datos de la tragedia nacional?—, Lisboa se unió lo más anónimamente que pudo a la cola del séquito. Al ver que dos muchachos y dos muchachas de camiseta roja montaban guardia en las cuatro esquinas del féretro, se felicitó por la profundidad humana que significaba esta disciplina. Claro, la efusión, el entusiasmo, la lágrima en el ojo, la curiosidad, duran lo que dura la flor en el pico del pavo, se dijo. Esto, en cambio, la docilidad a ciertas normas de conducta como sobria estrategia de la autoridad que quiere conducir al pueblo a cierta meta, dura más. Lisboa permaneció atrás en el grupo, mientras Fausta se adelantó sola con Mañungo hasta el pie del cajón, casi hasta tocarlo, dentro de lo que permitía la corona de flores que campeaba al pie del féretro.

9

Mañungo bajó la cabeza abrumado por le siniestro paralelepípedo de tablas negras. Por la ventana abierta oyó el rugido, no, el quejido del miserable león del zoológico. ¿O sería el lamento del león de felpa porque había perdido a su ama, llamándola desde el otro cajón, donde lo guardaban embalado con bolitas de naftalina? ¿Qué sería de ese suntuoso león de juguete de hacía..., sí, hacía trece años? ¿Dónde estaba, qué quedaba de él? ¿Qué polillas inidentificables como toas las polillas, muertas hacía cientos, miles de generaciones de polillas, lo habrían devorado con el fútil propósito de reproducirse? ¿Pero era el león de peluche el que lloraba tan lamentablemente, o era la voz de la vieja gruñendo desde las playas de Cucao, llamándolo a la isla para que fuera a visitar a la Ulda que le enseñó a cantar y ya no estaría tan joven, y a su padre antes que fuera demasiado tarde, volver a pisar esa tierra que aunque la heredara ya nunca iba a ser suya porque no la deseaba?

¿O era el rugido de las olas rompiendo en las rocas de la Isla Negra lo que oía, esa primera vez que lo acogieron los Neruda durante el fin de semana? Matilde, con su melena leonina y su traje de baño celeste bajando a la playa una mañana luminosa, lanzándose al mar, alzada dentro de la transparencia de una voluta de ámbar verde contra la luz, una libélula milenaria, pez, ave, sirena, mito volando o nadando en el ámbar de la memoria, despertando brutalmente los jóvenes sentido se Mañungo al placer del tibio aroma salino, a la orquestación de un Pacífico regocijado, a la luz, a la inmensidad, pero sobre todo a ese bello cuerpo de mujer madura agitándose de goce en las sucesivas olas musculosas que después de volcarla y revolcarla la alzaban de nuevo en su elemento hialino para que él la contemplara, planteándose la desgarradora pregunta de si él, alguna vez, iba a ser capaz de amar con la plenitud con que esa mujer era amada y cantada por el poeta, y él, en ese momento, fugazmente, sintió que jamás amaría a otra mujer como a ella. El amor de Mañungo duró lo que las olas de esa mañana y la amistad persistió.

¿O era la risa ronca de Matilde lo que Mañungo oía frente al cajón negro, sentada en la alfombra del salón de la *avenue de la Motte-Picquet* en el palacio de la embajada, la peineta en la mano, peinando la melena del león de felpa que tantos mimos merecía? No era su risa lo que sentía junto a la corona de crisantemos blancos sino el tinnitus de lo que era demasiado enorme para que el organismo lo elaborara, y lo estaba sintiendo como un brote maligno por primera vez desde que subió en el avión en Orly para volar rumbo a Chile, un gemido que salía desde el interior del féretro y saltaba como una alimaña desde ese reducto de la muerte para prenderse con garra de fierro a su garganta, destrozándosela para que no volviera a cantar, porque no se podía cantar después de la muerte de Matilde.

Para conjurar el terror de que su garganta quedara inutilizada, Mañungo emitió un rugido —¿lo oyeron los de su séquito, unos pasos más atrás?—, que era una queja traducida al silencio de las lágrimas apenas asomadas, ocultas bajo su mano, porque el recuerdo de esa mañana frente al mar era solo suyo, e intrasferible. Esto era el fin.

Hasta aquí llegaba la historia. ¿A participar en tales tragedias había regresado a Chile? Hacía poco más de un año que Matilde estuvo en París. Se instaló durante unos días en un espléndido hotel central para arreglar desde allí la publicación de las obras completas de Pablo, por fin, en La Pléiade, que tardaba tanto debido a dificultades para completar ciertas notas. Mañungo, como si adivinara que esta sería su última oportunidad de verla, y pese a que sabía que no le gustaban los niños, la telefoneó para pedirle permiso de llevarle a Juan Pablo porque quería presentárselo. Ella accedió. En el taxi que los conducía, Mañungo le iba explicando al niño que iba a conocer a una reina: en su país, en Chile, no existían reinas ni habían existido jamás como en la historia de Francia y en los cuentos de hadas, pero quien era reina de la gente como él en Chile, era esta señora que iba a conocer ahora. Que se portara bien, la visita no iba a ser larga. Murmuraba que la reina se sentía débil y era aconsejable ser discreto. Iba a agregar que tal vez la encontraría dura, pero recordó que Jean-Paul era hijo de Nadja y acostumbrado a rigores a los que Matilde no sometía a nadie cuando su propósito era encantar y no iba a poner en peligro su imagen por la tontera de una visita sin importancia. Al acercarse al hotel por la avenida, el niño vio el edificio coronado por gallardetes flameando al sol.

—*Ces sont des drapeaux chiliens?*

—*Comment? Tu ne connais pas le drapeau chiliens?*

—*Oui. Mais si la dame était vraiment reine, on aurait ôté tous les autres drapeaux et on aurait is seulement des drapeaux chiliens.*

Durante esta risueña entrevista, se daba cuenta ahora, Matilde ya se sabía condenada. Juan Pablo se había portado tan bien que la reina no dio muestras de impaciencia durante los dieciocho minutos que duró la charla. Jean-Paul se porta así, se dijo entonces Mañungo, sobre todo porque encuentra a la viuda del poeta bonita y lujosa, así como el hotel y el servicio —¿qué hacer, le había preguntado con inquietud a Nadja en ocasiones previas cuando notó la misma proclividad del niño? ¿De dónde podía haber sacado esos gustos, o era algo natural?— y Jean-Paul es fácilmente seducido por las personas bellas y los ambientes y objetos suntuosos. En todo caso, estaba seguro de que aunque fuera solo por este motivo quedó impresa en la mente del niño la imagen de Matilde, y recordando esta visita cuando fuera mayor sentiría que su padre lo hizo participar en el final de la historia.

Mañungo se secó las lágrimas discretamente con el puño. El flash de una fotografía lo devolvió al lugar donde estaba, no en la playa de la Isla Negra, no en un gran hotel parisino, sino al pie del cajón que encerraba los despojos de Matilde: desde el muro, chascona y bicéfala, le sonreía. A sus pies, la corona de flores blancas y rojas: lo habían fotografiado junto a esa ofrenda. ¿Quién? ¿La CIA o la KGB? Daba lo mismo. autoridades antagónicas paralelas. Si esa foto daba la vuelta al mundo vía satélite —cuatro o cinco años atrás, en su momento de mayor gloria, esto sin duda hubiera sucedido— su agente podía enfurecerse: ahora daba lo mismo. Podía protestar..., no, sería demasiado engorroso darse la importancia de protestar por algo que, aunque tal vez no del todo inocente, era inútil si él conservaba su garganta viva, con capacidad para rugir como el león o como la voluta del océano en que se había cristalizado el vuelo de Matilde.

10

Al bajar se dio cuenta que había permanecido junto al cajón más tiempo que el que creyó —¿recordando?, ¿pensando?, ¿o quizás, sin proponérselo, a su manera laica y deshilvanada, rezando?—, porque al volver encontró cierto agotamiento instalado en el patio, por los menos en contraste con el momento de su subida: la gente comenzaba a ralear, dejando el espacio habitado por las sombras de los íntimos a los que no se les ocurría que fuera posible hacer otra cosa que acompañar a la amiga hasta el final mismo, y por un destacamento de chiquillos de la Juventud que debían quedarse de toque a toque.

Al pie de la escala la muchachada rodeó a Mañungo: preguntas, autógrafos, que cantara, cómo era París, por qué había vuelto en pleno estado de sitio y con toque de queda a las doce de la noche, si pertenecía a algún partido, si tenía novia. No era de la misma generación que ellos, poco más que adolescentes nutridos por la clandestinidad tortuosa de la dictadura, en tanto que para Mañungo, se dio cuenta con horror al responder la pregunta inicial de una entrevistadora: «¿Qué sensación le produce vivir en una dictadura?», este era su primer día de su experiencia. Por esto él era totalmente distinto a los que lo rodeaban. A pesar de todo, los muchachos sentían que Mañungo los representaba —representaba sobre todo la aspiración a esa mítica Edad de Oro que para la juventud de la izquierda fue la Unidad Popular, ese entusiasmo paradisíaco sin multas ni límites, puro aceleramiento, impulso, velocidad, que

ellos no conocían más que bajo la forma de una embru-
jadora leyenda a la que todos querían volver—, y por
eso, inconscientemente, muchos imitaban el estilo Mañungo Vera. O por lo menos el estilo Mañungo Vera
cantante de protesta y guerrillero. La otra imagen, la
nueva —la que daba manotazos de desconcierto alimen-
tándose pasajeramente de Police o ecología, ajenos a su
experiencia y su corazón, confundiendo su anterior perfil señero con los de tantos cantantes de segunda fila que
trataban de salvarse nutriéndose de cualquier novedad—, conservó su prestigio nacional simplemente por
llevar la antorcha de lo que en estas costas pasaba por
«moderno». Cuando uno de los muchachos quiso llamar
por teléfono a la televisión para dar la primicia de su llegada y pedir que trajeran las cámaras, Mañungo dijo:

—No me paree que esta sea una buena oportunidad.

—¿Por qué no? Alcanza a salir en las noticias de
esta noche.

Una verdadera bomba: Mañungo Vera en el velorio de la viuda de Neruda.

—Estoy prohibido en televisión. La censura en
este país no me quiere.

—Tampoco quiere a esta casa.

—De veras.

El periodista, a pesar de todo, insistió en llamar
por teléfono con su fenomenal primicia. En el momento que le contestaron, Fausta le arrebató el fono y ella
misma le gritó al receptor, que no entendía nada porque
nada se le había explicado, que no estaba dispuesta a
permitir que esta casa se transformara en un plató de televisión en el día del duelo. Si querían hablar con Mañungo, que lo fueran a entrevistar en su hotel. Colgó
sin decir en qué hotel paraba. En el grupo alrededor del
cantante una novata con un papel y un lápiz en la mano

lo acosaba con preguntas para una entrevista en su periódico, que sería su pasaporte profesional: «¿Crees en la
efectividad de a lucha armada contra este régimen?» «No,
porque ellos tienen las armas, y la violencia por la violencia es señal de desesperanza.» «¿Tienes novia?» «Muchas,
y soy fiel a todas.» «¿Qué solución propones para las problemas políticos actuales del país?« »No sé todavía. No
creo que lo que yo proponga pueda tener mucho peso.
Hace demasiado tiempo que estoy afuera para saber de
veras lo que pasa aquí.» «¿Has tomado parte en la resistencia activa en el extranjero?» «Sí, hasta cierto punto: me
has oído cantar...» «¿Por qué hasta cierto punto?» «Porque
en este momento no estoy seguro de nada.» «¿No tienes
convicciones, entonces?» «Solo las básicas.» «¿Eres un débil?» «Al contrario. Me atrevo a dudar y titubear y no
siento que eso me destruye.» «¿Te piensas definir?» «Tal
vez. Denme tiempo para ver y pensar. Si me hubiera quedado en Chile quizás sabría con certeza qué ser y me hubiera integrado a algo específico conducente a una defini-
ción, pero desde lejos uno solo puede simpatizar,
admirar, alentar, ayudar, creer...» «¿En qué crees?» Mañungo rió: «No sé todavía. Cuando cante aquí lo sabré.»

La entrevista fue más breve de lo que la periodista pensó porque Mañungo no daba la cara. Sus respuestas no eran polémicas ni combativas, lo único verdaderamente periodístico. Guardó su lápiz y su papel
pensando que tal vez mejor que una entrevista sería escribir una crónica sobre el velorio de Matilde, nombran-
do, de paso, a Mañungo, y citando algunas de sus frases
menos tentativas para probar que se encontraba aquí, y
que ella habló con él. En todo caso, se preguntaba la periodista al ser despachada por la autoridad de Fausta
junto con los otros curiosos que rodeaban al ídolo: ¿este
es Mañungo Vera? ¿Con este idioma demasiado concep-
tual y culto? ¿Desinformado, indefinido, negándose a

atacar con valentía? ¿Este era el ídolo? ¿Dónde estaba su compromiso enardecido, el que los había enardecido a ellos con sus viejos discos, dónde su entusiasmo, su promesa de que una Edad de Oro del futuro equiparable a la Edad de Oro del pasado iba a ser posible? ¿Dónde el valor, la voluntad, la lucha, dónde la fuerza?

Estas preguntas se las hacía el angelote rubio que parecía a punto de hacer la primera comunión, a su compañero de barbita rala, con quien antes discrepó acerca del valor de la obra de Fausta Manquileo: Mañungo era blando, decía, decadente, pequeño burgués, una desilusión. Su interlocutor le aconsejaba mesura pese a compartir sus opiniones, y sobre todo su desilusión.

—¡Es un traidor...! —exclamó el angelote con la voz áspera de rabia.

—No sé si traidor. En todo caso es un cobarde.

—Traidor. Tanta duda no es más que un preámbulo para la traición. Este no es momento para preocuparse de las verdades absolutas: es la estrategia lo que importa, la injusticia, el hambre...

—¿Qué sabes tú de hambre si tu padre es médico y vives en una casa con jardín y perros en el barrio alto?

—¿Te crees mejor que yo porque vives en una población?

Los ánimos de los amigos se estaban alterando cuando Fausta se acercó al grupo que los había rodeado para hacerlos callar, porque por fin Lopito logró convencer a Mañungo que ahora, que quedaba menos gente, cantara una canción en recuerdo de Matilde. ¿No era al fin y al cabo, una tradición muy nuestra, muy chilena, muy campesina, la de cantar a lo glorioso y a lo divino en un velorio, algo antiguo y lleno de dignidad?

Se sintió el rasgueo, apenas insinuado en la noche, del músico explorando la identidad de una guitarra que no es la suya. Ávidos, los jóvenes se sentaron en el suelo en semicírculo alrededor de Mañungo, los demás distribuidos en los bancos, en los poyos de piedras, bajo los árboles. Sus sombras se aquietaron y unas siluetas se asomaron en lo alto de la escala de la escenografía. Lisboa se quedó escuchando en la ventana. ¿No era una falta de respeto cantar ahora, dejando solo al cajón? ¿Por qué, le había discutido Fausta? Nadie ignoraba que Matilde en su juventud fue cantante. La guitarra recogía el motivo personalísimo de Matilde-música, intransferiblemente suyo, no nerudiano, destacando su individualidad para que la concibieran como una personas distinta, no tributaria del poeta. Lopito le cuchicheó al oído a Judit que le apostaba que Mañungo, ni con todos sus años en Europa, sería capaz de cantar, por ejemplo, *Ich grolle nicht*. El angelote rubio de la discusión se acercó a Mañungo, sugiriéndole algo —con ánimo demasiado desafiante, estimó Judit desde la protección del caqui bajo el que estaba sentada— que hizo titubear a Mañungo. En cuanto el angelote insistió, cuchicheándole de nuevo, rompieron los acordes. El barítono pastoso, casi táctil de Mañungo de toda la vida y de todas las luchas —pensó Lisboa, identificando exultante la melodía que Mañungo eligió interpretar—, ahora, doce años después, tenía una traba de fierro, una potente garra dolorosa y personal ahogándolo, pero inundándole la voz de emoción que no era solo sentimiento, sino fuerza, rencor, sed de justicia:

> *Yo pisaré las calles nuevamente*
> *de lo que fue Santiago ensangrentando,*
> *en una hermosa plaza liberada*
> *me detendré a llorar por los ausentes.*

Judit sintió al instante, físicamente, el asalto a sus vísceras de la voz de Mañungo, en buenas cuentas la prueba definitiva de la musicalidad del intérprete: los negros, las negras, tenían este arte de entregar sin preámbulos la materia emocional de una canción, y ahora que lo veía con la perspectiva de tantos años, Mañungo, con sus brazos y sus piernas tan largos, tenía de veras algo de africano. Pero esta inmediatez de su timbre que conmovía con naturalidad, jamás la había sentido antes —¿quizás porque ahora las voces contenían una clave de vida y muerte para ella que antes no tenían?—, ni en sus cassettes ni en sus discos, que oía en las reuniones de gente más joven pero que ella no compraba: era poco adicta a la Nueva Tropa y a la música popular en general. Una limitación, claro, pero qué le iba a hacer si su verdadero gusto andaba por Schubert y Schumann. Sin embargo, estas estrofas que de cierta manera aludían a la biografía de Judit porque eran la biografía de toda una generación de la que ella se consideraba cualquier cosa menos típica aunque no se desconocía como vástago, le iban entregando, no en lo dicho sino en el entretejido de los semitonos, todas las respuestas que Mañungo no había contestado a la estúpida periodista que no le hizo ni una sola pregunta musical: Mañungo era fuerte porque era un ser militado, por eso fuertísimo pese a los rumores de sus recientes fracasos, fuerte aunque se rompiera, fuerte porque se rompía, fuerte aunque estuviera roto en mi pedazos. ¿Sería posible hablar con él? En todo caso era preferible mantenerse en la sombra y, además, iba a tener que irse en poco rato más porque la Ada Luz la esperaba en su casa. Mañungo siguió:

Vendré del desierto calcinante
y bajaré a los bosques y a los lagos
y en un hermoso cerro de Santiago
me detendré a llorar por los ausentes.

Yo mido al que me hizo mucho y poco,
al que quiere la patria liberada,
dispararé las primeras balas más temprano,
retornarán las canciones, los libros
que quemaron las manos asesinas...

El patio se llenó con las palabras de Pablo Mila-
nés, con la tristeza de la casa, la tristeza de todo, y Judit,
que al comienzo se había resistido, se entregó a Mañungo, extrañada, a pesar de todo, con su hazaña de cantar
una canción como esta, aquí. Pero Lisboa, centinela en
su atalaya de la escalera, que poco a poco fue descen-
diendo para acercarse a su ídolo, supo que este era el
Mañungo de veras. Lo había juzgado mal: el atrevi-
miento de cantar Santiago ensangrentado aquí, esta noche, le estaba devolviendo su respeto por Mañungo.
Con la palabra «asesinas», sin embargo, la bandera del
tema, la voz se detuvo y se disolvieron las cuerdas.

En el grupo que lo rodeaba se había puesto de
pie la figura de Fausta, que arrastrando sus atavíos teatrales cruzó hasta el cantante, enmudecido a una señal suya,
pasando sin ceremonia entre el grupo de muchachos sentados en el suelo. Fausta se inclinó al oído del Mañungo,
explicándole algo con gestos decididos, que el cantante
pareció entender y acatar. Con Fausta de pie junto a él
tentó otros acordes, cambió de tesitura, de tiempo y ella
volvió a retirarse a su rincón en la penumbra. Después de
la canción inconclusa Mañungo cantó versos de Neruda
dedicados a Matilde, con música de su autoría:

Vienes de la pobreza de las cosas del sur,
de las regiones duras con frío y terremoto
que cuando hasta sus dioses rodaron a la muerte
nos dieron la lección de vida en greda.

Al terminar el primer cuarteto, el angelote rubio y su amigo se pusieron de pie para que todo el mundo los viera cruzar el semicírculo delante del cantante que no los miró ni se detuvo. Dirigiéndose a la escala de piedra de la entrada bajaron a la calle y cerraron de un portazo. Lisboa los siguió mientras Mañungo continuaba su canción, y solo él, que se quedó en el vano de la escalera para oír, logró entender los insultos gritados desde la vereda:

—¡Cobarde!

—¡Vendido!

—¡Traidor!

—«Dispararé las primeras balas más temprano,/retornarán las canciones, los libros/que quemaron las manos asesinas» —cantaban los dos chiquillos en la calle.

A Lisboa le hubiera gustado que dentro de la casa se escucharan estos gritos. Pero la música sofocó la indignación de los dos que se habían ido. Fausta tenía la culpa: *Nous serons modérés quand nous serons vainqueurs,* le decía con frecuencia su maestro en su célula del exilio en Bruselas. Este no era el momento para ser modrados. Iba a ser una lucha a muerte porque esta mujer feroz, y la gente como ella que tuviera el inmerecido poder para acallar la verdad, como en el caso de *Santiago ensangrentado,* estaban planteando, una escaramuza frontal suscitada por la muerte de Matilde, contraponiendo dos maneras de vivir y de pensar: ellos, los moderados, eran los enemigos, los verdaderos asesinos, frente a los que no cabía sino la sangre que tanto los asustaba. Mañungo seguía.

Eres un caballito de greda negro,
de barro oscuro, amor, amapola de greda,
paloma del crepúsculo que voló en los caminos,
alcancía con lágrimas de nuestra pobre infancia.

La canción de Mañungo, insulsa pese a los versos nerudianos, elevándose desde el patio, se extinguió sin dejar otra huella que la ceniza del recogimiento. En el brevísimo espacio entre las estrofas, que el cantante parecía prolongar voluntariamente, Lisboa hubiera querido oír que la muchachada efervescente, desde la calle, volviera a gritar en ese momento, cuando todos podían oír, *cobarde, maricón, traidor,* como habían estado gritando unos minutos antes, de modo que el breve silencio que Mañungo «artísticamente» produjo en torno suyo se repletara con la hostilidad de lo cierto. No se trataba de que Lisboa fuera insensible a esta bonita canción que dejaba la tristeza apozada en el patio. Al contrario: esos sentimientos él también los compartía. Pero la diferencia, la diferencia determinante, era que esos sentimientos se cargarían con su potencia máxima si se inscribían sobre la pauta inexorable, rígida, popular, lejana a la poesía, de un *Y va a caer, y va a caer, el pueblo unido jamás será vencido,* que era lo que quería oír mañana en el cementerio por encima de discursos y lamentaciones, para enardecer y emocionar a la multitud, conduciéndola —idealmente— a la acción misma durante la ceremonia de la despedida. Mañungo terminó:

Muchacha, has conservado en tu corazón de pobre
tus pies de pobre acostumbrados a las piedras,
tu boca que no siempre tuvo pan o delicia.

Eres el pobre sur, de donde viene mi alma:
en el cielo tu madre sigue lavando ropa
con mi madre. Por eso te escogí, compañera.

11

Lopito le dijo a Mañungo que el teléfono estaba en el comedor, como si él no lo supiera de toda la vida: lo acompañaría a llamar. Encendió la luz tristona, distinta al resplandor de otros tiempos. Los espectros nerudianos, los ecos de la gente que había ocupado esas generosas sillas y libado y yantado en esa mesa ya no alojaban en los objetos de menaje, ahora demasiado insignificantes para acoger a tan ilustres manes. Vio el teléfono encima del velador de *bistrot.* Se deslizó en el espacio entre el velador y la banqueta adosada al muro mientras Lopito le hablaba con su cigarrillo moviéndosele adherido al labio. Por mucho aprecio que uno le tuviera no se podía negar que era bastante repulsivo, Lopito. ¿Qué hacer con él si por ejemplo se hubiera aparecido en París exigiéndole la intimidad de otros tiempos, que le presentara amigas, amigos, la camaradería estudiantil obligatoriamente revivida, el desorden, la jarana goliardesca que ya no eran lo suyo? ¿Qué hubiera comentado Nadja en su guerra contra todas las formas del caos? Marcó el número del *Holiday Inn* y pidió que le comunicaran con su cuarto.

—*Jean-Paul?* —preguntó.

—*Jean-Paul...!* —rió Lopito, tosiendo, atorado con el humo del cigarrillo—. ¡Puchas...!

—*Comment vas tu? C'est bien, la tele au Chili? C'est Dallas? Mais tu as déjà vu ça. Il n'y a pas d'autre chose à voir? Ah.. C'est vrai...,* dice que prefiere ver *Dallas* porque ya lo vio en París y así entiende lo que dicen en español, no como si fuera una cosa nueva. *Tu n'as besoin*

*de rien? Tu as bien bouffé? Bien, Jean-Paul. J'accroche tout
de suite pour que tu puisses voir* Dallas. *Je voulais seulement savoir si tu étais bien.*

—*À quelle heure vas tu rentrer, papa?*

—*Je ne sais pas.*

—*Ne viens pas trop tard.*

—*Mais si tu es en train de t'amuser...*

—*Mais je n'aime pas être seul.*

—*Je rentre dans une heure environ. Je suis avec de
très bons amis que je ne voyais pas depuis douze ans.*

—*Une heure c'est trop, papa.*

—*Alors, trois quarts d'heure.*

—*Non, une demi-heure. Quan Dallas finira.*

—*Ça va. À bientôtt, Jean-Paul. Jean-Paul... Jean-
Paul...,* me cortó, cabro de mierda. Me exige que esté
allá al tiro, pero como está entretenido viendo *Dallas* ni
se despide de mí.

—Claro —comentó Lopito—, Los hijos tienen
que ser bien educaditos y despedirse cariñosamente del
papacito.

Y Lopito volvió a toser, mirándolo seriamente.
Tan seriamente que resultaba imposible no entender su
seriedad como una burla. Mañungo prefirió pasarlo por
alto. Se puso de pie en el estrecho espacio entre la banqueta y el velador, su cara muy cerca de la máscara de
Lopito que echaba humo como un objeto precolombino de forma apenas alusivamente antropomórfica.
Cuando terminó de toser dijo:

—¡Pero Mañunguito, mi viejo querido...!

—¿Qué?

—Es el colmo, lo que estai haciendo...

—¿Qué cosa?

—¡Que tengai que hablar en francés con tu chiquillo! ¡Puchas!

—Casi no sabe castellano. Su madre es francesa.

Ha vivido siempre con ella. He tratado que aprenda castellano, pero en el colegio y en el barrio... imposible. Además, en esta coyuntura, con las tensiones del viaje neurotizándolo, prefiero no presionarlo en ese sentido.

—¡Puchas que te hai puesto papá consciente, Mañungo! ¡Da gusto oírte! Tienes un niñito bien educado, que sabe que se debe despedir con respeto de su papá porque su papá le da de todo, que habla francés de corrido y se puede poner neurótico con las tensiones. ¿Querís que te recomiende a un buen terapista para que se haga cargo de él mientras está aquí? ¿Qué prefieres? ¿Gestalt, Lacan o un terrible kleiniano? Mira que aquí, aunque esto sea el culo del mundo, también hemos oído hablar de esos señores. No creas que somos tan ignorantes.

Mañungo lo miró fijo y Lopito le sostuvo la mirada. Sin hablar, Mañungo salió de su sitio, volviendo a poner el teléfono en su tarima, detrás de Lopito, que no se movió. Después de un instante dijo en voz muy lenta y muy baja:

—Has cambiado, Mañungo.

—¿Cómo quieres que no haya cambiado? —le preguntó, violento—. ¿Que doce años fuera del país, con un fracaso matrimonial y un chiquillo a cuestas, y con el éxito que ya no es tanto pero es éxito, y los viajes y todo lo que Europa me ha dado, no cambie? ¿Que siga igual a lo que era en la universidad, hace quince años?

—Ese era el gran Mañungo Vera.

—¡El de ahora, porque es distinto, no puede ser grande?

—Vamos a tomarnos un trago juntos. Ya veremos.

—No tengo ganas de dar examen.

Lopito colgó afectuosamente un brazo alrededor del cuello de su amigo:

—Si nadie te va a tomar examen, mi viejo lindo. Aquí todos te queremos y te admiramos. ¿Qué examen te vamos a tomar nosotros, que somos unos pobres diablos muertos de envidia porque jamás hemos pasado de Quilicura para el norte? No tengai miedo.

—Miedo no tengo. Doce años afuera me han enseñado a no tenerle miedo a nada.

—¡Doce años de buena vida pueden fortalecer a cualquiera para soportar lo que sea!

Mañungo iba a levantar el puño para azotar la cara de Lopito, pero viéndola ya hinchada por tantos golpes, se contuvo. Sería mal comienzo. ¿Qué quedaba entonces para después? ¿Por qué iba a tener que tolerar la agresividad de este tipo? ¿Solo porque fueron amigos trece años atrás, cuando ambos eran personas distintas a lo que ahora eran? Lo debía haber previsto: Lopito era puro resentimiento. Un baboso inmundo —en fin, eso siempre fue, pero en esa época eran todos más o menos inmundos—, inaguantable, estúpido, torpe, proviciano, fracasado..., no, fracasado no, se contuvo mordiéndose la lengua tratando de tragarse la última impronunciable palabra, de no haberla pensado siquiera, pero no alcanzó a anudarse la lengua a tiempo para no despreciarlo por fracasado. Se prohibía despreciar a los fracasados. Su propio éxito le enseñó que este contenía un componente demasiado importante de suerte, porque poseer salud psicológica suficiente para no caer en las variadísimas tentaciones de autodestruirse es el don más gratuito de todos, y montar en la cresta de la ola de la fortuna justo en el momento en que esa ola va a reventar, es pura casualidad. ¡Prohibido desdeñar a los fracasados que no tuvieron el don de esa fuerza, prohibido despreciar a los débiles en cualquier sentido, a los vulnerables, a los que quisieron y no pudieron y fracasaron ahogados en la autocompasión y la nostalgia por lo que soñaron y no pudieron hacer! El rencor que sentía Lopito hacia él era el rencor del fracasado. Sí, señor. ¿Por qué no? ¿Qué bien conocía ese rencor, pero qué duro era aceptarlo, y qué difícil defenderse de él sin herir ni despreciar! ¡Ah, la vida de Lopito! A París le llegaban noticias de su descenso de traguito en traguito, de deudita en deudita hasta el infierno, esas noticias macabras que nunca dejan de filtrarse hasta Europa. En ese momento él se estaba sintiendo asquerosamente culpable de despreciarlo por el fracaso de su vida y por tener más fuerza que él. Peor, lo odiaba por hacerlo sentirse culpable por el éxito —¡tan transitorio, *hélas!*— de su propia vida: tal vez ahora llegaba para él el momento de la autodestrucción que otros vivieron antes de empezar. Conocía demasiado dolorosamente esas culpas suyas, sobre todo ante sus compatriotas menos afortunados que él en Europa. Por eso se hacía a un lado, evitándolos más y más, hasta terminar por perderlos de vista: murmuraban que Mañungo Vera se creía un potentado, ya no nos cotiza, somos unos pobres diablos, pertenece a la *jet-set,* ya no nos quiere ver, ni siquiera toma trago. El último tiempo, al ir haciéndose más y más vulnerable con sus perplejidades que, se murmuraba, lo habían transformado en un débil, no incluía a sus compatriotas entre la gente que frecuentaba. Fue quedando aislado, sin contacto con las cosas de su patria, y solitario buscaba las noticias sobre Chile en *Le Monde,* sorbiendo pensativo un café en un establecimiento donde nadie lo conociera.

—Me tengo que ir —le dijo a Lopito—. Esta noche no puedo salir a tomar. Además, ahora tomo poco. Tengo que ir a ver a mi hijo. Es muy chico y está solo, debe de tener miedo.

Iban saliendo del comedor. Quedaba poca gente en el patio porque el toque de queda, aunque distante, ya se había insinuado en el horizonte de la noche. En un banco, Fausta Manquileo hablaba con una rubia que casi le daba la espalda, sus facciones ocultas por el cortinaje de su melena: pero era demasiado flaca para que esta visión lo consolara.

—¿Cómo va a ser , pues, Mañungo —insistió Lopito—, que tu primera noche en Chile, con la gente recibiéndote con el cariño que te ha recibido pese a lo tristes que estamos con lo de hoy, vayas a tener que ir a hacerle de mamá de tu chiquillo? Que se las arregle solo. O llama a tu hotel. ¿En,qué hotel estás?

—En el *Holiday Inn.*

—¡Palo grueso! Si estás en el *Holiday Inn,* donde pagas hasta las ganas, que pongan una *baby-sitter* para que te cuide al chiquillo si es tan neurótico como dices.

—No dije que era neurótico.

—Bueno. No latees, no tiene importancia. Tengo sed de tomarme una botellita de tinto contigo, mi viejo, para que me cuentes todo. ¡Puchas que tenemos cosas que hablar!

—Pero al niño le prometí...

—No me vengai con cuentos. Mira, viejo, yo entiendo un poco de francés. No soy tan inculto como crees como para no cachar que le dijiste al cabro que te irías en media hora. Con que llegues en una hora no le va a pasar nada y nos tomamos una botellita en el boliche de aquí en la esquina. ¿Qué te parece?

12

La mujer cuyo cortinaje de pelo ocultó sus facciones de la vista de Mañungo era Judit Torre comentándole la actuación del cantante a Fausta Manquileo. Con el codo en la rodilla y la palma de la mano sujetándole el mentón para prestarle atención a su amiga, su cuerpo de huesos protagónicos igual que su rostro, dibujaba un escorzo de *jeans* y camisa negra, angular pero armonioso, mientras Fausta, con los brazos abiertos en cruz sobre el respaldo del banco, el colgajo de plata galopando sobre su pecho que los años habían soltado y engruesado, criticaban el desatino de Mañungo en la elección de su trova inicial. En contraste con Fausta, Judit, leve como un vilano, tenía justamente esa finura de terminaciones, esa minuciosa complejidad de cálculo y diseño. Los rasgos de su calavera notable —don Celedonio aseguraba que cuando los paleontólogos desenterraran su quijada en unos cuantos milenios más iban a poder reconstituir a partir de ese hueso maestro el espécimen perfecto de la mujer de clase privilegiada latinoamericana— podían haber parecido duros si sus ojos, sus cejas, sus pestañas, su melena rubia no fueran varios tonos más desteñidos que lo conveniente para su belleza, una falla que, pese a lo fácil de rectificar, no parecía preocuparle. Su pelo ya no tenía la vitalidad de la primera juventud y al rubio se mezclaban los primeros hilos canos de la treintena, que ella desdeñaba disimular con tintes.

A esta hora de la noche, con las luces asordinadas por las despedidas y el luto, esos hilillos eran invisibles. Fausta, invariablemente generosa con su admiración, pensaba que Judit era un Noguchi de buena época por lo detallada, una criatura lujosa y espléndida que de algún modo indefinible estaba comenzando a secarse sin haber florecido pese a tener savia de más para hacerlo. Neruda, que la admiraba, la hubiera querido más terrenal y accesible. Y Celedonio, cuando aún le quedaba vocación para el festejo, más alegre: pero Judit era inteligente, irónica cuando estaba en vena, demasiado irónica como para que la gente no le tuviera un poco de miedo. Pero relataba maravillosamente las anécdotas proporcionadas por su memoria larga como la de una vieja. Decían que era presuntuosa por el celo con que guardaba su privacidad —¿quién sabía cómo fue su paso del MIR al comunismo, por ejemplo, y después de abandonar también esta colectividad, en qué andaba ahora? ¿O qué huella había dejado en su vida el heroico compañero Ramón, que por último resultó llamarse Hilario Vilaró, del que Judit jamás hablaba y a quien nadie se atrevía a nombrar en su presencia? ¿Y su increíble amistad con Lopito? ¿Y la Marilú? ¿Por qué Judit permitía que la Marilú viviera con sus abuelos paternos?—, tanto que los malintencionados aseguraban que Judit Torre era pasada de moda porque jugaba a ser misteriosa, el original de *La esfinge sin secreto*. Además, esa extraña secta a que se rumoreaba que pertenecía, relacionada con la magia o con algún esoterismo en que no era de extrañarse que hubiera derivado después de sus juveniles coqueteos con el extremismo político, no era tal —bastaba hablar dos palabras con la tonta de su amiga la Ada Luz para cerciorarse de que no podía ser nada interesante—, y si alguna vez se encerraba con ella y otras amigas era simplemente para ver televisión como cualquier hija de vecino y para tejer, que para eso sí que tenía magia la Ada Luz. Judit era poco femenina, concluían, porque si bien a las mujeres normales la realidad no se les hace real hasta comentarla con una amiga, ella jamás comentaba nada con nadie. Sí, a Fausta le hubiera gustado una Judit más entregada después de tantas cosas que habían pasado juntas, que fuera posible llegar a ella por otros conductos además de por la pura inteligencia. Matilde aseguraba, al hablar con cariño de ella, que Judit era agresiva, cruel, con un perturbador desdoblamiento, como si quisiera proteger a su interlocutor del filo de sus propias críticas reprimidas: sin embargo, su trato tenía una superficie engañosa, suave como una badana. Era, además, una buena preguntadora y una soberbia escuchadora, cosa rarísima entre las mujeres aún ganosas pero sin pareja que ensordecen al público hablando de sí mismas para justificar sus existencias un poco patéticas y un poco ridículas.

—¡Tú no lo conociste antes, aunque es de tu generación! —le estaba diciendo Fausta.

—No...

—No es que Mañungo haya perdido, pero ha cambiado. Claro que sigue tan atrayente como siempre. Esa cosa como cálida que proyecta, la voz que de repente se le quiebra de emoción..., una quisiera besarlo. ¡Sigue cantando estupendo pese a lo que dice ese tontorrón de Lisboa! Lo que pasa es que antes predicaba con sus canciones y eso les encanta a ellos, que son como los jesuitas. Ahora está distinto, como si no le importara su propia vulnerabilidad, y los hombres vulnerables bajo un caparazón de rudeza, a mí, mijita, me encantan...

Era cuestión de modas, se dijo Judit, una época a la que respondía el gusto de Fausta en cuestión de hombres igual que en cuestión de ropa: los hombres duros pero vulnerables del postexistencialismo, de la matriz Camus, Bogart, Belmondo, el hombre que al final de la película de cine-arte se sube el cuello del impermeable y con un gesto clásico se detiene a encender un cigarrillo y después se aleja por la calle lluviosa sin mirar hacia atrás a la Piaf o a Juliette Greco, que se quedan suspirando por él en la ventana... Eso le gustaba a la Fausta —o creía que le gustaba, porque su fidelidad de cuarenta años era con un hombre de la hechura exactamente opuesta—, y la llenaba de saudades de quién sabe qué. No se podía decir que Mañungo perteneciera a la escuela Camus-Bogart-Belmondo. Era de una generación, de un continente distinto. Pero algo «retro» de aquellos hombres de impermeable que se alejaba por las esquinas de las películas lluviosas le había quedado prendido en el aire con que llevaba su morral colgado al hombro pese a que los héroes amados por Fausta no usaban morral. Sin embargo, todos eran, como diría Fausta, hombres con «estilo», cosa que el pobre Ramón jamás tuvo porque el heterogéneo y apresurado revolucionario activo suponía una ceguera estética que jamás cuajaba más que en entrega a la lucha, emocionante, sí, pero de tal densidad moral que dejaba una suerte de espacio en blanco para lo estético, que Judit —se lo confesaba solo a su almohada— creía necesario llenar para enamorarse, si ésta tan cacareada situación existía. A Ramón lo admiró, locamente, como sólo se puede admirar a alguien que a diario arriesga la vida. Ramón la emocionó. Ramón la inspiró y le enseñó. Pero por su propio inconfesable componente de frivolidad, que era su esteticismo —se atrevía a reconocerlo sólo ahora, tantos años después—, jamás verdaderamente lo amó, aunque las huellas con que la había marcado fueron tan importantes como las que se dice que deja el amor.

—En ese tiempo Mañungo no era tan interesante como ahora, sino francamente buen mozo —continuaba Fausta—. Regio. Con cierto ingrediente indio o exótico que no alcanzaba a transformarlo en pieza de interés etnológico... y sus piernas largas y sus brazos largos y sus manos maravillosas, y cómo agarraba la guitarra de la cintura como si fuera una mujer... Todas nos sentíamos un poco guitarra entonces, te diré, hasta las viejas como yo, que llenábamos las peñas para verlo y oírlo. No tenía casa, decían. Vivía con las mujeres que eran sus amores pasajeros o en casa de sus amigos, y su única pertenencia fuera de sus cuadernos de música y su guitarra era su saco de dormir, con el que se trasladaba de un sitio a otro. Era MIR, decían. De los peligrosos, de los de arriesgar el pellejo y poner bombas. ¡Te imaginarás los estragos que haría con las pobres hormonas de las palomas revolucionarias de entonces! Cuando llegó del sur puso de moda al Caleuche y a la Pincoya y al Imbunche, de los que todos hablábamos, y la ropa chilota. La juventud se desgañitaba en las peñas vitoreando sus canciones revolucionarias. La Casa de las Américas lo invitó a Cuba, y el PC a un Festival de la juventud en Varsovia, no sé cómo porque el MIR estaba afuera de la Unidad Popular y se odiaban a muerte con los comunistas. Pero en fin, en ese tiempo, te acuerdas, todo parecía tener una coherencia tan grande que el caos y el entusiasmo eran de una sola pieza pese a las peleas y a las diferencias, un solo proyecto del que Mañungo era parte. Pero Mañungo no tenía pasta de militante. Era un gran egoísta, como todos los creadores auténticos. Después, cuando estaba en Europa, se supo que aunque pasaba por MIR jamás perteneció a ese partido ni puso las bombas que le adjudicaron. Nadie le perdona que se quedara afuera de Chile pese a no tener «ele» en el pasaporte, sólo porque le convino a su carrera. Me encantaría que lo conocieras. ¿Quieres que te lo presente?

—No, mi linda. ¿Para qué? Tengo que irme. Es tarde. Además, no me gustan las estrellas, ni formar parte de cortes.

—Es verdad. Pablo siempre decía: «Tan misteriosa de más, esta Judit, que es tan divertida para contar sus cosas. Me gustaría que se dejara ver más seguido. Es como anticuada esta chiquilla porque cree en la importancia de la vida privada y eso ya no se usa.» Mira. Ahí viene Mañungo. No te vas a poder escapar.

Mañungo llegaba rodeado de amigos, bajando después de darle su último adiós de la noche al cajón de Matilde. Las presentaciones fueron someras además de enredadas e inatentas, confundidas por tanta gente y por la oscuridad y por los adioses, tan sin ceremonia que Judit logró disimularse en la retaguardia del grupo. Mañungo estaba besando la mejilla de Fausta para despedirse, citándose para verse mañana en el cementerio y luego, otro día, muy pronto, en cuanto pudiera arreglarlo porque iba a tener mucho trabajo con este asunto de la Fundación que olía a intriga del gobierno porque nada se solucionaba, para comer juntos con quien él quisiera ver. Judit, al darse cuenta que Lopito se precipitaba hacia el grupo, logró escabullirse antes que llegara, y sin que nadie se diera cuenta salió de la casa apretando su cartera debajo de su codo como para hacer más leve, más invisible su tránsito.

13

Judit miró su reloj. Las nueve y media. La Auristela la había citado a las nueve para tener tiempo de peinarla y arreglarla y después volverse a su casa en una población al otro lado del mundo, donde de noche hasta a los vecinos les daba miedo entrar porque ahora no sólo cogoteaban, sino que ardían barricadas de neumáticos en las calles y se formaban tumultos que eran la lenta avanzada de las poblaciones, de la que los diarios no daban información. Por miedo a eso, como todas las mujeres del grupo, la Aury a veces dormía en la casa de la Ada Luz, que quedaba cerca del salón donde trabajaba de estilista, pero ahora último iba poco porque su amiga andaba enredada en asuntos sentimentales y ella prefería ser discreta. Judit, en cambio, siempre iba, porque necesitaba saberlo todo. Esta noche, sin embargo, la curiosidad por la llegada de Mañungo pudo más que su tiránico compromiso de su deber con las mujeres, de modo que como se atrasó, después tuvo que apurar el paso.

Bellavista estaba tranquilo: el deceso ocurrido esa mañana ya digerido, metabolizado, olvidado igual que cualquier deceso antes que el funeral excretara los restos. El cerro extendía su ligera fragancia de pinos sobre la bendita frescura de la noche veraniega en las calles, como una puerta que se ha abierto al sofoco químico del día que achicharra los bordes de las hojas y las córneas y el pelo de las mujeres. Recostado en la ladera vertiginosa dormía el funicular amado por Judit porque se le antojaba reminiscente de Eiffel. Los ocelotes, los ibis, las cacatúas, los grandes paquidernos inexpugnables dormían sus cadenas perpetuas en las celdas de su penitenciaría. Algunos ciudadanos regresaban pacíficamente a comer en sus casas por las calles pueblerinas, y a través de los visillos —¿cuáles eran auténticos, se preguntaba Judit, obra de la clase media del barrio que jamás siguió la moda que los descartó, y cuáles pura afectación y *revival?* Imposible distinguirlos, aunque seguramente los de mentira tenían más gracia que los verdaderos— veía a familias sentadas en sillas de plástico o las mesas de sus comedores o en incongruentes cocinas «estilo americano» compradas a ruinosos plazos, lo que establecía la atmósfera melancólica de las cenas, apenas mitigada por la televisión. A esta hora de escaso tráfico algunos niños aún jugaban a la pelota en la calzada a la luz de los faroles, y en los bares y restoranes los parroquianos consumían Barros Jarpas y Barros Lucos —¿cuál era la diferencia? A Judit la confundían estos nombres de personas amigas de su abuelo con que bautizaron sandwiches para hombres: en cambio, los completos de lomito le parecían tan contemporáneamente unisex— acompañados de esbeltas garzas de oro espumoso. No se veía mucha gente disfrutando de estas modestas delicias: las cosas no estaban como para gastos superfluos y era preferible atenerse al plato de lentejas familiares.

Ada Luz la esperaba en su casa, que era como una caricatura de lo que estaba de moda en Bellavista, la madera limpia, la paja, los paragüeros, las plantas, pero combinado con flores de plástico cubiertas con celofán para protegerlas con hipotético polvo, y en la mesa un mantel de hule con la reiteración a tres colores de Betty Boop. ¡La Betty Boop! ¿Conciencia de revival o gusto «cebollero», como decían los jóvenes de ahora con su impenetrable idioma que cambiaba cada mes? Pese a todo, la casa de Ada Luz tenía un espeso aire de intimidad, de protección uterina, de cariñosa tibieza mujeril, todo blando y secreto, mucho cojín bordado, mucha cortina en repisa donde no era necesaria, las aristas disimuladas, las patas ocultas por faldones, las cestas forradas en retazos de cretona que escondían la nobleza del mimbre rebosante de lanas de colores que Ada Luz tejía, o entregaba para que trabajaran en sus casas las tejedoras que la ayudaban y que ella protegía entregándoles trabajo, mientras Judit la apoyaba colocando pedidos entre sus relaciones con dueñas de boutiques en Providencia. A Judit la irritaba tanta femineidad pegajosa. Pero era imposible no reconocer que se trataba de una irritación intelectual, artificiosa, porque después de un cuarto de hora en la recogida casa de Ada Luz, al fondo de un conventillo donde no llegaban los ruidos de la calle, sus resistencias estéticas, clasistas y puritanas, aunque luchaba por disimularlas, se veían avasalladas por esta atmósfera, tanto que a veces acudía a hundirse en los cojines de Ada Luz para mirar juntas algún estúpido programa de televisión —los Óscares, por ejemplo, o Miss Universo— cuando se sentía particularmente acosada por sus demonios.

Ada Luz dio un suspiro de alivio cuando abrió la puerta. Gracias a Dios no era Lisboa sino ella: había percibido algo como una amenaza en él cuando salió de la casa de la señora Matilde con don Celedonio del brazo, explicó, algo como una señal indicándole que más tarde —ahora— iba a venir a visitarla.

—¿Ha venido antes sin que lo cites?

—Claro, pues, Ju. ¿No ves que es casado y tiene que venir cuando puede hacer una arrancadita?

—¿Estás enamorada?

—No. O sea, no sé...

—No creas que me gusta que se te venga a meter aquí así no más.

—¿Te sirvo un tecito, Ju?

—Ya. Rico.

—¿Con galletitas?

—¿A ver? Sí, mi linda, por favor. Parece que esta noche se me va a presentar larga.

—Podría ser.

—Y la tarde donde la Matilde fue matadora.

¿Qué opinaría la Ju, tan atea, sobre la famosa misa? Cuando la señora Matilde le hizo su confidencia había tenido ganas de contarle su secreto... y hoy, mientras preparaba el té en el anafe, sintió el mismo impulso. Pero la humillaba la exigencia de contárselo todo a la Ju. Esto, por ejemplo. Era darle importancia. Si callaba, en cambio, esta historia, de su exclusiva propiedad, podía llevársela el viento sin dejar huellas, que sería lo mejor.

Mientras terminaba de hervir el agua, Ada Luz se felicitó por haber hecho trastabillar a Lisboa con su información con aire de chisme sobre la misa para la señora Matilde: significaba que ella lo tenía a él en sus garras, no él a ella. Si venía esta noche no le iba a abrir. En caso que lo dejara entrar, lo engañaría diciéndole que ya había hablado del asunto con don Celedonio, que mañana iba a aparecer la noticia en todos los periódicos, y que el cardenal le diría una misa de cuerpo presente. Entonces Lisboa se pondría a llamar a medio mundo por teléfono sin darse cuenta de que él mismo estaba esparciendo la noticia que quería guardar.

—¡Qué risa! —murmuró al disponer las galletas en el platillo.

—¿De qué?

—No. De nada.

Judit sintió la oleada de irritación que con frecuencia le producía Ada Luz: toda ella anémica, como cuando la potencia de la red eléctrica disminuye después de un atentado y el menaje se desmaterializa y se disuelve en la penumbra que va apoderándose de las habitaciones.

De nuevo no pudo dejar de encontrarla tonta —antipática incluso—, pero por esto, justamente, servía: por su incapacidad de medir el efecto de sus acciones. Judit apretó los ojos para rechazar su prejuicio culpable frente a una amiga con la que había compartido el infierno, circunstancia que debía bastar para unirlas. No era permisible que su propia arrogancia la traicionara, determinando culpas que ahora debían ser distintas. Su odio tenía que bastarse a sí mismo, ser su certeza desde que aquel hombre de la voz gangosa y la mano húmeda la hizo encerrar: insultos, ladridos, gemidos, risas masculinas, palabrotas, y en las voces de las mujeres reconocía las de sus compañeras de tres días de hacinamiento fétido en un recinto diminuto: Ada Luz..., Senta..., Domitila..., Aury..., Beatriz..., un grupo del que el hombre de la voz gangosa y la blanda mano sudada le impidió formar parte porque ella fue la única que no sufrió la totalidad del martirio. Su odio quedó sin personaje preciso, convertido en una especie de vago narcisismo que tomaba el lugar tanto del verdadero odio como del amor. Recibió de Ada Luz la taza y el platillo con galletas, acompañado de una irritante servilletita triangular innecesariamente decorada con ásperos zigzags. Mientras Ada Luz se sentaba a su lado a tejer un chaleco color heliotropo, Judit le preguntó:

—¿Por qué le tienes miedo a Lisboa?

—Por intruso.

—No mientas. No es por intruso.

Ada Luz, en plena posesión del poder de su secreto, no se sintió dispuesta a dejarse manejar por nadie, ni siquiera por la admirable Judit Torre.

—Es que Lisboa me prometió ayudarme a conseguir que Daniel venga a Chile para que yo conozca a mi nietecito.

—¿Qué poder tiene Lisboa? Ninguno. Eso lo

sabes tan bien como yo. Es un dios menor en el Partido, sin influencia, que sólo tiene a su cargo ciertos sectores de la Jota. Ya no puedes seguir contándote el cuento: Daniel no va a venir, mijita, aunque te aconsejen que no pierdas la esperanza. Mejor enfréntate. No va a venir a verte no porque no pueda sino porque no le compensa venir desde Canadá: allá le está yendo brutal y tiene su regia casa y se casó con una gringa y enseña marxismo en la Universidad de Satskatchewan, donde es muy considerado. ¿Qué quieres que venga a hacer aquí, donde los filósofos andan de chóferes de taxi porque no tienen trabajo? Allá tiene su hijo gringuito, y a la gringa con que se casó; con toda razón le carga dejar su casa y gastar miles de dólares para venir a este país de mierda a ver a una señora que francamente no le va ni le viene...

Ada Luz lloraba mientras tejía:

—¡Qué descarnada eres, Judit!

—Todo lo demás me agota.

—A ver, si una fuera tan descarnada contigo como tú eres con los demás, cómo te iría.

Judit le echó una mirada. ¿Sabía esta mujer su mentira, y por compasión compartía con ella una vida en la que el supuesto era que Judit, encapuchada, desnuda, había corrido idéntica suerte que las demás, que era por lo tanto una de las víctimas y por eso su venganza las vengaría a todas?

—Voy a juntar plata para ir a verlo.

—Eso me parece más realista.

—¡Ah, claro! ¡ Realista! ¡Como eres de familia rica, juntar plata te parece muy fácil! Yo, ¿cuándo, con las cosas como están? Tengo miedo que me investiguen si pido la salida. Debo estar fichada, y después no me van a dejar tranquila ni a mí ni a ti ni a ninguna de nosotras. Además, me da no sé qué que a él y a su señora les dé vergüenza recibirme: yo no sé hablar ni inglés ni nada.

A Judit se le cayó un pedacito de galleta al suelo. Sin darse cuenta lo pisó, pero con un par de movimientos precisos recogió y limpió las migas. Había ido cambiando, la Ju, con el transcurso de sus años estériles, pensó Ada Luz dejando poco salvo esta precisión de gesto y de palabra, mientras la luminosidad de sus ojos azules se iba aclarando y enfriando más y más, como si los tuviera fijos en un ventisquero milenario que avanzara sobre ella para aplastarla. Golpearon la puerta.

—¡Lisboa...! —exclamó Ada Luz sobresaltada.

—¡Pero si estamos esperando a la Auristela!

—De veras.

Ada Luz le abrió la puerta a una mujercita sonriente muy pintada y pizpireta aunque madurona, de tacos altos y un complicado peinado de ultimísima moda, imitado, estimó Judit, de una sofisticada confección de Carita reproducida en un semanario nacional. Venía apretujada de busto y trasero, las corvas a la vista, con esa seguridad de la mujer que sabe que los hombres en las esquinas se darán vuelta para admirar sus generosos atributos, merecedores de groseros cumplidos: a la Auristela podía faltarle todo, hasta el pan que más de alguna vez le faltó, pero nunca le faltaría esta gratuita nutrición. Judit pensó con desapego que a ella no la silbaban así en la calle, aunque habían admirado de maneras más perversas sus estilizadas proporciones: piernas largas, melena rubia, cierta manera de caminar, de revelar la intimidad de los lóbulos desnudos de sus orejas acariciadas por el pelo:

—¡Flaca caliente! —había exclamado la voz gangosa que ella buscaba desde entonces: durante un segundo la mano sudada se había posado en su rodilla, retirándose en seguida, sin cumplir la promesa implícita de hacerla su víctima.

Para su grupo de mujeres —exagerada, ridículamente pensaba, sólo porque no conocían otra cosa— la

belleza de Judit era incontestable pese a la melancolía
que comenzaba a ajarla, y su elegancia, independiente
de su modesto vestuario, estimulaba sus fantasías, que la
dotaban de capacidad para llevar a cabo sobrenaturales
proezas de seducción. Era el instrumento perfecto para
realizar el plan de venganza que tendría la forma de sometimiento, o incluso de muerte, que maquinó su propia inteligencia, deslumbrando de tal modo a sus compañeras que se sintieron parte de él y lo propiciaron:
una acción más para desestabilizar lo que era urgente
hacer caer, ya que sentían que la violencia a la que poco
a poco se iban acercando no era otra cosa que la encarnación de la desesperanza a que las empujaba el actual
estado de cosas, y por lo tanto, más que aceptable, era
necesaria. ¿Narcisismo, una necesidad de protagonismo
heroico, que pese a su discreción y entrega a los demás,
oscuramente buscaba para sí misma? Tal vez. ¿Pero qué
más podían contribuir ellas, al fin y al cabo, pobres mujeres sin cultura, sin coraje, sin dinero, fuera de la admiración a veces incómoda para Judit, para darle curso total a su venganza? ¿Quién como Judit para llevar a cabo
la venganza si era la única persona que conocían con he-
churas de heroína? La Aury traía colgado al brazo un
gran bolso café desde el cual sonreía un niño bobo bordado en *patchwork:*
      —¡Aury!
      —¡Adita! ¡Ju...!
      Se besaron en las mejillas. La Aury se sentó en el
sofá al lado de la Ju mientras Ada Luz iba a la cocina a
preparar otro tecito con galletas, dejando la puerta
abierta para no perder ni una palabra de la fascinante
charla: maquillajes, peinados, champú, tinturas. La
Aury se proponía hacerle a la Ju un peinado sumamente
novedoso con un corte muy moderno. ¡Qué suerte que
se hubiera lavado el pelo, lo tenía precioso! Comenzó a

sacar de su bolso los tubos y pequeñas máquinas para hacer peinados instantáneos. Judit insistió que ella no era de peinados raros. Se había peinado igual toda la vida. Bastaba, en realidad, que le curvara las puntas de la melena un poco hacia dentro, sobre las orejas, para que se le meciera lacia y pesada, como siempre. La desilusión entristeció a la peluquera. Miró su reloj.

—Bueno —dijo—, entonces vamos a tener más tiempo. Un cuarto para las diez. ¿La Adita te dijo que tienes que estar allá a las doce porque el mensaje de don César dice Mercedes azul en Las Hortensias esquina de Los Leones a partir de las doce?

—¿Te lo confirmaron?

—Todo confirmado.

—¿Quién lo confirmó?

—Se cuenta el milagro, pero no el santo. Pero puedes estar tranquila. En ese Mercedes vendrá tu hombre.

—Nuestro hombre.

—Nuestro hombre.

Como una gitana que le leyera la suerte: «Vendrá tu hombre, de bigote negro y ojos verdes, que será tu destino.» Sin embargo, sentada en la silla frente al espejo, mientras la Auristela la peinaba, y junto a ellas Ada Luz, que tenía una miga de galleta adherida al labio superior, moviéndose al contar los puntos del chaleco color heliotropo, Judit sintió que el resto de esta pesadilla que se prolongaría durante toda la noche sería pura imagen, sucesos virtuales que sólo existirían bidimensionales en el mercurio del espejo, la repetición de la repetición de la repetición. ¿Cuántas veces le habían anunciado a «su hombre»? Había salido a buscarlo, haciendo cola en la ventanilla de un banco, espalda contra espalda en el mesón del café Haití donde todo era perfumado y de prisa, dos filas más adelante en un cine, pasando por cierta calle a cierta hora, y nunca era. Nunca era, porque ella no tenía hombre, así es que ¿qué hombre podía ser el anunciado? Era la única del grupo que no lo tuvo y por eso su odio tenía que consumirse sin imagen, pura triste especulación. Tu hombre, le había dicho la Auristela, que no sabía que la Ju no tuvo hombre. Tampoco lo sabían las otras mujeres cuyos gritos oyó en el encierro. Distinguió sus voces, una de la otra y de la otra: Ada Luz..., Senta..., Domitila..., Beatriz, todas las voces menos la de ella, que esperó al hombre que la haría gritar como a las otras, pero que sólo puso su mano sobre su rodilla para que gritara de terror: la voz gangosa de ese hombre la perdonó. Y la cargó con la culpa de esta mentira para que sus compañeras no la excluyeran. Las otras tuvieron hombre: la crueldad, la humillación se definió en la materialidad de un verdugo con rasgos diferenciados, uno para cada una. Ella, en cambio, fue perdonada. ¿Cómo sabían ellas, cómo sabía don César, que en el Mercedes azul a partir de las doce —a partir del toque de queda—, venía el hombre que la perdonó, si ni ella sabía quién era ese hombre? Como si estuviera leyéndole el pensamiento, la Aury, mientras le quitaba los ruleros del pelo, le explicaba:

—Ricardo Farías. Estuvo a cargo del centro justo en los días que nosotros coincidimos allá. Va a jugar canasta esta noche con otros amigos, pero sólo hasta las doce porque no le gusta transgredir el toque. Es muy cumplidor, dicen. Y su señora y su familia andan veraneando, así que seguro que vuelve a su casa solo.

—¿Será él?

—El contacto de don César dice que sí. En todo caso, eso sólo puedes decirlo tú, pues, mi linda. Sólo tú puedes identificarlo.

—¿Tú crees...?

Estaba haciendo preguntas estúpidas sugeridas por el miedo: la información sobre el hombre del Mercedes

azul a partir de las doce en Las Hortensias, sabía Judit,
se gestó en los intestinos de un Santiago sin luz donde la
gente sabía cosas que no sospechaba peligrosas porque
el peligro era el elemento natural de sus vidas, igual que
el terror, ser acosados por la policía, por sus vecinos, por
sus hermanos, por sus hijos, en garitos abyectos y bares
clandestinos cobijados junto al fuego de ollas en poblaciones solidarias con todos los que estuvieran contra la
autoridad: sordo coro de voces portadoras de secretos
que el odio transmitía por una acelerada enredadera de
contactos enlazados por necesidad de venganza como
un impulso ajeno a toda ideología. Una hora después de
generarse la información, quién sabe entre qué podre-
dumbres y enfermedades y harapos, era enviada desde el
vientre de la ciudad por una cadena de seres iracundos
que transmitía la información sobre el hombre del Mercedes azul de uno en otro, de otro en otro, hasta que ya
cerca de la superficie y de las zonas iluminadas sonaban
los rodamientos del cuchepo, don César le daba los datos a la Auristela, y la Aury se los entregaba a Judit: en
ese Mercedes azul viene tu hombre. Después de medianoche doblaría hacia Las Hortensias por la esquina de
Los Leones para que ella lo identificara —¿cómo, si no
era más que una voz gangosa, una mano sudada?— y se
vengara: como estaban las cosas, nadie haría justicia de
no hacerla ella misma. Era necesario que el hombre no
la reconociera. ¿Cómo, después de doce años? Ella jamás lo había visto porque durante el interrogatorio le
sellaron los párpados con cinta adhesiva antes de cubrír-
selos con vendas negras, y después la cabeza entera metida en un capuchón, su espalda desnuda tiritando pegada a la pared: esperándolo. ¿Cuándo la había visto ese
hombre? ¿Por qué la eligió a ella?

—¡Harto caliente, mi flaca!

Tal vez una visión pasajera antes que le cubrieran

el rostro le quedó prendida en la imaginación y mandó que dejaran a la flaca para él, que era el jefe. En fin, ahora, tantos años después, que no la reconociera corría por cuenta del tiempo y del arte de la Auristela, que la estaba maquillando como ella jamás se hubiera maquillado, pero tenía la finalidad de distanciarla lo más posible de la detenida, que llegó vestida de *jeans* y camisa verde oliva, y Fausta y don Celedonio se la llevaron ocho días más tarde, magullada, en harapos, con las manos sangrientas. La Aury terminaba su disparatado maquillaje mientras Ada Luz iba preparando sobre la cama, con el cuidado que se prepara un traje de novia, un vestido de leve seda *beige* que sacó de la bolsa de la Aury, zapatos de taco alto y cartera. Cuando dijo que ya estaba lista, la Ju se puso el vestido, sin coquetería. Las dos mujeres, sin embargo, riendo y rabiando con ella como con una niña, tironeándoselo de allá para acá, se lo acomodaron sobre el cuerpo, los pliegues, graciosos por fin al caer sobre sus caderas, que pese a su delgadez lo llenaron con el dulce halago de sus formas, y lo animaron. Se lo abotonaron por delante, dejando los tres últimos botones abiertos para que luciera las rodillas. Judit no pudo evitar el placer de sentir su pelo fluyendo alrededor de sus orejas y de sus ojos luminosos, y las sensaciones de la seda definiéndole el cuerpo.

—¡Estás preciosa!—exclamó Ada Luz, uniendo sus manitas con un gesto de admiración y mientras la Auristela le ponía los últimos toques al maquillaje, volvió a sentarse con su tejido.

—Lista —dijo por fin la profesional.

—Es tarde —murmuró Judit—. Me voy porque quiero tomar un poco de aire y llegar a tiempo.

—Cuidado. No te vayan a ver circulando por ahí cerca mira que andan muy cachudos —le advirtió la Aury.

—No creo que en ese barrio, que es muy bueno —dijo Ada Luz—. Vengan, chiquillas.

La siguieron al dormitorio. Del cajón de su mesa de noche, del más modesto *art déco* resquebrajado y manchado y con restos de perillas de baquelita, Ada Luz sacó dos envoltorios en pañuelos floreados. Desenvolvió el primero: seis balas que depositó sobre el vidrio de su velador. Se sentó en la colcha de raso azulino desde donde la observaba la muñeca española tendida en el cojín. Sólo la lámpara del velador estaba encendida. Los rostros de Judit y de la Aury se encumbraron en la penumbra más allá de la concentración de Ada Luz enfocada en el círculo luminoso. Desenvolvió el otro pañuelito floreado sujeto con un elástico de oficina: una pistola. Ada Luz sacó el cargador y fue acomodando una bala tras otra, inclinándose para recoger una que cayó del suelo, y después la colocó diestramente en su sitio. Metió al cargador. Pasó el seguro. Se la entregó a Judit mientras la Aury la observaba guardando el arma en su cartera.

—Va con seguro —dijo Ada Luz—. No se lo saques hasta que la vayas a usar.

—No creo que la vaya a usar.

—En caso que tengas que defenderte, decía yo.

¿Cuál era la venganza que debía cumplir, entonces? ¿Seducirlo, entregarse a él, y que se cumpliera por fin esa parte de su fantasía? No. Ada Luz era tonta, pero no ingenua: mientras le explicaba que ésa era la pistola con que habían apresado a Daniel y por eso tuvo que exiliarse, Judit sintió en primer lugar que lo que Ada Luz decía no era verdad, y en segundo, que le entregaba el arma con la esperanza de que la usara para otra cosa que no fuera una simple defensa de sí misma en las calles de Santiago durante el toque de queda. Judit decía:

—Nunca, en otras ocasiones, la he usado.

—Quién sabe si esta vez.

—No sé. En todo caso, depende de las circunstancias que se den. No sé lo que quiero y no lo sabré
hasta que lo vea.

—Con el asunto del toque de queda andan hechos unos lobos.

—Bueno —dijo Judit—. Me voy. No sé por
qué, pero me estoy ahogando aquí.

Sí, ahogándose con la sensación de que en este
cuarto, con la muñeca española observándola desde el
misterio de su mantilla de plástico, se estaba gestando algo de que no se hablaba, empujándola a una acción a la
que nunca, ni en sus tiempos de militante, se atrevió. Pero estas mujeres ignorantes y sin poder, subrepticiamen-
te, malignamente, la estaban convenciendo sin aparentar hacerlo, hablando de otras cosas mientras la perversa
atmósfera de Ada Luz iba envolviéndola, aludiendo, sin
nombrarla, a una sola culminación. ¿Por qué no, si era lo
que en el fondo ella quería? Ada Luz volvió a tomar su
tejido. Contaba puntos color palo de rosa. Se le había
caído la miga adherida al labio. ¡Por fin!, suspiró Judit.
Esa miga la tenía obsesionada. Recordó el momento
exacto cuando se le desprendió: fue mientras Ada Luz
colocaba en el cargador la bala número cuatro. Acompa-
ñaron a Judit hasta la puerta.

—¿A ver? —dijo la Aury antes de abrir.

Y Judit, que sabía la pantomima que ambas
mujeres esperaban, caricaturizó los pómulos ahuecados
de una modelo, un brazo estirado con la mano apoyándose en el marco de la puerta, la otra con la cartera en la
cintura, una rodilla sobresaliendo de la pollera abierta
adelante en un exagerado pero elegantísimo ángulo.

—¡Estás hecha una verdadera mujer de la *Pau-
la!* —rieron ambas.

—Si no se enamora de ti, es un tonto —dijo
Ada Luz.

—¡Que no me molesten a mí con leseras de amor!
—rió también Judit—. ¡Estoy aburrida! Pero si se llega a
enamorar, entonces sí que lo mato.

Era la primera vez que se decía esa palabra, y fue
Judit quien la dijo.

14

—No tengo hambre —le respondió Lopito a
Mañungo Vera cuando le sugirió que con la segunda
botella de tinto comiera algo—. Nunca tengo hambre.

—Con razón estás tan flaco.

—No es que tú estés hecho un lechón.

—Mi agente no me deja engordar. Por razones
profesionales.

—¿Cómo puedes aguantar que te controlen
hasta en lo que comes?

—Y hasta con quién me acuesto.

—Eso no engorda.

—A ellas no más las engorda.

—Cuando les conviene.

—¡No lo voy a saber yo!

En el boliche de Pío Nono ocuparon dos tabu-
retes empingorotados junto al mesón que remataba en
un *bierstübe.* Mañungo había comido un rememorativo
sandwich de lomito —saudades de la eterna hambre de
los estudiantes de provincia no aplacada por el flaco
cheque mensual que en el caso de Mañungo llegaba de
Chiloé y duraba una sola semana—, y que después de
soñar doce años en el extranjero con comer uno, ahora
le parecía abominable. Lopito, entusiasta cultor de la
nostalgia, pidió otro igual, del que no probó más que el
primer bocado, dejando un revoltijo de pan mordido,
choucroute, salsa de tomate y mostaza coloreando el plato. Mañungo pidió una garza, limpia, larga, fresca, que
bebió con placer porque el verano parecía sellado dentro
del local sin aire. Lopito pidió otra botella de tinto, su

compañero instándolo a pedir del mejor. Ya iba por la mitad de la segunda botella: su lengua gorda entorpecía lo que le iba quedando de pensamiento. Contaba chascarros con la gracia de siempre, agudo, perverso, informado de lo que ocurría en todos los vericuetos de la ciudad, pero hacía cerca de un cuarto de hora que Mañungo estaba notando que su agudeza se cargaba con una creciente dosis de mala voluntad, y como le estaba costando esfuerzo cazar la palabra justa, parecía repartir golpes atontados a diestra y siniestra. Hasta este punto todo ha ido bien, pensó Mañungo; mi afecto por Lopito permanece inconmovible y lo veré otra vez porque me gusta estar con él pese a que no le importa nada que no haya sucedido aquí en estos años, y sólo lo apasionan las peripecias locales y los personajes nuevos que yo no conozco ni de nombre. ¿A buscar afectos como el de Lopito había vuelto a Chile? Mejor sería despedirse antes que todo se deteriorara definitivamente. En el hotel lo esperaba Juan Pablo. Hacía media hora que debió haber estado allá.

—Me tengo que ir —dijo, mirando su Rolex.

Los ojos de Lopito se achinaron. Sus manos manchadas de mugre o de enfermedad temblaron al llevarse el vaso de vino a la boca, vaciarlo de un trago, chasquear los labios y exclamar:

—¡Bah! ¡Claro! Me olvidaba de Jean-Paul.

—¿Cuánto es? —le preguntó Mañungo al mozo, pasando por alto el tono sarcástico con que Lopito pronunció en francés el nombre de su hijo. Sería atinado no ver a Lopito durante unos días, hasta estabilizarse, y entonces disfrutar de su amigo en dosis discretas.

—No, no, pago yo —exigió Lopito—. ¿Cómo se te puede ocurrir, pues, Mañungo? Yo soy el dueño de casa aquí en Chile y convido yo. En París convidas tú.

—Me estabas diciendo que no tienes ni un peso.

—¿No es verdad —le preguntó Lopito al mozo— que tengo crédito aquí?

—Voy a preguntarle al patrón, señor.

—No seas huevón, pues, Lopito, déjame pagar y vamos. Juan Pablo me está esperando hace rato.

—No me vengas con la mentira de que te vas por tu hijo.

—¿Cómo no? Me oíste hablar por teléfono con él.

—Te quieres ir porque estás aburrido conmigo. Mozo traiga otra botella.

—No tomes más ahora, Lopito. Vamos. No estoy aburrido contigo, aunque puede que comience a aburrirme en un rato más.

—¿Es una amenaza?

—No tienes para qué tomarlo así.

—No. Si sé, mi viejo. ¡Eres tan buena persona! Todo el mundo no hace más que alabarte. Y yo soy una mierda ¡Ándate no más! ¿Para qué pierdes el tiempo con un pobre desgraciado como yo?

Mañungo se disponía a partir cuando oyó que Lopito continuaba:

—¿...con un fracasado de mierda como yo?

Fue como si Lopito, dentro de su torpeza vinosa, hubiera adivinado cuál era el punto vulnerable de su amigo, y repitió la palabrota: fracasado. Mañungo pidió otra garza. Las cosas no podían quedar en este punto. La palabra fracasado lo amarraba a su taburete y a Lopito. No podía negarse que lo estaba odiando por ser sucio y abyecto y autodestructivo y fracasado, pero más aún se odiaba a sí mismo por ser incapaz de pasar por encima de todo y apelando a los recuerdos de la lucha y el compañerismo juvenil compartidos, superar su repulsión por la ruina de Lopito. Lo ahogaba ser incapaz de usar la fuerza de esos recuerdos para convencerse de que lo odiaba con razón, que tenía derecho a detestarlo por hacerlo sentirse desgarradora e injustamente culpable porque su amigo no le gustaba. Y porque decidió que este sentimiento no podía definir su actitud con él bebió un largo sorbo de su garza mientras Lopito comenzaba a desmoronarse junto a sus inmundas sobras, hasta que el mozo alcanzó a tomar el plato antes que cayera hacia su lado del mesón.

—¿Se lo retiro, señor?

Mañungo asintió con la cabeza. Desde las mesas la gente reconocía a Lopito porque era cliente del local. Lo miraban con esa condescendencia con que se mira a los inofensivos borrachitos que comienzan a circular por los bares en las tardes. Lopito despertó ofendido con el escamoteo de su plato.

—Yo no dije que se lo llevaran.

—¿Quieres otro?

—No. Quiero el mío.

—Lo siento, señor. Ya lo botamos a la basura.

—¿Que tiran la comida a la basura, aquí? ¡Es el colmo! Con razón el país está como está. ¿Se volvieron locos? ¿Tanta gente muriéndose de hambre y botan la comida? Claro, los que se fueron a Europa a pasarlo brutal no pueden tener ni idea de la miseria de la gente de aquí. Mucha cancioncita de protesta tralalá, tralalá, mucha novelita comprometida, mucha revistita incendiaria, mucho recital, mucha lectura de poemas, pero, viejo, nosotros nos quedamos aquí a resistir y a pasar humillaciones y hambre. Fue a nosotros que nos cagaron y tuvimos que aguantar la mecha y luchamos y nos persiguieron y nos jodieron mientras ustedes gozaban de becas y bailaban el merecumbé con minas con las que aquí uno ni siquiera se atrevería a soñar.

—¿En qué frente luchaste tú, Lopito? —le gritó Mañungo, poniéndose en pie otra vez—. ¿En el del trago?

—Shshshsh, no grites así, hombre. ¿Que no ves

que puedes asustar a los convalecientes de este leprosario? El trago también puede ser un frente cuando no queda otro.

Como para reforzar esta convicción, Lopito se tomó otro vaso de tinto que pareció ensombrecerlo más y amoratar su rostro. La gente sentada más allá junto al mesón había dejado de hablar para oír el coloquio.

—¿Y los que tuvieron que irse porque los andaban persiguiendo —le preguntó Mañungo, y se dispuso a pagar y partir—, los que tuvieron que arriesgarse con pasaportes falsos o hincharse de cortisona para que no los reconocieran, los que no tuvieron la suerte profesional que tuve yo, ésos también se lo pasaron bailando merecumbé?

Ante esto, Lopito se incorporó, sonriente, brillante, y palmoteó la espalda de su compañero con afabilidad seráfica:

—¿Suerte? ¡Pero, Mañunguito, hombre, no te me tires al suelo! ¡No me hables de suerte en tu caso, no seas tan modesto! Sabes muy bien que fue más que suerte, que tu éxito es fruto de tu talento y de tu esfuerzo..., que fue tu genio, sí, sí, déjame decirlo, porque tú eres uno de los elegidos. No, yo te quiero demasiado para permitir que en tu caso hables de suerte y te rebajes a mi nivel. Porque mírame a mí. Yo sí que soy una mierda, y hubiera sido una mierda aquí y en la quebrada del ají, igual. Ni la suerte más grande del mundo me hubiera podido salvar. ¿Te acuerdas cuando publiqué mi libro?

—¿Cómo no me voy a acordar, si esos poemas fueron como una Biblia de nuestra generación?

—Gracias por el piropo, mi viejo. Claro, Biblia que duró seis meses y después nadie se volvió a acordar de ella. Ahí quedó. Ahora es imposible conseguir ni un ejemplar. «Es tan corto el amor, y es tan largo el olvido», dijo Neruda. ¿O es un tango? Uno nunca sabe, con Neruda.

En todo caso, la edición de mis poemas que publicó la
Unidad Popular fue de tan mala calidad, como todo lo
que hizo la Unidad Popular con el criterio de que eso
debía bastar para el pueblo, que sería un gobierno de
mierda pero era nuestro gobierno, que mis pobres librí-
tos se desencuadernaron a la primera lectura y a las páginas se las llevó el viento y pasaron por un zapatito roto y
mañana te cuento otro. Lo malo es que nunca más pude
contar otro. Hace diez años que no escribo ni una sola
línea. ¡Ni una, mi viejo, ni una! Me temblequean las
manos, se me nubla la cabeza, se me pierde la lapicera,
me da una sed espantosa, me peleo con mi mujer o me
la culeo sin ganas para no tener que escribir y después le
echo en cara que como es una puta que siempre anda
caliente no me deja escribir. Cualquier cosa menos escribir, que es la tortura más grande del mundo. Fuera de
no escribir. Llevo más de diez años en este infierno. Es
cosa de este régimen, me dicen mis amigos bienintencionados, pero te diré que amigos bienintencionados
me van quedando pocos. Y. claro, todo eso es una mentira porque aquí de todo le echan la culpa al régimen,
que es cierto que tiene la culpa de casi todo, pero no tiene la culpa de que yo sea una mierda. Fíjate que en el
tiempo del *boom* económico trabajé y gané bien. Vieras
cómo andaba vestido. Parecía un príncipe, y hasta le pa-
gué la primera cuota al dentista para arreglarme los
dientes. Pero comenzó a hacerme extracciones porque
tenía unos dientes medio podridos y entonces no volví
porque me daban miedo las inyecciones en las encías y
perdí esa plata que era harta, y otra plata más, y quebró
la empresa de publicidad donde trabajaba y me echaron
y después me echaron del PC, y después de todas partes
por borracho y por no asistir a las reuniones, y estoy pe-
leado con mi segunda mujer, que tú no conoces. Fea, mi
mujer. Pero en el invierno, cuando hace frío, sirve para

tener algo con qué refregarse. Y tonta. Fíjate que no le gusta Rimbaud.

—Tampoco conocí a tu primera mujer.

—No. Claro. Tampoco. No te perdiste nada. En fin, ni siquiera sé si tuve primera mujer. O si ésta es la primera. Con algunas me he casado y con otras no. No llevo la cuenta y no les importa nada, porque ni ellas ni yo somos lo que se puede llamar un buen partido. Y fíjate qué coincidencia: todas llegan a la misma conclusión.

—¿A qué conclusión?

—Que soy una vergüenza para la sociedad y para el partido.

—¿Para qué partido?

—¿Cómo quieres que sepa para qué partido? ¿Tú crees que hoy por hoy alguien sabe algo sobre los partidos? Si ya no hay partidos políticos, mi viejo. Ésa es la vergüenza, no ser capaces de ponerse de acuerdo en nada, o por lo menos ésa dicen que es la vergüenza porque yo, ahora, estoy un poco retirado de los asuntos públicos, te diré. Todos estamos igual que yo, contándonos el cuento de que el pueblo unido jamás será vencido cuando hace más de diez años que nos tienen más vencidos que qué sé yo qué, pues, Mañunguito. Esto es la derrota total. Nos jodieron. Y no somos capaces de levantar ni un dedo. Una bombita por aquí, otra por allá que no sirve para nada, pero jurando que las protestas pacíficas o violentas, y la oposición y el pueblo unido, etcétera. Nos quebraron la espina dorsal, Mañungo. Eso fue lo que pasó.

—¿Qué queda entonces?

En silencio, Lopito bebió el último, largo sorbo de vino:

—Los amigos como tú. Y el vino.

—Gracias. Pero no me siento con fuerzas para competir con el mosto para justificar la derrota de mi generación.

—... los buenos, viejos amigos frente a los cuales a veces me siento como un ratón inmundo, como una hormiga, un verme baboso. Sí, mi viejo, te jodí esta noche. Se la jodo a todos mis amigos y por eso ahora nadie quiere meterse conmigo. Mañunguito lindo: quiero pedirte perdón por haberte molestado, sí, sí, no me niegues que te estoy molestando y estás aburrido y quieres irte porque tú, Mañunguito, eres de los grandes de este mundo, de los que se salvan, y por eso mereces un homenaje. Ahora mismo, delante de todos estos fósiles que nos miran boquiabiertos, te voy a besar los zapatos, como mereces.

Antes de que Mañungo, incrédulo, ni nadie, pudiera impedírselo, Lopito se bajó del taburete, y arrodillándose iba a besar los pies de Mañungo que se paró iracundo, dándole vuelta la espalda.

—No te aguanto más —le gritó—. Me voy. Me voy de Chile.

Pero como Lopito se derrumbó, Mañungo, ayudado por un mozo que le murmuraba palabras de consuelo, lo pusieron de pie mientras el mozo le rogaba que se llevara al pobre a su casa.

—No sé dónde vive —dijo Mañungo.

Miraba la puerta desolado, con la esperanza de que alguien la abriera para que entrara por lo menos una bocanada fresca para renovar el aire que sancochaba. Al fijar su vista en el cristal de la mampara, de golpe reconoció una efigie brotada del remotísimo pasado, un rostro ahora maduro, muy distinto, pero que era el rostro de Judit Torre pese a los afeites y que la treintena había cuajado la individualidad de sus rasgos. Entró con el aire fresco que aligeró el bochorno, apresurándose hacia ellos porque desde afuera había reconocido a Lopito derrumbado en la repetición de una peripecia habitual de su existencia. ¿Entraba a salvarlo? Limpió un poco el polvo de la chaqueta de Lopito mientras el mozo y Mañungo trataban de mantenerlo derecho.

—¡Judit! —exclamó Mañungo, haciendo fuerza para movilizar a su amigo.

—Ayúdame. Me lo voy a llevar a mi casa aquí a la vuelta de la esquina.

—¿No saludas a Mañungo? —preguntó Lopito, preocupadísimo con el protocolo del reencuentro.

—¡Hola! ¡Qué pesado este Lopito!

Lo volvieron a sentar en el taburete. Lopito levantó sus brazos hacia Judit con un gesto teatral de admiración:

—*Visi d'arte!* ¡Bella entre las bellas! ¡La Virginia Woolf de la picaresca social y política chilena, aunque mucho más bella que esa congelada señora! ¡Brindemos por la Ju! Mozo, otra botella. ¡Qué rica estás esta noche, flaquita! ¡Como para el cuchillo!

El mozo al que el borracho le pidió otra botella, antes de traerla, miró a Judit y a Mañungo para confirmar el pedido. Ella le dijo que sí, explicando que con un par de tragos más Lopito se dormiría hasta mañana sin molestar a nadie con sus llantos de borracho que podían constituir la próxima etapa. Era preferible que terminara de emborracharse cuanto antes.

—¿Usted qué quiere servirse, mi perrita? —le ofreció galantemente Lopito.

—Ya sabes que te tengo prohibido que me digas perra —le ordenó Judit.

—¿Por los ladridos en la celda vecina? Ésos eran ladridos de perro, no de perra. Es muy distinto.

—¿Quieres callarte?

—¿De qué está hablando?

—No tengo la menor idea—repuso Judit.

—¡Qué elegante estás! —siguió Lopito—. ¿Quieres comer algo? Mozo, la carta. Lo mejor para la señora

Judit Torre, una dama muy refinada porque en su vida no ha conocido más que lo mejor, langosta, paté trufado, lenguas de canario, aletas de tiburón, todas esas cosas que Mañungo comía a diario en Europa pero que nosotros no conocemos más que en las novelas que leíamos cuando nos quedaba libido para leer novelas con paté trufado y champaña, y no puras huevadas de dictaduras y revoluciones y hambre y miseria latinoamericana que me tienen hasta las reverendas huevas y no las aguanto más...

—Voy a tomar un vasito de vino del tuyo —dijo Judit— y tú tómate otro y vámonos.

—No, no. Pide, Ju. Con toda confianza. Lo que quieras. ¿No ves que este señor millonario, este miembro de la *jet-set,* lo paga todo para avergonzar a sus tirillentos amigos nacionales? ¿Ves cómo saca su gastada pero finísima billetera? ¿A ver, oye? ¿Ésos son los cheques de viajero nuevos? No los había visto. ¿Estás loco que vas a pagar con dólares? Mira qué gordita la billetera. Pide, pide no más, Judit...

—Vamos, Lopito, estás hecho un asco —trató de convencerlo una vez más Judit.

Mañungo pagó, excusándose con un gesto afable por la conducta de su amigo: el patrón dijo que no importaba. Conocían muy bien a Lopito. Era buena persona y estaban acostumbrados a él. Mañungo ya no oía ni su voz ni las otras, porque lo único que oía era el chirrido de su neu-ro-sis en el oído izquierdo como un torturador cassette colocado allí para siempre por la existencia de Lopito, más potente que los rugidos de todos los leones de todos los zoológicos. Pero no era el momento más adecuado para pensar en su neu-ro-sis. Judit había drapeado un brazo de Lopito por encima de sus hombros y Mañungo drapeó el otro sobre los suyos, arrastrándolo hasta afuera del café. El aire de la calle enderezó de golpe a Lopito con la eficacia con que el gas infla un globo. Se dirigieron a la casa de Judit, una cuadra más allá, y lo acostaron en la cama del cuarto de servicio: al hacerlo, Mañungo tocó casualmente los dedos de Judit, que estaban fríos. ¡Como si no hubiera pasado ni un sólo día desde las aulas! Con una especie de vergüenza, no sabía de qué pero que le impedía mirarla de frente, la espiaba por el rabillo del ojo para disimular su escrutinio. La casita de la Ju era sobria, buscadamente pobre, pero con eso de noble que siempre rodeaba a Judit; la mesa era de pino, pero del más bello pino viejo lavado, fregado, patinado, veteado; la cortina era de tocuyo ligeramente almidonado de modo que colgara un poquito tiesa y se quebrara al tocar el suelo: nací Mies van der Rohe y moriré Mies van der Rohe, qué le voy a hacer si no entiendo el postmodernismo, solía decirle a Lopito cuando él le echaba en cara su falta de humor en el buen gusto de su casa y su intolerancia por el ornamento, lo superfluo y lo *kitsch*. Al acostarlo, Mañungo se dio cuenta de que Lopito estaba llorando, además de acezando como si le doliera respirar, la disnea como una tempestad, moviendo los labios en busca de aire mientras Judit, por lo visto experta en estos menesteres —¿cuántos hombres, y quiénes, y con qué relación con ella, había acostado así?—, le soltaba el cinturón para que, hinchado con el trago, no le fuera a suceder algo malo.

—¿Qué está diciendo? —preguntó Mañungo.

—No sé. Nada interesante. Hace años que Lopito no dice nada que valga la pena oír.

Prestando atención mientras Judit terminaba de apagar las luces, Mañungo escuchó las repetidas letanías de la tristeza:

—Me estoy muriendo y a nadie le importa... Me duele el estómago..., enfermo..., úlcera gástrica, de las de roto, las que dan cáncer, no úlcera duodenal de persona decente y neurótica y sensible como debía ser, todo por culpa de este país de mierda, y me voy a morir sin ver a mi hija...

—No me vengas con ese cuento —le interrumpió Judit—. Es el cuento tuyo que menos puedo soportar. Tu hija no te importa un carajo.

—A ti tampoco te importa la tuya.

—No. Pero no me cuento la telenovela del amor maternal y la dejo vivir tranquila con sus abuelos, que la adoran.

—¿Con quién te casaste? —le preguntó Mañungo desde el otro lado de la cama, en la penumbra, tapando con la sábana el falso cadáver de Lopito que yacía entre ellos.

—No me casé. Se llamaba Ramón.

—Mentira —murmuró Lopito—. Se llamaba Hilario Vilaró, que, claro, no queda tan bien como su nombre político, Ramón, una especie de héroe popular que murió en la tortura. Debías componerle una canción, Mañungo. A ver si así te pierden la rabia. Porque aquí, te voy a decir, a ti nadie te quiere.

Tú no me quieres, pensó Mañungo. O tal vez nadie. Puede ser justificado el dolor que siento al oírte decirlo. ¿Por qué van a quererme? Pero al tratar de convencerse de que era normal esta envidia, se le retorció un puñal en la carne y la hizo sangrar. Quizás volver instantáneamente a París para ser allá un hombre libre de su historia.

—¿Y tu hija? —le preguntó a Judit.

—No es maternal, la pobre Ju —intervino otra vez Lopito, sus sílabas borroneadas por el sueño.

—Cállate, Lopito, y duérmete, por favor. Claro que no soy maternal. Si lo fuera, me quedaría cuidándote esta noche, cosa que no tengo la menor intención de hacer. Tengo proyectos más interesantes. Fuera de eso tienes siete vidas como los gatos y no te va a pasar nada. En cinco minutos más vas a estar dormido.

Lopito roncaba antes que Judit terminara de hablar: en la luz verdosa que entraba desde la calle era espeluznante su máscara sobre la almohada, sus negras cerdas descubriendo su casco blancuzco, sus ojeras, los cadáveres de sus dientes, las sombras de mugre en el cuello, la cabeza sobre la funda de hilo impecable de la cama para huéspedes del departamento perfectamente autosuficiente de Judit Torre.

—Tengo que irme —dijo Mañungo—. ¿Tienes teléfono?

—Sí.

Llamó al *Holiday Inn.* Después de ver la televisión, Juan Pablo había pedido una coca-cola al *room-service* —las coca-colas estaban prohibidas después de las siete de la tarde porque desvelan a los niños, según el decálogo de Nadja—, pero hacía cinco minutos que la encargada del piso había bajado diciendo que el niño dormía como un ángel. Que no se inquietara, le dijeron: la encargada le había tomado simpatía al niño que no sabía hablar castellano y se iba a quedar cuidándolo. Juan Pablo le había dejado un mensaje a su padre: que lo despertara al llegar, no importaba a qué hora. El chirrido del oído izquierdo cesó en cuanto Lopito se quedó dormido: ahora era sólo el rugido de las olas de Cucao. ¡Quién sabe cuándo viajaría a oírlas!

—¿Vamos? —le dijo Judit, depositando las llaves en el velador—. ¿Qué edad tiene?

—¿Jean-Paul? Siete. ¿No te importa nada, no es cierto?

—No mucho. Pero a ti sí y soy bien educada.

—Vamos.

Caminaron por Purísima hasta el río, comentando lo raro que era caminar juntos por este Santiago tan familiar pero tan lejano en el tiempo, ella también lejanísima. ¡Estaba irreconocible!

—Estoy eterna de vieja. Cómo será que esta tarde no me reconociste en la casa de la Matilde.

—¿Estabas?

Judit se rió de su sorpresa. Su rostro, sobre todo riendo, tenía la precisión de una calavera: pura arquitectura que encarnaba la presencia inequívoca de la muerte detrás de la vida, recordando que esa perturbadora armonía geométrica de los rasgos de la Judit iba a ser lo que siempre estuvo destinada a ser, y el halago perecedero de su belleza no pasaba de ser una conmovedora luz, el maravilloso chispazo de una breve mutación en la cadena de hidrógeno, carbono y nitrógeno que trasciende la materia de que estamos hechos.

—Tienes risa de momia de museo antropológico —solía decirle Mañungo.

—Ayer me dijiste que tengo risa de bandera de pirata —le contestaba Judit, a quien le gustaba que le dijera estas cosas a modo de cumplidos que no lo parecían. Ahora la miró: estaba más atrayente que nunca y se lo dijo.

—Es que estoy vestida en pie de guerra. Seda natural.

—Sí, me fijé.

—¿Cómo sabes?

—Bueno, es que allá uno se acostumbra a esas cosas.

—Claro, con las actrices con que andabas.

—Me obligaba mi agente, para que me fotografiaran. En cada cita me acosaban los *paparazzi*.

—Yo también tengo una cita.

—¿Cuándo?

—Ahora.

—¿Cita? ¿No compromiso?

—A esta hora una señora sola tiene citas, no compromisos.

—Es verdad.

—¿O estoy demasiado vieja para una cita nocturna?

—No. No te reconocí donde la Matilde porque creo que antes tenías el pelo más oscuro. ¿Te lo tiñes? Dime la verdad.

—¿Estás loco? Jamás. Era casi albina cuando chica.

—Y no te maquillabas como ahora y siempre con *jeans*.

—*Jeans* y camisa verde oliva.

—Como andábamos todos. Y morrales artesanales.

—No como el que tienes ahora. ¿Gucci?

Mañungo rió:

—Gucci.

—Claro. Pero del Gucci bueno, el de la vía Condotti, no estas roterías de Guccis del Tercer Mundo.

—Gucci de la vía Condotti. ¿Cómo quieres que te reconociera, tan maquillada?

—¿No porque tengo doce años más y no he aparecido en todos los diarios del mundo como tú, para que mis amigos sigan la lenta evolución de mi deterioro físico, además de mi evolución política?

—No hablemos del deterioro físico.

—No. Mejor que no.

—Ni del deterioro político.

—Bueno. Todavía no. Pero te advierto que si seguimos juntos diez minutos más terminaremos hablando exclusivamente de eso. Aquí siempre es así: la dictadura ha impuesto a la política como único tema respetable en todas las conversaciones, y todos los otros temas, nosotros, desde adentro, los reprimimos, copando totalmente el horizonte con la obsesión política, sin dejar que ninguna otra idea crezca.

Cruzaron el puente de fierro sobre el río sucio, emperifollado con balaustradas y jardineras y enredaderas por los industriosos ediles del régimen, y se detuvieron un instante a mirar la cordillera iluminada quién sabe por qué resplandor blanco que la hacía aparecer nevada en pleno verano: volcán, opinó ella. Luna, dijo él. Y siguieron hacia el Parque Forestal. La emoción se había adueñado de Mañungo como un mal delicioso del que se propuso jamás convalecer, caminando bajo los plátanos del parque legendario de Nicanor Parra y Pablo Neruda en sus juventudes, y después de otra generación anterior a la de Mañungo, cuando eran jóvenes y comenzaban a escribir o a pintar o a cantar, pero cuyos miembros ahora usaban gafas bifocales y sufrían hemiplejias y ceceaban un poco con la humillación de la media prótesis. Una cuadra larga hacia la izquierda, la plaza Italia. Caminaban en silencio. En los bancos oscuros, detrás de los arbustos, las parejas se unían con antiguos besos de parque, y por la avenida los autos se dirigían hacia el Barrio Alto. Durante el silencio Mañungo escuchó el chirrido culpabilizador en su oído que le advertía que en lugar de hablarle a Judit estaba mudo.

—Bueno. Hasta aquí te dejo —le dijo ella al llegar a la Fuente Alemana.

—Bueno. Adiós. Pero... oye...

—¿Qué?

—¿Puedo llamarte por teléfono uno de estos días? ¿Para salir? Tenemos tanto de que hablar...

—No has aprovechado esta oportunidad.

—¿Podría ser porque la emoción me embarga, por ejemplo?

—O porque no tenemos nada que decirnos.

—¡Qué pesada estás!

—¡No, Mañungo! —dijo ella, acercándosele, y acariciándole la barba y él la abrazó levemente por el talle.

—Me gusta así, más corta, menos hirsuta. ¡Era una broma! ¡Me encantaría volver a verte! Pero no salir. Eres demasiado vistoso y todo el mundo va a hablar porque te reconocerían. Ven a comer a mi casa uno de estos días. Anota mi número.

Se sentaron bajo un farol cerca de la Fuente Alemana, sin siquiera fijarse en esa retórica confección de agua y bronce que lanzaba chorros con la falsa potencia del optimismo: una ligera capa de agua pulverizada les refrescó la cara mientras anotaban sus teléfonos. Al guardar sus agendas se les acercó un perro, olfateando un rastro perdido, Judit no pudo reprimir el esbozo de un movimiento de defensa inclinándose hacia Mañungo, pero anuló ese movimiento para terminar su anotación.

—¿No te gustan los perros?

—Me cargan.

—Creí que tu papá criaba boxers.

—Por eso no me gustan. ¿Vamos?

—¿Para que te defienda de los perros?

—Caminemos un rato juntos, si quieres.

—¿No ibas tan apurada a una cita?

—Puedo dejarla... o atrasarme. Da lo mismo. Tengo tiempo. ¿Vamos?

—¿Dónde?

—¿Qué importa?

Segunda parte

La noche

15

Caleutún, transformarse. Che, gente, en la vieja lengua olvidada como los nombres de los dioses y los volcanes. Caleutún-che: posible origen de la palabra Caleuche, que significa «gente transformada o cambiada». Cuando era niño, desde las dulces costas verdes del archipiélago, Mañungo escudriñaba la cerrazón de neblina soñando con las luces del buque de arte que llamaban Caleuche, tripulado por brujos que se lo llevarían a otra parte para transformarlo en otro. Buque de arte: artista, brujo, vocablos equivalentes para los isleños que así designan a los que practican la seducción, la venganza y las transformaciones. ¿Ahora, de regreso, lo habían transformado de nuevo, tan pronto después de su llegada? ¿Éste también era él? ¿O esta calle drogada de madreselva y jazmín era solo una representación del follaje perteneciente a la experiencia de alguien que aún no era él?

Su perplejidad no se debía a que al internarse unas cuadras hacia el sur sus pasos se fueran ajustando a los de Judit y los de Judit a los suyos, su charla adaptándose al eco de sus pisadas en esta noche capaz de conducirlos a cualquier parte. Era más bien que así como su ventana de la rue Servandoni lo desquiciaba al proyectar el ciclo plomizo de las nubes de Achao sobre el cielo de París, el vigor clorofílico de estas calles, potenciado por el relente —tierra de hojas pudriéndose bajo ramazones coriáceas; prados húmedos donde aúllan perros resguardados por las rejas; gotas de riego suspendidas del pitosporus, y el ilang-ilang abrazando la cuadra hasta deslindar con la extravagancia de su aroma el olor de la vereda

caliente manguereada—, se habían adueñado brutalmente de su emoción, impidiéndole consultar su nostalgia con el fin de reconstruir París para Judit, que eso le
estaba pidiendo, o él quería creer que era eso y no pormenores de su vida, de la no pregonada por la prensa, como por ejemplo qué se proponía hacer una vez que las
semanas destituyeran a Matilde del primer plano de la
emoción y entonces qué iba a ser, y cómo, y dónde, y
transformado en quién.

    Caminando desde la Costanera hasta Providen-
cia, internándose bajo los árboles maduros de las calles y
de los pomposos caserones que despliegan sus jardines
hacia el oriente y el sur, Mañungo no lograba usar París
como coartada para no entregarle a Judit una respuesta
que lo comprometiera. Le daba, en cambio, un pobre
catastro de lugares engalanados con nombres prestigiosos, que allá, en las noches de paseo, eran elocuentes al
terminar un recital, con una mano variable amparada
en la suya después del amor, que era cuando a veces le
gustaba pasear. De la rue Servandoni a la rue Monsieur-
le-Prince, vagando hasta el Odeón, St. Germain-des-
Prés y la rue de Seine: al principio fue vivirlo y casi no
creer el entusiasmo que lo hacía olvidar lo ocurrido en
su patria. Aquí vivieron, aquí viven, aquí vivo yo hasta
cuando se me antoje, por la rue de Seine bajo las ventanas de Sartre, que quizá esté escribiendo protegido por
ese postigo entornado donde se vislumbra un poco de
luz. La verdad es que aunque la gente creyera lo contrario —y en tiempos cuando era necesario sacrificarlo todo a su imagen politizada convenía no aclarar esta insignificante superchería—, él no bautizó a Juan Pablo con
ese nombre en honor de Neruda sino de Sartre: había
velado tantas noches leyéndolo en su pensión universitaria que no oía a los guarenes subir desde el río a roer
las tablas de la casa, sus uñitas menudas escabulléndose

en el entretecho. Marx sí, lo necesario. Pero más Bakunin. Más Lenin. Aunque sobre todo Sartre con su cuestionamiento de las cambiantes certezas de la juventud, sedimento casi olvidado por la enajenación de su carrera que copó su tiempo, pero cuya enseñanza había seguido nutriendo el pobre légamo de donde creció. ¿Quién diablos fue, en cambio, este señor Thayer Ojeda cuyo nombre pretendía honrar esta calle oscurecida por las ramazones? ¿Qué podía aportar a sus perplejidades infinitas un buen señor Thayer Ojeda, quizás probo ministro de un remoto gobierno, o campanudo juez de patillas blancas en un retrato borroso para todos salvo para quienes lo recordaran ociosamente al callejear alumbrados por un auto que desaparecía tras la esquina, abandonando las siluetas de Mañungo y Judit al follaje de los olmos densos de pájaros dormidos?

Este Mañungo era otro. En todo caso no era el que miraba llover en la rue Servandoni con la tempestad del tinnitus atormentando su nervio auditivo, creyendo que llovía sobre los palafitos donde pereció su madre en el maremoto pocos meses después de darlo a luz: ahora apenas quedaban suficientes palafitos para ilustrar la tarjeta que su padre para Navidad, le enviaba todos los años desde Chiloé. Pero como el pasado no suele ser una experiencia propia sino una experiencia refractada por la memoria de otros, Mañungo recordaba a través de la memoria de don Manuel el cadáver cosmogónico de su madre, fosforescente de lampreas y coronado de cochayuyos y huiros, como lo sacaron de la ensenada la noche después del cataclismo: eso era cuando al pie de las colinas de Castro se alzaba sobre zancos metidos en el agua un pueblo de callejuelas de tablitas bajo las que la luna hinchaba las mareas, y de almacenes que vendían lo necesario para vivir y compraban productos traídos en lanchones hasta la puerta de las bodegas por los nativos que los habían pescado, salado, cazado o recolectado, y en el aromático humo azul de los patios, los secaban, curtían o asaban. En ese pueblo de madera cana que Mañungo no conoció porque había desaparecido en el incendio después del maremoto, comenzaba él: se extinguía mucho antes de llegar a la calle Hernando de Aguirre, donde al doblar quedaron deslumbrados por los focos del auto que se estacionó y apagó las luces. Judit se detuvo. Hizo detenerse a Mañungo en la oscuridad de una marquesina de buganvileas y se acercó a su cuerpo. Como en un vidrio oscuro, se vieron reflejados en la otra pareja, la que bajó del auto. La mano de Judit hurgó en su cartera pese a que el auto no era ni Mercedes ni azul. Aún no daban las doce. Esta calle no era Las Hortensias. Cuando los dos pasajeros desaparecieron en la casa, Judit cerró su cartera y dijo:

—¿Vamos?

Volvió a colgarse la cartera al hombro y se pusieron otra vez en marcha. ¿Hacia dónde, se preguntó Mañungo, advirtiendo un propósito en los pasos de Ju, que podía no ser más que una voluntad de perderse? El incendio dejó sólo una pestaña de palafitos de bordemar —le contaba, esforzándose por no hablar de París—, y un almacén, el de don Basilio: el fuego lo perdonó, se cuchicheaba, porque don Basilio, agente de brujos, le había regalado su hermosa hija al Caleuche, y ese buque de arte cuyas velas blancas y arboladura de oro brillaba en la imaginación de los isleños, la haría inmortal como premio por participar en sus fiestas. En ese buque se embarcó el cantante con los demás brujos, Pablo y Matilde como pasajeros principales entre tantos ilustres mascarones. Mañungo hacía música para poetas búlgaros de paso, o actrices cubanas, o celebrando una victoria en las urnas, o recibiendo a senadores de regreso de un pleno en Budapest, mientras espléndidas mujeres de sedas escotadas giraban enloquecidas por los rigodones. Fausta bailaba en el Caleuche pese a sus años, grotesco mascarón de alto colorido, ansiosa de compartir la fiesta porque quien baila allí no envejece. Sobreviviente bien afincada en la realidad, ahora se cuidaba de recolectar el detritus nerudiano: Mañungo oyó a don Celedonio hablando del asunto esa tarde en el patio del duelo. Conocía los escollos para consolidar la Fundación porque muchos chilenos varados en los cafés de París comentaban con dolor —por reverencia a la memoria del vate, por rechazo al régimen, porque ellos mismos podían beneficiarse si la Fundación se concretaba—, el asco de que el asunto se empantanara en la sordidez del desquite político. Sin embargo, en el melancólico runrún comprometido de las víctimas del exilio que no perdonan ni olvidan pero saben dolorosamente que las cartas que cuentan se están jugando en mesas muy distintas a sus gárrulas mesas de cafés, Mañungo encontraba por lo menos algunos elementos con que construirse: el rencor, para empezar, y la nostalgia, y la imposibilidad de perdonar formaban un léxico compartido que por lo menos funcionaba como idioma temporal. Esa identidad somera, fruto de iras inmediatas que inflamaban la razón con cada noticia de nuevos atropellos, le servía para no perder su propio rastro antes de construirse con elementos distintos a las miradas de los otros, y así no quedar estúpidamente mudo junto a esta amiga que esperaba más de él que su delgada sombra proyectándose sobre rejas y arbustos al pasar. Desde una alta ventana iluminada oyeron una radio que tocaba —y una cuadra más allá la tarareaba en otra casa alguien que regaba un prado—, la cancioncita tan triste como todo lo destinado a que se cante un solo verano. ¡Qué difícil asumir, en este trance, tanto la identidad agitada y solidaria de los cafés de la contingencia, como la de pasajero en el buque de arte que, reflotando desde el fondo de la antigua memoria de los otros, deslumbraba la suya! Lo único verdadero era la dudosa actualidad de su tránsito por esta calle en sombras, identificada con el nombre de un caballero que Judit recordó como secretario del Partido Conservador cuando su propio abuelo era vicepresidente. Antes de cruzar la calle hacia la otra esquina, donde un farol falsificaba un macizo de retamos, enmudecieron mirando desde la orilla de la vereda para escudriñar las sombras, donde vieron removerse una figura entre los acantos. Un niño. Un extraño gnomo de la vegetación. Tal vez un jorobado, sí, tenía algo de contrahecho. Judit no le despegaba la vista.

—¿Qué miras? —susurró Mañungo.

—Nada.

—¿Quién es?

—No sé.

Sintieron un ruido de rodamientos en la calzada, ensordecedor en el silencio, cuando el enano avanzó deslizándose rechoncho y embozado, arrastrando un carrito repleto de diarios y cartones hasta detenerse junto a las bolsas de basura del portón siguiente. Mientras las hurgueteaba bajo los árboles un perro que ladraba detrás de la reja pareció enloquecer, pero impávido, el enano cartonero continuó su tarea y después siguió deslizándose sobre su patín atronador y el perro se calló detrás del cerco de evonimos que sus carreras devastaban. El cartonero se fue deslizando para hurgar en la bolsa del portón siguiente. Un auto cruzó la bocacalle, deteniéndose un segundo porque no tenía derecho a vía, e iluminó la figura. Ni enano ni niño: un ser siniestro, cortado de la cintura para abajo y montado sobre un patín, un cuchepo con bufanda enrollada al cuello y calañés echado al ojo. El auto pasó. El cartonero, como si perteneciera a un ciclo vital de velocidad distinta a los que conducen autos avanzaba revisando bolsas y mirando inquieto hacia el lado o hacia atrás, como si temiera ser sorprendido en un delito.

—¿Está prohibido hacerlo? —preguntó Mañungo.

—No, pero esta cuadra no le debe corresponder a él. Debe estar asustado porque los que tienen derecho a explotar esta cuadra podrían echarlo a patadas.

—¿Quién decide quién tiene derecho?

—Ellos mismos, supongo. Obedecen a leyes propias, por equivalencias de barrios, creo, o compadrazgos. Dicen que hay casos en que pagan por explotar una cuadra con reputación de buena. En fin, son muy celosos de sus derechos. ¿Ves que está inquieto? Es que don César no debía andar en esta cuadra. Es la manzana de más allá la que le toca. ¡Qué abusador! A ver, espérame. Tengo que hablar con él.

Judit cruzó a saludar al cuchepo que arrastrando su carrito había rodado hasta la esquina frente a ellos. Le dio la mano, lo que perturbó a Mañungo. ¿No había algo de peligroso en todo este asunto? ¿No decían que con el desempleo la ciudad se había transformado en temible, y cualquiera sería capaz de asaltar y quitar la vida por un mendrugo o por unos pesos? No, se tranquilizó. Con ese lisiado no sería posible tener otra relación que la piedad. Pero esta hora, las once comprobó Mañungo en su Rolex, una hora antes del toque de queda, comenzaba a ser desapacible, cuando todos, víctimas del artificio del horario tiránicamente impuesto, iban acelerándose para buscar refugio en cualquier agujero. ¿Por qué conocía Judit a este monstruo? ¿Por qué le daba la mano? ¿Por qué existía entre ambos una relación que iba más allá de la piedad? ¿Por qué prolongaba su charla con él? Mañungo la aguardó, vigilante en cara de presuntos peligros. ¿Pero de qué peligro? ¿Qué se podía temer de este esperpento terminado abajo en un artefacto que era una bandeja y un patín? ¿Era tanta su propia europeización que temió para Judit el contacto con ese fragmento de hombre que remedaba, con su calañés, el garbo de su bigote, y sus harapos, los aires de un chulo? Judit cargó una bolsa de plástico negro y echándosela al hombro continuó escuchando lo que parecían las advertencias del cuchepo. Al llegar a la cuneta, con un movimiento admirablemente diestro, él sacó su artefacto móvil de debajo de su cuerpo, lo colocó en la calzada, y con un impulso económico, preciso, de ambas manos en la vereda, cimbró su tronco, trasladándolo a la bandeja. Empujándose con una mano en el suelo y haciendo sonar sus rodamientos en pos de Judit, avanzaron juntos hasta la manzana donde tenía derecho a recolectar cartones: no, este tipo no era un cualquiera. Merecía más que piedad, se dijo Mañungo viéndola devolverle la bolsa y despedirse.

—¿Quién era? —le preguntó Mañungo, oyendo desvanecerse los rodamientos en la noche.

—Un amigo.

Un amigo, nada más. No te metas. No preguntes. No me toques porque las cosas pueden llegar sólo hasta cierto punto y allí clausuro la puerta en tus narices. Nada de intimidad. Nada de confidencias. ¿Quién era? Un amigo. Aunque ese amigo fuera don César, una excrecencia grotesca de la noche urbana mutilada por el toque de queda. ¿En quién te has transformado, Judit Torre, después de nuestro primer año de universidad? ¿En quién, para elegir amigos inmundos y grotescos? No te metas. Déjame. Es cosa mía, dices. Ella se identificaba, en aquellos tiempos vehementes, con cierto vitalismo esquemático de la Jota, que más que su propia verdad encarnaba un anhelo de ordenarse desde afuera por incapacidad de hacerlo desde adentro. Suscribía a todos los decálogos: era necesario ser optimista y gregaria y entusiasta y despreciar a los burgueses exquisitos e intelectuales, rechazar depresiones psicogolizantes, europeizantes y estetizantes, y se debía venerar a los grandes bebedores, comedores y amadores para servir de espejo y estímulo a la clase obrera, preparándose así para el advenimiento de la revolución. En eso la dejó: la militante más sumisa, ella, Judit Torre, la muchachita más atractivamente desdeñosa que Mañungo Vera había conocido en toda su vida. Sin embargo, de noche, en sus brazos, rígida su maravillosa quijada y sus ojos demasiado claros enrojecidos de lágrimas estúpidas, le confesaba no saber cuál era su trizadura. Dividida en dos —¿en cuatro, en dieciséis?— a él le entregaba solo el harapo de su cuerpo que no lograba relacionar consigo misma, dejando a Mañungo afuera de la maraña de su fracaso femenino. ¿No era lo que los vitalistas triunfales denunciaban como problema burgués, morboso y decadente? Cuando Mañungo partió a San Francisco a cantar en el concierto organizado por Joan Báez en beneficio de los combatientes vietnamitas, Judit andaba en la Universidad de Antofagasta agitando para la elección de regidores previa a la elección general. Mañungo recibió la invitación sorpresivamente, con carácter de urgencia, de modo que no pudieron despedirse para hacer siquiera un frugal recuento del presente con miras a un futuro compartido o no. Ella declaró no estar dispuesta a volver y estropear un proyecto colectivo como el de Antofagasta por un asunto sentimental que se podía zanjar por teléfono. Después, Mañungo le escribió desde el extranjero. Ella no contestó. Él insistió meses más tarde, cuando supo que Judit había abandonado el Partido para militar en un grupo de activismo revolucionario característico de la juventud de su generación: le pedía que le explicara cómo, para qué, por qué, ya que sus motivos podían ayudarle a trascender su propio rechazo de los esquemas. Ella tampoco respondió a esto y durante doce años Mañungo se quedó sin saber quién era Judit Torre.

Mientras caminaban bajo los árboles Judit le iba señalando siluetas de muchachos surgidos de los rincones de la noche, sombras mudas, fantasmas ancianos, algún barbudo, inclinados sobre bolsas de basura o arrastrando carretones, o pedaleando velocípedos fantásticos y triciclos improvisados que pronto se desvanecían en la vegetación o eran atravesados como transparencias por los focos de los autos que pasaban. En las calles más y más solitarias a medida que se acercaba el toque de queda, se hacían más y más atropelladas las carreras de los cartoneros, más fantásticos sus vehículos, más deformes sus rostros, más harapientos sus atuendos, complejos como enormes tortas los amontonamientos de botín, hasta terminar en una estampida ante las patrullas perseguidoras: lo iba a ver dentro de un rato, le dijo ella. Éste era el *ghetto verde* del privilegio, le explicaba como si Mañungo no lo recordara, que aunque emocionante de susurros estaba sitiado por poblaciones veinte veces mayores, cien veces más hostiles, donde el rencor suplanta esta extática quietud de frondas aromáticas y arquitectura de cenotafio, un mundo que crece afuera y se extiende, su odio amenazando con la extinción a todo este verdor absorto en sus propios aromas. Los jirones de humanidad que hurgaban en la basura eran la sigilosa avanzada que de noche se introducía en esta ciudadela para reclamar los despojos del privilegio, la basura que era su parte del banquete, mientras la ola que finalmente rompería sobre todo esto, llevándoselo, acumulaba fuerza para efectuar la penetración definitiva. Sombras desgajadas del miedo y de la culpa, figuras encorvadas arrastrando carricoches fantasmales, tosiendo, agotadas, escupiendo sangre, cabalgando bicicletas que llevaban un carrito, ancianos remolcando plataformas sobre ruedas impares descartadas de otros vehículos, niños empujando carretillas discurridas por la necesidad, se esfumaban

furtivos por las esquinas o se fundían con un tronco inmóvil, o se disolvían en un callejón mientras Judit y
Mañungo, de la mano, recorrían manzana tras manzana
desvelada por la frescura. Perros iracundos ladraban de
cuando en cuando desde detrás de las rejas.

—¡Cállate, *Zar!* —le gritó Judit a un doberman
que se desgañitaba.

—¿Lo conoces?

—No.

—¿Por qué le dices *Zar,* entonces?

—¡Tantos de estos perros se llaman *Zar!* Son unos
brutos.

—Éste quizás sería simpático si la oscuridad no lo
irritara.

Judit se acercó a la reja. El perro, enloquecido
por su olor de mujer, ladraba entre los contoneáster del
jardín regado. *¡Zar, Zar!,* lo azuzó, acercándose, cimbrando su cartera ante las narices del animal al otro lado
de la reja que la separaba de su ira sanguinaria y del calor
de su aliento, la mano de Judit apenas a unos centímetros de sus fauces impotentes. Mañungo le iba a decir:
cuidado, Judit, te puede arrancar la mano de un mordisco, mira la fuerza de su mandíbula babeante, de sus colmillos fosforescentes..., pero su advertencia sería inútil
porque por mucha fuerza que la bestia tuviera no bastaría para derribar la reja de lanzas de fierro y prenderse
del cuello de Judit. Ella le balanceaba su cartera, cantu-
rreándole burlona y odiosa, chistaba casi tocando la nariz del *Zar* que bufaba y se revolvía, riéndose de él y de
su rabia, jugando a martirizarlo, la tortura transformada
en retozo porque el peligro quedaba inutilizado por la
reja. Con el hechizo de su juego Judit era prisionera de
la tortura que le estaba infligiendo: Mañungo tuvo la
sensación de que su amiga concebía el peligro como la
materia prima de lo lúdico, y temió por Judit, más que

nada porque este desequilibrio lo tocó, y por primera vez en la noche se sintió atraído por Judit: tomarla, como antaño, pero ahora con cierta tristeza porque estaban todos tan quebrados, sobre todo esta mujer condenada por sus propios juegos. El *Zar* saltaba, aullaba, desgañitándose. Mañungo tomó a Judit por el codo para arrastrarla, pero ella no quiso moverse. Sólo al darle vuelta a la fuerza, Mañungo vio que tenía la cara mojada de lágrimas.

—¡Judit! —exclamó porque no lo esperaba, y la abrazó.

Ella se dejó abrazar y besar y tocar, sollozando, y abrazó y besó, buscando los labios de Mañungo como quien busca un analgésico, no como quien busca el amor. La fiera, a unos centímetros de sus cuerpos enlazados, se burlaba de este simulacro, rugiendo y saltando y mordiendo el aire. *¡Zar, Zar!* Su nombre sonó a través de las paredes, voces azuzándolo: el grito de una mujer. ¿Cuál de las cinco, mientras ella, desnuda y encapuchada en su celda esperaba al violador que no vino? *Zar*, azuzaban las voces, y el perro adiestrado se lanzó sobre una, le explicaba Judit a Mañungo mirando el pavimento distorsionado por sus lágrimas, pero nunca se ha sabido sobre cuál de las cinco: no hablan del asunto. Es como si quisieran compartir el dolor y diluirlo al no despejar esa incógnita. Los ladridos se confunden con las palabrotas avivando el triunfo del *Zar* con risas y bravatas masculinas, pura brutalidad, palabras de terror resonando huecas por la ausencia de erotismo, la sexualidad suplantada por el miedo de que por fin la vengan a buscar por orden del hombre de la voz gangosa que la perdonó. Horas inmóvil en el frío. Desnuda. Ciega dentro de su capucha. La pared húmeda, fría, grasienta, en que apoya su espalda. Una mordaza la ahoga. Está esperando al *Zar*. Más allá de las paredes, los hombres tratan al perro como a un igual, felicitándolo por sus proezas de seductor. *¡Zar!* Se oyen lejanos, y después no se oyen, los ladridos del *Zar* detrás de una verja en la cuadra que dejaron atrás.

16

¿Era simplemente la desdichada historia contemporánea, y en ella, inseparable, el capítulo de su propia historia, lo que había llegado a ensombrecer para Mañungo la imagen gentilicia del Caleuche de arboladura de oro, transformándolo en otro? Ca: otro. Calén: ser otro. Caleún: transformarse en otro ser o en otra cosa, sostiene un entusiasta de las etimologías como para demostrar que la magia de los isleños no es impotente para efectuar metamorfosis. Y es verdad porque perdida toda esperanza de ser conducidos a la inmortalidad por cualquier móvil, en el destierro el buque de arte reflotaba alguna vez en los sueños de Mañungo transformado en un Caleuche cruel, depredador, tripulado por forasteros de ojos mongólicos llevándoselos a todos no a la bella ciudad prometida por la leyenda, sino acarreándolos como a bestias para faenarlos, todos galeotes de cabezas torcidas por los hechizos que les impedían escapar, bajo el velamen negro: Fausta gimiendo con sus vestiduras manchadas de vómito, don Celedonio encadenado a su remo, Judit agónica después de haber sido violada por los tripulantes, Pablo y Matilde pudriéndose de peste en un rincón, Nadja gimiendo de hambre y Jean-Paul de miedo con el resplandor estrafalario de los mástiles, Lopito tiritando en la intemperie del barco que crujía al avanzar por el huracán de olas colosales, el espinazo de los volcanes albos enrojeciendo el cielo con su lava, y desde las islas los habitantes clamando para que se los lleven porque no saben que en estos tiempos que corren el Caleuche sólo lleva a sus pasajeros al exterminio.

Mañungo le contaba a Judit su helada pesadilla de ventiscas y tinieblas en los mares australes al perderse en la calle dormida bajo los acacios. Por la avenida del fondo vieron cruzar un autobús iluminado: lento, vacío, majestuoso, abandonado por su tripulación fantasma y su pasaje. Su breve travesía encalló en un banco de sombras vegetales donde pareció sumergirse. ¿Y si corrieran a abordar ese bus de arte, propuso Mañungo, para emprender un periplo por la ciudad en este Caleuche urbano que erraba sin que nadie lo condujera?

—Sí. Vamos —le sonrió Judit.

Tomándola de la mano Mañungo la hizo cruzar a toda carrera, con los ojos cerrados, por el riego automático de un prado de la vereda, que los empapó. Al otro lado de la aspersión, rejuvenecidos, la seda del vestido de Judit adhiriéndose a su cuerpo como una clámide de travertino, reían al secarse mutuamente la cara y la ropa y los anteojos diminutos de Mañungo con las manos y con el vestido mojados, no importaba, sólo querían tocarse, reír, besarse, beberse, transformados y despejados, tiritando porque la noche, de fresca, se había puesto fría. Ella se estremeció al dejarse enlazar otra vez por la cintura. Para seguir caminando se refugió en el cuerpo de Mañungo como si ésta fuera la posición más natural para oírle canturrear *Vocalise* muy bajito. Judit rió, también muy bajito, felicitándolo porque interpretaba a Rachmaninoff latinoamericanamente, le dijo, con contenido antiimperialista y todo..., quizás porque se trataba de una canción sin texto. Pese a la ironía, Mañungo comprendió que fue su voz, no un escalofrío, lo que hizo estremecerse a su compañera: susurró que le causaba placer que su voz pudiera estremecerla.

—Se te ha enriquecido el timbre —comentó ella—. Me encantan las voces oscuras, como se ha puesto la tuya, pastosa, como voz de negro. Parece que te hubiera madurado..., como para cantar a Ricardo Strauss o a Mahler.

—¡No me pidas tanto! Nunca canto esas cosas.

—Lástima.

—Antes no eras tan sensible a la música.

—O tan sensible a las voces.

—¿A las voces y no a la música?

—A la música también. Pero cuando una ha estado con los ojos sellados, las voces forman el universo entero y adquieren rasgos tan inconfundibles como las facciones de una cara. ¿Has visto esos «retratos hablados» que la policía usa para identificar a los delincuentes? Están construidos con datos orales sobre las personas. Resultan bastante exactos. Yo sería capaz de reconocer a una persona por el «retrato hablado» no de sus rasgos físicos sino de su voz, ni bella ni ronca ni pastosa, voz de hombre más bien atiplada, muy chilena, titubeante y llena de diminutivos pese a la brutalidad del tono y de la ocasión. Pero voz vulnerada. Esa voz no se atrevió a acercarse a mí. Con los demás y las demás era autoritaria, soez, empelótala, sácale la mordaza para que grite y suéltale al *Zar,* ya huevón, apúrate, no, espera, ponle el bozal al *Zar* y llévatelo, que tiene hambre, no quiero que me muerda a la flaca porque yo me la quiero gozar así, blanquita. Su tono insultaba. Pero al dirigirse a mí, sin que los demás lo notaran pero yo sí, porque como tú dices me he puesto muy sensible a las voces, esa voz inconfundible perdía sus aristas y se le desprendía algo como una corteza...

—¿De qué estás hablando, por Dios, Judit?

Volvió en sí de repente, como si hubiera salido de la oscuridad a la luz:

—De lo de siempre. Hace años que no hablo de otra cosa. Igual que todo el mundo en este país. Ya se me olvidaron todos los otros temas, menos los relacionados con la injusticia y la falta de libertad o la miseria o la violencia. Me siento culpable si hablo de otros asuntos, y todo mi conocimiento se ha reducido a estar al día en esas cosas. Me gustaría hablar de música, por ejemplo. Pero en el fondo siento que hacerlo sería una frivolidad.

Cruzando las bocacalles, enlazados y sin levantar la vista del pavimento porque ya casi no pasaban autos, las veredas despobladas salvo por algún cartonero mortecino, Mañungo le dijo a Judit que Lopito lo había cargado de culpa esa tarde haciéndole sentir que él obtuvo su éxito a costa de los sufrimientos de los que se quedaron: y en parte era verdad, fue eso lo que lo condujo al fracaso. Sí, fracaso. Le rogaba a Judit que lo perdonara por escandalizar su tierno corazoncito marxista-leninista si le confesaba que tuvo que psicoanalizarse durante tres años —«¿qué hacer si en medio de un concierto quedé rígido y sin voz y tuvieron que inyectarme algo allí mismo, delante de cuarenta mil personas, y sacarme del escenario en angarillas?»— para ser capaz de enfrentarse con la derrota y reconocer que la gente no comentaba la caída de su popularidad por envidia, sino porque era cierto: el cliché, debilitada la pasión que lo sustenta, rehúsa seguir funcionando. Así, Mañungo Vera monolítico, Mañungo Vera buen muchacho revolucionario, Mañungo Vera símbolo, defraudó a su público en el teatro demostrándoles públicamente que no era quien ellos creían y querían que él fuera... ¿Histeria? Sí: histeria. ¡Qué vergüenza! ¡Y en público! ¡Cómo le gritaba indignado su agente! Y allí mismo comenzó a dejar de ser símbolo porque según los reportajes sobre «el caso Mañungo Vera», el cantante sufría de «serios problemas psicológicos además de una fuerte crisis de ideología», que son cosas que un símbolo no debe, no puede sufrir. Mañungo no quiso hablar. No dio entrevistas, de las que Nadja, con toda discreción, era necesario reconocerlo,

se encargó. No sabe, no sabe nada, era lo único que realmente podía responder. No: no más trago que lo normal; dinero por cierto que no; amores no; droga no más
que lo más corriente; no, no quiere hablar. Sus respuestas eran poco interesantes y después de una semana los
reporteros dejaron de ocuparse de él, con la desesperación de su agente, que estaba tratando de capitalizar la
situación negativa. La verdad era que la protesta de Mañungo, su pam, pam, pam, al cabo de los años, no sólo
no decía nada nuevo sino que le resultaba difícil seguir
creyendo en su propio fervor, y se desmoronó delante de
cuarenta mil testigos para así no poder echar pie atrás:
cuarenta mil pares de ojos definiéndolo desde el hemici-
clo, exigiéndole que su fe en la revolución siguiera pro-
tagonizando toda su experiencia igual que doce años
atrás, que su entusiasmo fuera idéntico al de siempre,
que como siempre sus dientes de conejo se asomaran
enternecedores entre su barba y su bigote, que su pelo
no retrocediera en su frente, que permaneciera idéntico
a sí mismo, la imagen fija, por fuera y por dentro. Pero
si por fuera podía seguir siendo el cliché solicitado, por
dentro se había ido desmoronando todo, erosionando
ese entusiasmo que le exigían los cuarenta mil pares de
ojos, los cuarenta mil pares de oídos, las cuarenta mil
bocas que gritaban su aprobación pidiéndole un fervor
que ya no sentía, sólo culpa por no sentirlo. Su silencio
tan comentado por la prensa tuvo numerosas interpre-
taciones en los cafés del exilio, ninguna favorable, pero
ninguna tan compleja como para que el público lo
abandonara totalmente. Y cuando intentó hacer su rea-
parición ya no encontró listo para vestirlo el traje de su
imagen pública, inservible por distinto a su propia incierta forma de ahora, y salía a cantar desnudo porque
no encontraba otro traje y le avergonzaba que lo vieran
desnudo los cuarenta mil pares de ojos y que oyeran su

voz los cuarenta mil pares de oídos, y huyó, y aquí estaba caminando con Judit bajo los plátanos murmuradores. El entusiasmo por la causa chilena, entretanto, se había volcado en otras regiones: América Central sobre todo, porque en Chile habían desaparecido los hechos de sangre masivos de primera plana, y esta larga secuela de lenta pauperización, de caos, de miedo sin dimensión de espectáculo para el circo romano de los que contemplan desde afuera, esta agonía era demasiado seria para conmover a las masas. Ser serio, para ellos, era cantar de revolución y política, novelar de revolución y política, vivir de revolución y política, pensar de revolución y política, hundidos en la tragedia colectiva, desterrando y maldiciendo cualquier atisbo de modesto problema individual. Él, Mañungo, ya no podía más. Quería ser persona privada, que, según oyó decir alguna vez, antes de sus tiempos existían, aunque él no conoció esos tiempos. El placer, lo lúdico, lo erótico no tenía rango ahora, no sólo por obsceno, sino por reaccionario. Lo único que valía era la adrenalina de la protesta rabiosa. Todos estaban transformados en puritanos que sólo valoraban las letanías del dolor colectivo porque lo demás era débil, y los titubeos eran despreciados por cierta juventud incapaz de aceptar que quizás eso significara complejidad, lo que también podía ser valioso. No, ahora él quería cantar otras cosas.

—Difícil —murmuró Judit.

—¿Por qué?

—Ya no queda espacio para los problemas personales.

—¿Cómo viven, entonces?

—No vivimos. Sobrevivimos. Y eso, apenas, si tienes la suerte de librarte del balazo de un «terrorista» o algún «pequeño percance» por ese estilo. Las mordazas, entre otras cosas, han radicalizado a la gente, que está muy combativa y siente que hay que jugársela porque tiene muy poco que perder.

Después de una risita, Mañungo continuó:

—Un débil: eso decían de mí porque me quedé mudo en el escenario. Pero sobre todo porque me psicoanalizaba y rehuía las reuniones optimistas-y-esperanzadas-a-pesar-de-todo, y desterré mi guitarra como metralleta. Quería mi derecho a echarme a morir. Y mi fama comenzó a disminuir cuando corrió la voz de que este régimen no prohibía mi regreso a Chile porque jamás me la jugué a fondo. Mis canciones siempre fueron blandas, descubrieron a la hora nona, y mi acusación al régimen nunca fue valiente ni directa: Mañungo Vera era un individualista burgués disfrazado de guerrillero que durante diez años los había engañado con su disfraz. ¿Qué pretendía yo, alegaban, haciéndome pasar por mártir?

En la esquina, donde la clorofila había limpiado todo rastro de química diurna volcando las estrellas en el retazo de cielo descubierto entre las ramas, Judit y Mañungo se pararon para besarse, dejando pasar un auto apresurado. ¿Qué iba a ser de estos besos? ¿Dónde irían a parar después de esta quietud enriquecida por tantos roces? No importaba, se dijo Mañungo. Ahora se sentía urgido por contárselo todo a Judit, colocarlo afuera y verlo, por fin, y quizás comprenderlo.

—...era como si me hubiera ahorrado la parte más dolorosa de la historia de mi generación. Me trababa estar obsesionado con esta historia que no viví, que me hacía sentirme mutilado e incompleto. Por eso, creo, me vine, para ver si puedo recuperar esas partes mutiladas, y regenerarlas como la cola de una lagartija. Quisiera reincorporarme a la historia de mi generación para volver a cantar, pero no como un muñeco de marca prestigiosa. Regresar a Chile en estado de sitio es incorporarme a la locura de este segundo golpe de Estado, ya que no viví el primero.

—¿Vas a decirme que tu regreso es una expiación?

—Exacto.

—¡Eres un romántico de porquería! ¿Qué tienes que expiar?

—Supongo que mi repugnancia ante el deber de cantar sólo los temas de protesta política y experiencia colectiva. Tengo esos temas metidos muy adentro, pero ya no creo en ellos como única forma. No puedo librarme de ellos y sin embargo los detesto, valga mi ambivalencia. Me ahogo porque no encuentro otra nutrición: tantos años dedicado a sentir sólo la revolución y la protesta me han desconectado de todas las otras fuentes. He llegado a odiar la contingencia, pero qué le voy a hacer si me quedo mudo y me siento culpable si me alejo de ella. Sueño constantemente con barcos embrujados, sirenas, enanos voladores, niños con los orificios del cuerpo cosidos, sobre todo con esa extraña equivalencia chilota entre ser brujo y ser artista, de la que quisiera cantar.

—¡Hazlo!

Mañungo rió otra vez:

—He estado en mi país unas cuantas horas. No sólo me metí en un berenjenal ideológico por cantar y después por no cantar *Santiago ensangrentado,* sino que no hemos logrado salir del eterno discurso que nos esclaviza. ¿No dices que aquí no se puede hablar de otra cosa? Ya ves.

Judit se había desprendido de la conversación. Era como si le resultara imposible interesarse por abstracciones aunque las peripecias de cómo sobrevivir una noche como ésta la relacionaban con el fondo más oscuro de la ciudad poblada de figuras trashumantes que aparecían entre los troncos y desaparecían cargadas del tesoro de los desperdicios. Al doblar una esquina, entrando por una calle cubierta como un socavón vegetal, Judit agitó una mano llamando al último cartonero que arrastraba una carretela con tres ruedas de bicicletas dispares cargadas de cartones y fajos de diarios: era un chiquillo descalzo, listo por si se presentaba una emergencia en que fuera necesario salir escapando a todo lo que daba. Judit lo atajó:

—¡Darío! ¿Por qué vas tan apurado? Todavía falta.

—¡Señora Judit! ¿Qué anda haciendo por aquí?

—Me has visto muchas veces.

—¿Don César no le dijo nada?

—No. ¿De qué?

—Mi papá tiene urgencia de hablar con usted. Es mentira lo del Mercedes azul que dice don César. Es un Volvo.

—¿Dónde?

—No sé. Mi papá sabe.

—¿Dónde se van a reunir esta noche?

—En una parte nueva, usted no la conoce. Sígame. Es por aquí cerca, pero se está haciendo tarde.

El muchachito balanceó su carricoche para darle ímpetu y se adelantó, trotando al arrastrarlo. Mucho más atrás, Mañungo y Judit avanzaron por la calle boscosa sin alcanzarlo. Frente a un portón, en la vereda, Darío descubrió una caja semiescondida entre los matorrales. Incapaz de resistirse a incorporarla a su botín, se internó en la vegetación para apoderarse del premio final de la noche: saltaron dos siluetas negras, brilló la hoja de un cuchillo, se oyeron gritos, y uno de los hombres atenazó al muchacho por la espalda para inmovilizarlo mientras el otro rodaba, acarreando el miserable botín del carricoche a su carrito.

—¡Don César! —gritó Judit.

Judit se iba a abalanzar sobre el otro hombre, el que apresó a Darío, para salvar a su amigo. Mañungo tuvo que sujetarla en su abrazo para impedirle que se expusiera al cuchillo. Lloraba y gritaba que la dejara, pateándolo, hiriéndole las canillas con sus zapatos puntudos y sus tacos altos, mordiéndolo y rasguñándolo, el rodar atronador del patín de don César en sus oídos mientras él cumplía su operación de desvalijar a Darío, que la dejara, qué sabía él, imbécil, que la soltara de ese abrazo que le impedía moverse, no quiero que me abraces, no quiero que me toquen, no quiero que me toques a la flaca, dice al verla debatirse en los brazos del bruto que la sujeta, no me la toques, no quiero que nadie me toque a esta flaquita que he estado mirando desde que llegó y es para mí: ¡déjamela! Judit, la intocable. La intocada. ¿Por qué no permitiste que me tocaran, quisiera gritar si no tuviera que seguir debatiéndome? ¿Por qué no me dejaste correr la misma suerte que las demás mujeres encarceladas? ¿Por qué el privilegio de ser reservada para el jefe, ser perdonada por esa voz gangosa que jamás volví a oír, salvo quizás una hora antes que Fausta y Celedonio me embarcaran en el avión a Caracas? La voz de Mañungo trata de calmarme, pero me revuelco y pataleo en su abrazo para salvar al chiquillo del abrazo del otro forajido que lo retiene mientras don César termina de despojar su carricoche. La voz gangosa, la mano tibia, húmeda, no salvó a las otras que tuvieron que pasar por el infierno que sufrieron todas menos yo: ¡no me toquen a la flaca! Me encerraste contigo en el calabozo. ¡Está buena tu flaca, oye! ¡Harto caliente debe ser mi flaca! Estamos sentados frente a frente porque tu secuaz me arrastró en sus brazos, yo desnuda, sin sensaciones físicas como las que siento ahora debatiéndome en los brazos de Mañungo, cuyo cuerpo duro yo pormenorizo pegado al mío. Puso su mano sobre mi rodilla desnuda para iniciar eso que se podría llamar nuestra relación: la retiró, fulminada por el contacto. ¡Grita! Obedezco y grito.

¡Grita como si te estuviera culiando y no quisieras! ¡Grita más, más! Yo esperé la mano otra vez, toda mi piel esperaba ser acariciada por esa mano viscosa y tibia que no me volvió a tocar aunque la voz gangosa susurraba grita más, grita como si estuvieras gozando, como si quisieras más, como si te estuviera haciendo doler pero quisieras más, y yo me desgañito aullando como una perra porque estoy alcanzando un placer culpable que nunca antes había alcanzado, ni con Ramón: grita, grita, repitió, y pido socorro porque su susurro me amenaza si no grito, y grito de terror ante mí misma, porque en esta situación totalmente deserotizada grito de vergüenza ante mi placer mientras en las otras celdas mis compañeras aúllan como yo, pero por torturas distintas a la tortura del perdón. Grité con el fin de preservar un humillante secreto que no debía salir de nuestra complicidad, pero mi grito era también de placer primerizo, que me traicionaba y me separaba de las demás. No grité por la tragedia de las otras. No participé en las fiestas de esa majestuosa forma colectiva, de la que la mano blanda me excluyó para satisfacer qué sé yo qué fantasías de monstruo impotente que me exigió que gritara con más y más convicción sin saber que mi grito de terror y placer era real. Los brazos de Mañungo me retienen. Muerdo y grito por temor de que hieran a Darío. ¿Impotente siempre? ¿O porque ves algo en mí que te hiela y temes? Observándome en el patio sin que yo te viera, te dijiste: esa flaca es la mejor, el botín del jefe, que soy yo. Sucia, apaleada, desnuda, aun así arrastro el manto de mis privilegios. En el momento que pusiste tu mano sobre mi rodilla algo me debe haber definido repentinamente como símbolo de un mundo reverenciado por tus carencias vergonzantes, produciéndote un vértigo de inseguridad, y fue tu pobre historia individual, tu compleja ola humana enfrentando tus apetitos, lo que te dejó impotente frente a mí, asustado, aún más vulnerable y con más miedo que yo si tus compañeros sospecharan tu ineficacia y adivinaran tu superchería. Me pregunto dónde y cómo me habías visto. ¿Desde qué ventana sucia de polvo oíste mi voz educada, en qué patio y qué pasillo sentiste mis maneras distintas a las maneras de las mujeres que conoces, ya que nada de todo esto podías discernir en mi desnudez y bajo mi capucha? Dicen que me muevo como un caballo de raza, que vuelco mi pesado pelo rubio como un galgo afgano: todos los lugares comunes que describen la abstracción de mi origen. Tú percibiste todo eso porque, pobre, eres sensible, y pagas un doloroso tributo por serlo. Quizás me hayas oído hablando con mis compañeras, espiándome desde detrás de las murallas que, tienen ojos y oídos, construyendo quién sabe qué fantasías conmigo que a la hora de la verdad no fuiste capaz de hacer reales. Por eso no me tocaste más. Me respetaste sin atreverte a cometer el sacrilegio de adueñarte de mí, que ahora comete Mañungo al pegarme como a una histérica para que deje de chillar y me tranquilice de modo que él pueda ayudar al chiquillo que llora porque robaron su botín. Sensible, el canalla de la voz gangosa. Frágil bajo su actitud brutal. Su sensibilidad me arrebató mi derecho al odio y a la venganza. No tengo violador aunque todas creen que lo tengo, y ése es el que busco. No tengo torturador.

17

Cuando don César y su compañero desaparecieron con su sonajera de rodamientos, llevándose los despojos del atraco, Judit se sentó en la cuneta para consolar a Darío, que lloraba su botín perdido, rodeándole el cuello con su brazo. A Mañungo le extrañó ese gesto casi de ternura porque creía a su amiga sólo capaz de otras formas de relación, como la establecida en su juego con el *Zar*, por ejemplo, pero si no disponía de situaciones como ésa quedaba aislada. Ahora, sin embargo, era como si algo aún más indescifrable que ese juego la hundiera, a través de Darío, hasta los intestinos mismos de la ciudad condenada, y la queja de rata desnutrida del chiquillo se identificara con el clamor de toda la población. Judit, sin duda, podía enfrentar grandes compromisos generales, pero era incapaz de algo tan elemental como dejarse tocar el corazón: seguramente en el caso de Darío no fue la ternura lo que la hizo rodearle el cuello con su brazo, sino solidaridad. El contacto que se produjo duró sólo un instante: la descarga se cortó en cuanto Judit retiró su brazo y volvieron a quedar cada uno circunscrito dentro de sus proyectos para la noche.

—Tenemos que irnos —urgió Darío, poniéndose de pie.

—¿Adónde?

—¿Ve como no se le puede creer a un viejo bandido como don César? Vamos donde mi papá.

—Vamos.

—¿Qué hora es, señor?

—Las once veinticinco.

Judit se sacudió el vestido donde había estado sentada:

—Entonces no tengo tiempo para ir a hablar con tu papá. Me voy directamente a Las Hortensias, hay toque a media noche.

Darío la agarró del vestido para impedirle que cometiera ese error:

—¿Que no le digo que no es ahí, y no es un Mercedes? Son mentiras de don César.

—¿Por qué me va a mentir don César, que es mi amigo de tantos años?

—¡Ése no es amigo de nadie! No quiere que lo vean con usted porque dicen que la andan buscando otra vez.

Judit se rió:

—No creo que buscando, pero desde que me detuvieron en la casa de don César, hace años, me vigilan. ¿Qué novedad tiene eso para él, que es mi mejor informante?

—¿Mejor que mi papá, que es contacto de Lisboa?

—¿Qué sabes tú de Lisboa?

—Nada. Que es el jefe no más. Y nos ayuda. Vamos, señora Judit. Vamos donde mi papá. Él sabe todo.

Tomó su carrito. No tuvo necesidad de cimbrarlo porque vacío no le hacía falta ímpetu y salió corriendo calle abajo por el rumbo contrario al de don César. Judit se sacó los zapatos de taco de aguja para correr detrás del chiquillo. Al resbalar en los restos de comida derramados de una bolsa de plástico rajada por las uñas de un gato, se tomó de la mano de Mañungo para seguir a Darío. Doblaron por calles como estrechos túneles arbolados, por avenidas de luces de mercurio que lo cubrían todo con una ligera neblina granujienta y anaranjada, los escasos autos huyendo a buscar amparo antes que la amenaza se hiciera legal, un cartonero disparado en dirección contraria no los miró, la pulsación de un helicóptero sobrevolando una población periférica, la amenaza haciéndose presente en sirenas de autos policiales o de ambulancias muy lejos, más allá de las plazas de donde arrancaban calles secretas, cada jardín suspendido en su propia quietud, cada casa perdida en el fondo de su arbolado donde se extinguía una música o una risa porque ninguna ordenanzas prohibía aún que se pudiera reír.

En la mitad de una cuadra, en una de las calles más silenciosas, Darío disminuyó su carrera. Mañungo y Judit la disminuyeron detrás de él. Faltaban veinticinco minutos para los doce. Habían corrido menos de diez minutos pero venían acezando por causas sumadas al esfuerzo físico. Las mansiones de este sector tenían rejas de lanzas recubiertas por dentro con una plancha de metal inexpugnable para ojos fisgones y para manos que intentaran hacer perjuicios. Darío se detuvo ante una reja que sin duda protegía la lujosa privacidad de un jardín, de una familia, de una manera de vivir. Metió su mano por un agujero disimulado en la plancha de fierro junto al cerrojo. Al abrir, las bisagras del portón se quejaron como un recién nacido. Darío les indicó que lo siguieran.

No había casa: un sitio vacío donde después de un rato distinguieron los restos de una piscina de la que habían arrancado los azulejos, la ruina de un parrón, una terraza y una balaustrada, el cuadriculado de cimientos y hoyos de viejos sótanos invadidos por los mugrones de los ailanthus, las crías de las pitas y la pelambre de las teatinas. Muchas casas de este sector, ornamentadas con columnas, escalinatas y ánforas incongruentes con los nuevos estilos de vida, fueron compradas por constructores que las demolieron para edificar inmuebles de renta que sustituyeran a los prolijos jardines de reciente abolición: los baldíos donde nunca se llegó a construir quedaron encallados en la oscuridad, entre los caserones sobrevivientes y las torres iluminadas.

Las personas que iban entrando se confundieron con las thuyas y tejos y macrocarpas, cuyos brotes negligentes desdibujaban sus elegantes formas artificiales. Un boj piramidal se movió: un hombre avanzaba. Dos arbustos más, inidentificables detrás de él, también perdieron sus estáticas identidades decorativas, desplazando sigilosamente sus masas enfundadas en abrigos de deshecho que engañaban más la miseria que la destemplada noche.

—¡Papá! —exclamó Darío.

—Señora Judit —saludó uno de los arbustos.

—¡Por suerte que llegó! Ya casi no le queda tiempo. ¿Y tú...? ¿Qué te pasó? ¿Crees que te conseguí el carrito para que salieras a pasear?

Le iba a dar un puñete a su hijo, pero él, gimiendo antes que le llegara el golpe, le explicó el asalto de don César.

—Dice Darío que es mentira lo del Mercedes azul y Las Hortensias a partir de las doce —dijo Judit.

—Claro que es mentira.

—¿Qué le ha dado a don César contra mí?

—Me contaron que se ha puesto soplón.

—No. Lo conozco demasiado bien y él a mí. Vivía en su casa cuando me detuvieron y es hermano de un cuñado desaparecido de la Aury. Puede ser que robe, pero traidor no es, ni él ni sus ocho hijos, ni su segunda señora.

—¿Por qué cambió el mensaje que le hizo llegar por la Aury, entonces? ¿No tiene miedo que sea una trampa?

—¿Y si fuera Lisboa el de la trampa?

El padre de Darío dio un paso atrás y tardó un minuto antes de recuperarse para contestar:

—Pero don César la citó a partir del toque de queda, y eso es peligroso: con los datos que sabe don César sería muy fácil que la agarraran esta noche.

Judit miró a Mañungo para que la ayudara a decidir a quién creerle, si seguir estas indicaciones o las otras. Mañungo la rodeó con su brazo entre los arbustos recortados del Jardín de Luxemburgo donde llevaba a Jean-Paul a alimentar los pichones en los exasperantes días que le tocaba encargarse de él: que no lo encerrara en la rue Servandoni, le advertía Nadja, el niño necesita aire libre y ella rara vez podía sacarlo de paseo. Que lo llevara al Bois o a Vincennes, porque en la noche lo oía toser. Pero ahora último sobre todo, cuando Mañungo había rechazado por desaliento varios contratos que entusiasmaban a su gente, el vigor no le alcanzaba para luchar contra la insistencia de Jean-Paul por volver a encerrarse en la rue Servandoni a manipular el equipo. ¿Músico, él también? ¿O mecánico electrónico, como todos los niños? ¿O simplemente deseo de aislamiento para saber quién era y que Nadja y él lo dejaran libre de presiones? El cuerpo de Nadja, recordó Mañungo, llenaba más plenamente su abrazo que este cuerpo de mujer frágil, que no se amoldaba a él con la precisión necesaria para su probable itinerario hacia una meta nocturna tan enigmática como las cifras de las thuyas desaliñadas y de los tejos sin podar. Porque ¿qué significaba lo que esta figura disimulada por su abrigo demasiado grande le decía a Judit, que no creyera lo del Mercedes azul a partir de las doce, sino que le creyera a él, que insistía que la verdad se relacionaba con un Volvo verde en Lota esquina de Suecia, que Lisboa respondía del dato y era la voz del partido? ¿Cuál era su alianza con una vida sumergida donde figuraban informantes, contactos, detenciones, pasaportes falsos? ¿Dijo Judit que era falso un pasaporte del que habló, o eso lo había agregado él, de su imaginación, porque calzaba dentro de esta atmósfera de intriga? ¿O Judit lo arrastró a esta situación calculadamente, para utilizarlo? ¿Utilizarlo y ayudarla, implicarlo y defenderla? ¿Nada era espontáneo ni gratuito en ella, entonces, sólo parte de una estratagema? Mirando su Rolex, Mañungo se dio cuenta de que estaba muy cerca de la raya que convocaba el peligro: faltaban veinte minutos para la medianoche, y de ahora en adelante todo iba a ser carreras, explicaciones a medias porque faltaba tiempo para analizar y preferir y cumplir citas o compromisos antes de ponerse a salvo. El padre de Darío le imploró a Judit que se apurara. Que no le creyera a don César, anarquista capaz de cualquier traición, sino a él. Que se presentara en Lota esquina de Suecia a las doce en punto con el fin de ejercer la venganza desde tanto tiempo prometida.

—¿Trae con qué? —le preguntó el padre de Darío.

Judit metió su mano en la cartera y alargó el brazo terminando en algo brillante que Mañungo al principio no distinguió, pero en cuanto se dio cuenta de lo que era se lanzó sobre Judit para arrebatárselo: una cosa era jugar con el peligro del perro detrás de la reja, pero otra cosa muy distinta era pasearse con una pistola en la cartera. ¡Histérica!, le gritó. ¡A cuántos quería comprometer con su locura! Los arbustos negros lo agredieron para arrebatarle a Judit, que dejó caer la pistola. Cuando los separaron Judit la recogió, volviendo a guardarla.

—¡Váyase corriendo! —le dijo el padre de Darío a Judit—. Nosotros nos encargamos de éste. Vaya a Suecia. Habrá amigos listos para ayudarla.

Judit no se movió mientras la urgían:

—Apúrese.

—La cita es para las doce en punto.

Pero ella se dirigió a Mañungo:

—Tienes que aceptarme como soy.

—¡Estás loca!

Después de un instante Judit le preguntó:

—¿Quieres venir conmigo?

—Sí.

—Suéltenlo.

Y tomándolo de la mano lo arrastró hacia el portón, abrió, salieron a la calle, cerraron, y lo condujo a toda carrera hacia la calle Carlos Antúnez, donde, con suerte, podrían encontrar un taxi que los llevara a Las Hortensias. Allí era donde Judit había decidido ir porque no quiso someterse a la falsa protección de Lisboa, que podía estar usándola. Por otra parte un dato podía ser igualmente inútil que otro: faltaban diez para las doce.

18

«Mercedes azul a partir de las doce» significaba, en realidad, Mercedes azul en cualquier momento del toque de queda y una espera que podía durar hasta el amanecer, mientras los camiones blindados se desplazaban sigilosos como una hilera de cucarachas por las avenidas despobladas y de pronto, en cualquier punto del horizonte ciudadano, brotaba el aullido de una sirena que después se extinguía agónica, dejando la noche repleta del pulso de los helicópteros como única señal de sobrevivencia.

«A partir de medianoche...», le había comunicado don César por conducto de la Aury, que odiaba el sectarismo de Lisboa y se había propuesto desbaratar tanto su idilio con Ada Luz, que consideraba peligroso para el grupo, como su prestigio: don César, su respetado pariente con cuatro hijos en la guerrilla urbana que comenzaba a insinuarse en las poblaciones marginales, era el mejor vehículo para desarmarlo y para que dejara tranquila a la pobre Ada Luz. Es verdad que como don César sabía tan vistosos su patín y su calañés sobre el ojo, salía poco de la población donde ahora apenas se atrevían a entrar las autoridades, pero hasta él llegaban preguntas, emisarios, contactos, órdenes de los cuadros superiores, que él impartía dispersando a sus hijos con mensajes por toda la ciudad, sólo saliendo de noche a cartonear: la gente se asomaba a las ventanas de sus casuchas al oírlo rodando en su patín. Ladrón sí. Eso don César siempre fue. Pero traidor no: a Judit su dato le pareció más verosímil que «Lota con Suecia a las doce en punto», el «en punto» demasiado taxativo e igual a Lisboa para ser verídico, en contraste con el dato de don César que preveía inexactitudes y esperas. Pese a la cautela aconsejada por el contacto, Judit pensó que sucediendo dentro del toque de queda significaba que quien condujera el Mercedes azul debía tener cierta relación con la oficialidad, ya que a partir de esa hora es necesario circular no sólo a menos de treinta y cinco kilómetros por hora y con las luces del interior del vehículo encendidas —de lo contrario es legal disparar sobre él—, sino llevando un salvoconducto otorgado sólo a personas influyentes.

Habían esperado veinte minutos, o veinticinco… casi media hora. Se escondieron primero en el portal más oscuro de Las Hortensias —no en el número indicado por don César sino en otro, cerca de la esquina de Los Leones, para así avistar con tiempo al Mercedes—, donde permanecieron apoyados uno contra el otro bajo la madreselva, usando el basamento de la reja como banco. Mañungo acarició el cuello de Judit entibiado por su melena, le pasó el brazo sobre los hombros para atraerla hacia sí y con esa mano, por el escote pulsó como si fuera una cuerda, su pezón dócil pero sin nota, porque todo ese cuerpo estaba tan en otra cosa que no vibró con el revoloteo de sus dedos tan expertos para producir tono.

—¿Cuánto rato vamos a esperar? —le preguntó Mañungo al oído.

—No sé.

—¿No podemos ir a tu casa?

—A esta hora es muy difícil, por la vigilancia —repuso Judit pensando que los ronquidos de Lopito estarían ocupando su domicilio—. Vamos a tener que esperar escondidos aquí, de toque a toque.

—¿Esperar qué...? —se sintió con derecho a reclamar Mañungo, porque al fin y al cabo escoltaba a una mujer con una pistola en la cartera.

—Sentémonos en el pasto —propuso Judit.

Más adentro por Las Hortensias, alejados de la esquina, se tendieron en el prado de la vereda oscurecida, ocultos por los acantos, la cabeza de Judit, mientras fumaba, apoyada en el muslo de Mañungo. Atenta a la minucia de los ruidos que de noche forman la trama del silencio, no distinguía distancias en la quietud: ¿disparo lejano o ramita quebrándose?, ¿roce de hojas o remoto quejido? Ecos de crímenes legales a esta hora limpia de testigos para abandonar víctimas en las aceras, le explicaba Judit a Mañungo, que le encendió otro cigarrillo. En todo caso ya no era hora de esperar nada porque sólo quedaba el letargo después del desencanto: el Mercedes azul ya no iba a aparecer y no sabía cómo recomponer los fragmentos de esta noche estrellada en las ramas violáceas de los prunus. El sexo de Mañungo sintió la cercanía de la cabeza de Judit presionándole el pantalón. La dejó allí, trémula, disfrutando del lento tiempo erótico que esa proximidad necesitaba para alargarse y transformarse en algo más, porque ella también quería sentir las envolventes modulaciones de ese tiempo y de ese acercamiento que se disponía a disfrutar. Hablaban deshilvanadamente, pero pese a tener tanto que decirse no se concretaba un diálogo: el centro de ambos estaba lejos de las palabras, en el muslo más bien, tan tenso de nervios tendidos que un movimiento en falso, una sílaba más, un ligero error de los sentidos podía destruir el frágil trenzado del deseo que se iba construyendo tan delicadamente. Judit, después de echar una bocanada de humo, volcó su cabeza hacia él para decirle algo sin importancia que no dijo, aunque en realidad fue para cubrirle el sexo y rozárselo con las puntas táctiles de sus cabellos acariciadores, que lo enloquecieron: pero Mañungo no se movió. No se movió porque ella, al volcar su cabeza, se las había ingeniado para que, al hablar, su

aliento cargado de tabaco le quemara el sexo a través de
la tela del pantalón, y la dejó hablándole, quemándolo
un rato, hasta que se dio cuenta que ni él ni ella lo so-
portarían más. Entonces, después de aspirar la última
bocanada de su cigarrillo y tirarlo, y con esa misma mano arreglarse el pelo, al hacerlo le rozó el sexo dispuesto
y entonces, con toda intención ahora, le echó la última
bocanada de humo ardiente sobre su dureza anhelante.
Le abrió el pantalón, dejando que su melena rubia malignamente lo envolviera y acariciara. Desplazándose
apenas, echó hacia atrás su pelo y lo tomó en la boca.
Mañungo gruñó profundo, como si lo hiciera con todo
su organismo. Intentó acariciarla mientras Judit lo de-
voraba, pero ella lo rechazó:

—Déjame.

Y volvió a devorarlo, ahora con menos lentitud.
Al socaire de los acantos, con Judit perdida entre sus
piernas prohibiéndole compartir ese goce cuya mitad
por lo menos le correspondía a él, las manos apoyadas
atrás, en el pasto, sosteniendo en diagonal su tronco,
Mañungo se dejaba hacer porque no se le permitía más
que dividir su atención entre el temor de que algún tran-
seúnte los viera desde la bocacalle, y su excitación con la
gula de esa garganta y la caricia empapada de la lengua
áspera y del glotis sedoso. Un auto se detuvo en la esquina. Mañungo, achicándose porque podían disparar, alcanzó a rodar con Judit hasta debajo de los acantos.

—No me lo quites —le rogó Judit en medio del
peligro, y se apoderó codiciosa de su sexo otra vez sin temer que la descubriera el rayo del auto escrutando las tinieblas de la cuadra.

—Cuidado —susurró él.

Todo el cuerpo de Mañungo latía con el motor
de los helicópteros invisibles que llenaban la noche, la
voz de la vieja aullaba con las olas de Cucao, la punta del

tinnitus rayó el vidrio justo antes de trizarlo, un bombo, el pulso de mil bombos golpeando el secreto mojado de la boca de Judit mientras el rayo del auto buscaba por las hojas de charol dentado de los acantos, el corazón, el helicóptero latiendo, golpeando la intimidad que ella sólo así compartía, el rayo detenido sobre ellos sin descubrir que en ese instante atónito la ola reventó, anegando la boca de Judit: aunque ella rechazara su caricia, Mañungo recuperó fugazmente la palabra amor, que Nadja, en el pasado, había borrado de su léxico. El auto apagó su faro inquisitivo y partió, y quedaron ambos arrumbados en el pasto.

Cuando Judit pudo por fin moverse, deslizándose desde las piernas de Mañungo hasta sus brazos, que la envolvieron, él supo que ya no la quería: esta ternura de ahora era muy distinta al vértigo que pese a su negativa a conocerse, perderse, los equiparó un minuto atrás. Comparado con el despegue de aquel vuelo instantáneo, el presente de ese abrazo era la inopia.

—¿Esperar qué...? —repitió él, retomando un discurso muy anterior, conmovido por la desorientación de Judit al buscar las dos mitades del placer fracturado para reintegrarlas, como si se pudiera cuando ya era tarde desde hacía quién sabe cuándo.

¿Esperar qué? ¿Necesitaba, en realidad, hacer esa pregunta? Su respuesta sería genérica, idéntica para todas las preguntas relacionadas con Judit que desembocaban invariablemente en los mismos elementos: clandestinidad..., huir..., detención. ¿Podía ser, también, violación? El trágico cliché, exhibiendo sus llagas de los pasados cada vez más pasados y sin alcance colectivo en las guitarreadas del exilio, podía servir también para explicar a esta Judit cobijada en sus brazos, buscando tregua frente a fuerzas demasiado agigantadas para enfrentarlas con las certezas de antes, sobre todo con

Matilde reposando en un cajón negro en la ladera sur del cerro mientras sólo *Carlitos* la velaba paseándose detrás de los barrotes de su jaula. ¿Podría Judit hacer rugir al león como hizo rugir al perro en su cartera, y a él con su boca, si se trenzara con él en un juego? Le gustaría ver a la fiera rompiendo los barrotes y agrediéndola: porque Mañungo, yacente bajo los acantos, no se sintió canalla al experimentar un estremecimiento de placer con la idea de que Judit fuera violada. ¿Era su destino...? Bastaba mirarla, sentir la docilidad de su melena rubia mezclada con su barba negra para recordar que fueron múltiples las maneras en que buscó destruirse. Para eso, y para expiar sus culpas ancestrales que ella no contrató, hizo el amor con Lopito. Por compasión, es cierto. Pero más que nada por la curiosidad de saber si tenía la fuerza para resistir esa experiencia, pregonando su triunfo en las aulas como si exhibiera la cucarda de un merecido premio. Lopito y sus amigos la condujeron por todos los cataclismos de ese tiempo, entusiasta de los sucesivos infiernos en que buscaba expiación, hasta que sus compañeros asaltaron una bomba de bencina para robar el dinero, y la fotografía de Judit Torre —*Dama de la sociedad transformada en delincuente común*— se mantuvo durante días en las primeras planas de los diarios y en las pantallas de los televisores.

—No fue verdad, lo del asalto a la bomba de bencina —le decía a Mañungo al oído—. Esas acusaciones eran frecuentes para ensuciar a los partidos de izquierda y convencer a la gente de que sus miembros eran peligrosos incluso para los sectores populares. En todo caso, ese asalto me libró de las manos de la policía política, como presa política, y me puso en manos de la justicia ordinaria como delincuente común. En la cárcel pública yo estaba un poco a salvo porque de ahí no se desaparece: dentro de un máximo de cinco días es necesario declarar reo al detenido o soltarlo. De este hecho se agarraron la Fausta y Celedonio para sacarme. Tenía que ser rápido. De modo que ni se pusieron en contacto con mi familia porque ellos no aportarían más que titubeos formales que harían perder tiempo.

—¿Por qué perder el tiempo?

—Bueno, mi mamá, pobre, ya se había muerto. Me tenía terror.

—A cualquiera se las doy, pobre señora.

La leyenda de Judit con su madre había precedido su entrada en la universidad: a los catorce años, de pelo muy claro y frenillo en los dientes, un día se lo quitó desafiante frente a su madre, que la reprendió por hacerlo, advirtiéndole que si no volvía a ponérselo al instante no iba a tener los dientes perfectos de la familia Fox. Judit, con su uniforme azul, sus calcetines hasta la rodilla y sin desviar su mirada cristalina, tiró el adminículo a un rincón del dormitorio: no quería tener los dientes de los Fox, declaró, que le parecían los dientes más feos del mundo. En realidad detestaba a todos los miembros de la familia, comenzando por ella, con la que no quería tener parecido de ninguna especie. Iba a ser lo más distinta posible a ella y a sus hermanas mayores, y no le reconocía autoridad por considerarla tonta, inculta, cobarde, sin imaginación y poco interesante, de modo que le advertía que no intentara dominarla porque no lo iba a lograr. Pensaba gobernar su vida a su gusto. Para demostrárselo, con una tijera sacada del cesto de labores y sin bajar sus ojos, se paró frente a los tres espejos ovalados del peinador Luis XVI lacado gris que multiplicaban el rostro de la madre y el de la hija, y se cortó sus trenzas, dejando apenas la pelusilla blancuzca que la caracterizó durante sus primeros años de militancia. Su madre no se atrevió a decir nada. La dejó hacer porque por muy tonta que fuera pudo darse cuenta de que la había perdido. A la hora de la comida ni sus padres ni sus hermanas hicieron comentarios sobre su aspecto y siguieron cuchareando la sopa mientras la sirviente iba cambiando los platos. A la hora del postre Judit sacó la voz para comunicarles que como había obtenido las mejores calificaciones de su clase en todas las asignaturas y tenía facilidad para el estudio, quería aprovechar esas dotes en un colegio donde sirvieran para algo, así es que se había cambiado del colegio de monjitas en que se educó su madre, a un liceo público en un barrio que les pareció espeluznantemente popular.

—¡Por lo menos deja que el chófer te lleve en el auto en la mañana! —aventuró la madre.

—¡Cállate, estúpida! —le silbó el padre a su mujer mientras Judit retiraba su silla, altiva y en silencio, y sin pedir permiso abandonó el comedor asqueada con esa abyecta escena que su familia hubiera calificado de ordinarísima interpretada por otros actores.

Mañungo fue participante de la continuación de esta historia. En el entusiasta hervidero político de los colegios secundarios durante el fin del mandato del presidente Frei, los niños, antes inocentes, ahora radicalizados, no estudiaban por discutir y vivir la política, arrastrando a Judit en esa primera locura juvenil por medio del profesor de matemáticas con que salía, que la hizo ingresar en la Juventud Comunista. La exaltación de desfiles, reuniones de células, adiestramiento, controversias ideológicas, no podían compararse como estimulantes con Euclides. En la casa de la calle Málaga sus padres sospechaban que Judit andaba «metida en algo», pero no se atrevían a preguntarle. Al regresar del colegio fue tal la entrega de Judit a las actividades de la Jota que aceptó ser destinada a la Facultad de Economía porque al Partido le hacían falta economistas, no porque demostrara inclinación por esa disciplina. Por dedicarse a agitar y a participar en polémicas jamás rindió pruebas ni abrió textos: la vida decididamente estaba en otras cosas. Llegaba tarde a la casa de sus padres —en su familia aceptaron que ella, como universitaria, tuviera otro horario, de modo que ya casi no veía a su parentela—, pero nadie sabía con quién andaba, aunque sus hermanas mayores le llevaban desazonantes cuentos a su madre, diciendo que se había visto a la loca de la Ju hecha una facha en el centro, gritando como una desaforada mientras pintaba groserías en la pared junto a unos barbudos indecentes que peleaban con la policía.

—¡Uno de estos días...! —vaticinaban las hermanas al principio, pero después dejaron de vaticinar porque por esas fechas se casaron y perdieron todo su interés por Judit.

La madre se encamó definitivamente, víctima de dolencias sin nombre, en el fondo del dormitorio más grande y más oscuro de la casa donde se hizo su mundo de cuentas y costuras bajo los altos techos de yeserías que se descascaraban. Como se veía poco a Judit en la casa, debido, claro, a lo que para conveniencia de todos llamaban «sus estudios», nadie se dio por aludido de que ya ni siquiera vivía allí, sino con un cantante de mucho éxito en las peñas y en las concentraciones políticas de izquierda. Al poco tiempo, sin embargo, cuando el cantante partió a USA y Judit se fue a vivir con su antiguo profesor de matemáticas que acababa de rechazar el PC para unirse al temible Movimiento de Izquierda Revolucionaria que estaba arrasando a la juventud y estableciendo nuevos estilos de comportamiento, ya no fue cuestión de explicarle nada a su familia. Un buen día pasó a buscar sus cosas a la casa de la calle Málaga con el ánimo apaciguador de hacerles comprender algo. Cuando quiso explicarle las cosas siquiera a la cocinera de toda la vida, ésta le preguntó si estaba loca y no le creyó absolutamente nada. Su padre estaba en la Bolsa porque allí las cosas se habían convertido en un infierno, y su madre le mandó a decir con la empleada que no la podía recibir porque no se sentía bien, de modo que sería preferible que hablara con ella mañana antes de salir a sus clases en la universidad.

19

Un auto se detuvo en la esquina. Judit apagó el cigarrillo para no mostrar su punta de fuego. Si vigilaban tanto esta cuadra significaba que un pez gordo vivía por aquí: ¡acertó con Las Hortensias y el Mercedes azul! Cuando un minuto después el auto partió, Judit dijo que ya no podían permanecer tendidos donde estaban porque, aunque a esta hora quedaba poca esperanza que llegara, si venía el Mercedes no podrían interceptarlo.

—¿Interceptarlo? —exclamó Mañungo—. ¿Esto es una película de pistoleros?

—Prácticamente. Todo en Santiago lo es.

—¿Piensas matar al tipo que viene adentro?

—No sé. Quiero oír su voz para saber si es el tipo que ando buscando y ver qué me pasa, qué siento.

—¡Estás loca! Has hablado de voces toda la noche. ¿Cómo vas a oírle la voz a un tipo que viene adentro de un Mercedes Benz? Entrégame la pistola.

—Tengo un plan. Vas a ayudarme. Tú vas a servirme de cebo.

No explicó más. Se pusieron de pie y se sacudieron la ropa. Al sentarse otra vez en el basamento de la reja Judit se desabrochó los botones de abajo del vestido, que se partió al poner una pierna encima de la otra, y mostró su rodilla fina y parte del muslo. Él le copaba con la mano un pecho estremecido con la caricia de la seda. No llevaba ropa interior, lo cual al principio le pareció chocante, como de puta en pie de guerra, y después le excitó: por favor, que dejaran hasta aquí su absurdo proyecto tanático e inventaran algún modo de volver a su casa. Judit no le contestaba: el mensaje de don César decía que esperara el Mercedes «a partir de las doce», y por lo tanto era difícil darse por vencida.

—Ramón ya había desaparecido cuando nació la Luz —estaba diciéndole a Mañungo al sentarse en la reja.

—¿Qué edad tiene?

—¿A ver? Te estoy hablando de cerca de dos años después del golpe, once, doce, me confundo con los meses.

—Más que Jean-Paul.

—Vive con los padres de Ramón.

—¿No contigo?

—No. La veo poco porque me altera bastante. No me quiere, igual que yo a mi madre. Descalifica todo lo que yo hago. Me encuentra una vieja loca, «puntuda» dice, porque insisto en decirle Luz, que es su verdadero nombre, en vez de Marilú, como le dicen sus amigas del barrio. Lo único que le interesan son las tenidas de Fiorucci y esas cosas. La familia de Ramón es muy modesta, así es que hasta cierto punto es justificable que la Luz se entusiasme con cosas así. Darme cuenta de eso no la hace más simpática. Pero no es tonta y puede ser que esas leseras se le pasen.

—¿Ramón qué dice?

—A Ramón lo mataron. Estuvo desaparecido varios meses. Después, un día salió su nombre en el diario en una lista: «Gendarmes argentinos matan como ratas a infiltrados chilenos», implicando que estos miembros del MIR, los de la lista, habían huido clandestinamente a la Argentina, donde tuvieron un encuentro con los gendarmes, que los acribillaron. Pero averiguamos. No los mataron allá. Ramón jamás estuvo en Argentina. Lo mataron aquí y su cuerpo desapareció.

Mañungo se heló con la naturalidad de la respuesta. Era un hecho concreto con el cual no parecía quedarle ninguna ligazón, ni quisiera reclamar reconocimiento ni respeto por su dolor: a su marido o compañero, en todo caso al padre de su hija, lo habían matado igual que a los maridos y compañeros de tantas personas que conocía. Durante los once meses que Ramón estuvo desaparecido sólo una vez se encontraron, en la noche, en un baldío, donde la citó por medio de los secuaces de don César. Hicieron el amor a campo traviesa. Él le exigió que no le preguntara absolutamente nada sobre sus actividades y las de sus compañeros para que así su ignorancia la protegiera. De este encuentro nació Luz, dos meses después de la muerte de Ramón.

Judit rechazó estas imágenes. Y como para borrarlas sonrió, recordando los jubilosos días de la Unidad Popular, el rejuvenecimiento, la osadía, la vitalidad. Ella vivía con Ramón, entonces, cuando todo el mundo parecía feliz, en una casita de población, trabajando como dirigente de sindicato en una fábrica de muebles de Maipú. No asistía a la universidad. Nunca había sido muy asidua, claro, sólo iba a agitar, ya que la militancia política era la propuesta más intensa ofrecida a la juventud de esos años, que por eso se marearon, creyendo manejar la historia. Organizaba protestas, desfiles y huelgas, hasta que por fin, bajo su dirección, su sindicato se tomó la fábrica y comenzaron a producir muebles por cuenta propia. Judit, a quien algo de encanto le quedaba, y tenía buen aspecto pese a sus *jeans* y su camisa verde oliva—«¿ya te había crecido el pelo otra vez?» «Sí, me había crecido, más o menos como ahora, no como cuando tú me conociste»—, se entrevistaba con las autoridades en los Ministerios, hostigando al «compañero ministro» hasta conseguir mejoras para su sindicato, que fue uno de los que mejor se desempeñó en esos años. Judit fue muy feliz, muy plena, entonces. Nada le importaba que tanto los funcionarios de la UP que atendían

sus solicitudes, como sus compañeros de sindicato rece-
laran y se rieran un poco de ella, una señora que pese a
sus esfuerzos por ocultarlo llevaba escritas, en su manera
de desenvolverse, las señales de los privilegiados: los
compañeros no se esforzaban por ocultar que les parecía
una idiotez de su parte renunciar a las comodidades y
seguridades que ellos codiciaban, para entregarse a la lucha por la idea abstracta de la justicia social.

    —Cuando mataron a Ramón tuve que entrar
en la clandestinidad porque la policía me perseguía para
que informara sobre el paradero de los demás. Todos los
días desaparecían compañeros y de todas partes llegaban
macabros rumores de la tortura. Mis padres, creo que
para poder sobrevivir, me dieron por muerta, y la Fausta
se encargó de llevar a mi hija a la casa de los padres de
Miguel, buena gente pese a las idioteces que le enseñan,
en una unidad habitacional diminuta en esos barrios
que hay detrás del Estadio. Yo huía de casa en casa, de
población en población, siempre un salto adelante de
mis perseguidores que con frecuencia allanaban las casas
donde me escondía, menos algunas que eran secretas,
pero de las que no se podía abusar porque las descu-
brían. En el año y medio que viví en la clandestinidad
fui perdiendo poco a poco contacto con mis compañeros de partido hasta quedar completamente aislada de
los pocos que quedaron manejando la ideología y la esperanza, de los compañeros con quienes había compartido los mitos, el peligro, la fe, la aventura, el hambre y
la cama, hasta perderlos de vista y quedar intolerable-
mente sola: el régimen nos había desarticulado, no quedaba nada, nadie, ni siquiera algo con que comenzar a
armarnos de nuevo. Yo conocía desde siempre a don
César, llamado «el perrero», porque de niño, en Lota, se
trepaba a los trenes carboneros en marcha y les tiraba a
sus compañeros igualmente infantiles que corrían junto

al tren lento al subir las cuestas, lo que llamaban «perros», es decir, grandes trozos de carbón que ellos después vendían a buen precio, y en una de estas aventuras don César cayó y el tren le cortó las piernas. Esto no le impidió ser mujeriego y fiestero, y miserablemente pobre como era enamoró a una linda chiquilla veinte años más joven que él que le dio nueve hijos: una hija y tres hijos murieron o desaparecieron. El odio que él y sus hijos le tienen al régimen es sólo comparable al que le tienen al Partido, y por eso ahora trabaja políticamente por su cuenta sin darle explicaciones a nadie. ¿Por qué no, si la violencia es la única respuesta de los que no tenemos esperanza? Y cuando de noche siento rodar su patín característico cerca de mi casa porque poco sale de día, o lo veo a la hora del crepúsculo, invierno o verano, embozado en su bufanda, con el calañés al ojo como si quisiera esconderse pero esto sólo hace más visible su silueta, comprendo que tiene un mensaje que darme, o una proposición que hacerme. No se conforma con que me quede afuera de la lucha después de haber luchado tanto, porque la lucha es nuestra, de cada uno, y nuestra misión es implantar el caos. En mis días de clandestinidad, con gente como don César, en su covacha miserable, compartiendo una pallasa en el suelo con sus hijos, de alguno de los cuales fui fugazmente amante, aunque eso no dejó huella, o en el suelo de otras casas, me quedaba tres o cuatro días antes de volver a huir a otra población para que mis perseguidores me perdieran el rastro: eran los tiempos del terror. Los que pensaban como don César, y por eso le creo lo del Mercedes azul, estaban dispuestos a ayudar en todo, y me daban albergue y un plato de sopa a cambio de hablar en voz baja y sin luz del odio que también era mío. Formaba una maraña muy efectiva de informantes, enredadera secreta de contactos con tentáculos que penetraban hasta el fondo de la ciudad donde hervía el rencor que les daba fuerza para sobrevivir y para encubrir y apoyar, arriesgándolo todo. De vez en cuando, muy a lo lejos, cuando yo ya no soportaba más la mugre y el hambre que me iban matando poco a poco: por medio de estos contactos citaba a la Fausta y a Celedonio en un potrero en las inmediaciones de la ciudad, o en una esquina de población para que pasaran a recogerme en auto y se hicieran cargo de mi humanidad por unos días. No me preguntaban nada pese al riesgo que corrían al ocultarme. Ellos militaban en el otro extremo de la izquierda, que se confunde con el centro tolerable para este régimen, y no los molestaban aunque no dejaban de vigilarlos. A la Fausta le habían expropiado gran parte de sus tierras durante la Reforma Agraria de Frei, a quien odiaba. Y lo que no le quitaron entonces desapareció después, con los asentamientos del mandato de Allende, al que no odiaba, me imagino que sobre todo, como suelen ser las cosas en este país, porque habían comido juntos en la casa de Pablo y Matilde. El régimen no sospechaba de la Fausta porque contaba con su rabia contra la UP que devoró sus tierras. Ella, sin embargo, seguía siendo rica pese a marchar en primera fila en las manifestaciones de apoyo a la izquierda. Cuando yo salía de la clandestinidad para visitarlos a ella y a Celedonio, me rogaban que aceptara dinero y huyera de Chile, que estaba hecho un infierno para gente como yo, que teníamos derecho a nuestras ideas, fueran las que fueran. Yo sabía que para mí sería imposible salir de Chile por estar fichada como miembro del MIR: no dudaba que mi nombre figuraba en las listas malditas de los aeropuertos, aunque no tenía pruebas de que así fuera. Para salir, además del pasaporte, que no tenía, se necesitaba un certificado de antecedentes que me sería imposible conseguir. ¡Que me quedara escondida en su casa, entonces, me exhortaba la pobre

Fausta! ¡Era un espanto verme tan flaca, con la vista extraviada como una loca, llena de impétigos y tics y picaduras de pulgas! No, le repetía yo sin lograr que me entendiera: debo seguir el destino de los míos, necesito continuar errante de casa en casa, de noche en noche, con hambre y con impétigos para que no se me vaya a apagar ni una chispa del odio por los que matan a mis compañeros, por los que hicieron desaparecer a Ramón, a quien yo no amaba, pero tuve con él esa complicidad política que a veces es más que amor. No puedo quedarme cobijada en tu regazo tibio como tú me lo exiges, Fausta, porque ese privilegio maravilloso sólo haría crecer mi culpa frente a los que no lo tienen. Además, no debo comprometerte a ti y a Celedonio con mi presencia. Ustedes pertenecen a otra generación, a otro mundo, y esta macabra fascinación nuestra con las ideas peligrosas y con la muerte, es privativa de la gente de nuestra edad. ¿Pero por qué, lloraba la Fausta sin comprender, cuál es tu culpa, hija, qué horror estás expiando? ¿Por qué? ¿No has sufrido lo suficiente? Yo me iba, entonces, sin poder contestarle porque la Fausta es una mujer romántica, muy glandular y simple en el fondo, y es inútil tratar de meterla en la maraña que a una la impulsa a acciones que no se pueden ni se deben entender racionalmente. Y al irme, le aseguraba que volvería a salir de mis tinieblas de vez en cuando para descansar junto a ellos durante unos días, cuando ya no pudiera resistir más.

»Un día Celedonio se encontró con mi padre en la biblioteca del Club de la Unión. No se saludaron, pero sus manos coincidieron en la mesa al ir a tomar el último número del *Time*. Mi padre adelantó su mano con tal arrogancia de dueño del mundo porque ahora los suyos eran otra vez los que ostentaban los derechos de los vencedores, que Celedonio, defensivamente, automáticamente, retiró su mano, dejándole el *Time* a mi padre.

Humillado con esta derrota llamó a la Fausta que lo fuera a buscar: se sentía tan viejo y tan endeble, que no quería estar solo ni un segundo más. Le dijo que necesitaba verme, por si una explicación mía lograba enardecerlo hasta el punto de hacerle comprender mi necesidad de destrucción y no quedarse, como hasta ahora, dentro de la lógica de la moderación. Yo les había dado un contacto para don César —a Ada Luz la conocí después, en la cárcel, donde se formó mi red de mujeres—, un pariente suyo que trabajaba de garzón en un puesto que vendía mariscales en el Mercado Central. Horadando en la ciudad como un topo en la noche, lograron localizarme con un mensaje que a tal y tal hora me pasarían a buscar en una Citroneta gris en cierta esquina de avenida Brasil. Acudí a la cita porque coincidió que por esos días desolados estaba a punto de romperme de hambre y de miedo y de soledad, y necesitaba que me cuidaran y se hicieran cargo de mí, comer bien y sentirme querida y protegida, y oír música, apetencia, tú lo sabes mejor que yo, a veces más tiránica que el hambre. Fausta me tenía carne, recuerdo, un bife, vulgar de tan enorme, casi argentino, y huevos, sí, mucha proteína reconstructora, y un excelente vino tinto. Después de comer —¡cómo olvidarlo!— nos retiramos al atento silencio de esa noche en el escritorio de Celedonio, con sus conocidas paredes verde oscuro y muebles imperio y revistas francesas apiladas por los rincones. Me di cuenta que Celedonio se disponía a preguntarme algo pero no llegaba a formular su ruego, enredándose voluntariamente, me parecía, para no tener que avanzar, cambiar, preguntar, en otros comentarios menos urgentes que el significado de lo no dicho. Afuera oí rodar la ciudad ignorante de nosotros, y la lluvia, a la que tenía el deber de reintegrarme porque me estaba llamando. Pero allí, en el escritorio, bajo la vieja luz de la pantalla de *tôle,* me di cuenta que las irresoluciones de Celedonio no eran más que su forma de lujo. Escuchábamos a Arrau tocando *Papillons* de Schumann —Celedonio y yo también somos schumannianos, Mañungo, como tú—, y durante un instante me ilusionó tener tanto silencio, tanto tiempo para escuchar y sentir placer, que temí que mi odio se desvaneciera. Pero después que terminó *Papillons,* con el vértigo desequilibrado de las *Kreislerianas,* pude recuperar mi rencor: debía olvidar la desgarradora trascendencia de lo grácil y lo leve. Mi camino era más duro, y uno se debía hundir para siempre en él como en el río musical de la locura. En todo caso, excluía el derecho a dolores tan armoniosos y a complejidades tan evanescentes como las de *Papillons.* Celedonio se quedó dormido en un rincón del sofá de crin. La Fausta tejía algo violeta para abrigarme pese a que yo le imploré que no lo continuara porque ese color podía señalarme como blanco en la pobreza plomiza de las poblaciones transidas de neblina. Después nos fuimos a dormir. No pude descansar en mi cama. No tenía derecho. Tanto, que a medida que avanzaban las horas de desvelo mi rencor se extendía, abarcando a la Fausta, a Schumann, a Celedonio, todos cómplices, todos encubridores de la injusticia y de los enemigos. Después que Celedonio apagó la luz, cuando oí roncar a la Fausta porque se había tomado una botella de tinto recordando cómo, con su padre, recorría a caballo sus tierras del sur, yo me levanté, y después de robarle atolondradamente a Fausta todo el dinero que tenía en su cartera, huí. No por la puerta, como podía haberlo hecho, sino rompiendo un vidrio, como una ladrona, como una enemiga, porque así lo quise y así tenía que ser. Era necesario que me odiaran por cosas como ésta, para cerrarme el regreso y prohibirme el derecho a la debilidad del descanso y de Schumann, cosas que debía olvidar si no quería que minaran mis convicciones. Es verdad que mi robo fue nominativo porque Fausta siempre me ofrecía todo lo suyo, el dinero que quisiera para esconderme en un pueblo cordillerano, por ejemplo, y de ahí huir a la Argentina atravesando los Andes a caballo como lo hizo Neruda en tiempos del presidente Gabriel González Videla. Yo rechazaba todas sus ofertas porque mi destino era otro, relacionado con la intemperie, la venganza y la justicia. Además —lo vi muy claro en el momento de desordenar la cartera de la Fausta en busca de billetes—, era necesario sobre todo no aceptar dinero como regalo porque eso sería hacerme cómplice de ellos, que, por moderados, en el fondo eran los auténticos corruptores, los verdaderos culpables. No debía ni siquiera aceptar la idea de que Fausta pudiera «darme» dinero, porque «su» dinero era tan mío, tan nuestro, como de ella, y yo tenía derecho a tomarlo cuando quisiera. ¿Por qué pedírselo ni agradecérselo? Era necesario robárselo, insultar, herir, desaparecer. Me encaminé a la población Lo Hermida, donde, ocultos en la casa de don César, me esperaban los que me detuvieron. Ya te conté cómo fue mi encarcelamiento y el de las cinco mujeres que conocí allá... Oía sus voces gritando a través de los muros... Aury, Senta, Ada Luz, Beatriz, Domitila... La mayor fuerza que tengo ahora es la que me une a ellas, y mi necesidad de venganza es la de vengarlas a ellas, que creen que yo soy igual, pero no soy, no deben saber que no soy igual porque entonces dirán ¿por qué... ¿Por qué tú, si no eres una de nosotras?

20

Hacía muchos años que el Premio Nacional de Literatura para Fausta Manquileo era tema de apasionada controversia en el ambiente. Durante el gobierno de Frei, su apellido araucano se la sugirió a la demagogia como candidata, pero al otorgar el galardón se estimó que quedaban escritores de más edad que lo merecían más, o por lo menos antes que ella, lo que no dejaba de ser cierto. Durante los años de la UP se la descalificó por reaccionaria: al no militar en la revolución quedó en evidencia que aún era propietaria de considerables hectáreas en el sur en cambio, entre los compañeros abundaban escritores de escasos recursos pero ardientes lealtades necesitados de ese premio para sobrevivir. Después de 1973 se la acusó de comunista como a tantos moderados, porque debajo de todo moderado hay un comunista en potencia, y el premio se le volvió a negar para dárselo a los escritores que rodeaban el poder.

A pesar de todo, el nombre de Fausta Manquileo era uno de los más prestigiosos de la literatura chilena, aunque la literatura ahora no pesara gran cosa en la vida nacional. Fausta era el último de los gigantes de antaño, de cuando el conocimiento de las cosas de nuestra tierra y dar testimonio de algo tan noble constituía el gran tema de nuestra tradición narrativa. Con Fausta se achicaba un poco la medida de sus antepasados literarios, es cierto, pero qué se le iba a hacer, era cuestión de los tiempos. Resultaba cómodo para el régimen, en todo caso, que hiciera un decenio que Fausta no publicara nada: así, pese a su intimidad con los Neruda y su vistosa figuración en las protestas políticas, se podía mantener por lo menos su inocente primera novela, *Ventana abierta a un mar de trigo,* dentro de los programas de castellano de Educación Secundaria, ya que si la sacaban, los famosos moderados se pondrían antipáticos hablando de censura o de derechos humanos, y los ingenuos yanquis, a la hora de los préstamos, se podían poner pesados. Sus novelas posteriores, rara vez reeditadas, se encontraban sólo de cuando en cuando en los anaqueles de las librerías de segunda mano.

El ambiente de Santiago era esencialmente pueblerino según don Celedonio Villanueva, de modo que por mucho que cambiaran las cosas permanecían vigentes los tradicionales lazos de parentesco, de colegio, de barrio, de veraneo, como moneda fuerte que en momentos de apuro se transformaba en influencia. A Fausta y Celedonio los «ubicaba todo el mundo»: sus siluetas inconfundibles, mal aunque siempre emparejados en las calles de la capital y en las recepciones de las embajadas, acrecentaban con su figuración un prestigio literario que en buenas cuentas ya hacía tiempo que no tenía nuevos méritos en qué afirmarse. Justamente por esto, para que el prestigio de que gozaba su nombre no pusiera en evidencia el de Judit al cargarla públicamente con el delito de un robo tan tonto, Fausta prefirió no dar aviso a la policía cuando desapareció llevándose el dinero después de haberla acogido en su regazo. ¡Ladrona! ¡Sinvergüenza! ¡Mala amiga! Ése fue su primer arrebato aunque el robo fue de poca monta. Con frecuencia le había ofrecido el doble, el triple, diez veces lo robado sin que aceptara su regalo. ¿Por qué ahora, entonces, y de esta manera tan sórdida? Fausta, que quería a poca gente, contaba entre sus preferidas a la loca de la Judit Torre, así es que ¿cómo no la iba a herir esta traición a su amistad? Don Celedonio, teorizador más fino que ella, mientras se afeitaba la hizo reflexionar, aplacándola con un descarnado análisis de la crisis de esta generación: la gran novelista terminó la mañana ensopada en lágrimas sobre la cama, su diario, su ropa, su bandeja de desayuno revueltos, jurando que utilizaría todo su fuego para arrancar a la pobre Ju del trágico circuito que la estaba ahogando.

No pudieron dar con la Ju durante los ocho días siguientes. Las líneas de comunicación parecían haberse cortado, los contactos, los mensajeros tragados por la tierra, todas las direcciones, indicaciones y nombres al parecer equivocados porque nadie, de pronto, parecía conocer a nadie. ¿Dónde se había metido la Ju? ¿Qué diablos sucedía? Hasta que en la mañana del día noveno apareció su retrato en el diario: *Conocida extremista y dama de la alta sociedad detenida como delincuente común.* Se arrebataron las páginas para leer la historia: Judit Torre fue detenida la noche anterior con una banda de miembros del proscrito MIR al asaltar una bomba de bencina en Pudahuel, encuentro que dejó el saldo de dos heridos y un muerto. Ser señalada como integrante del MIR significaba que la llevarían a uno de los siniestros centros de detención para presos políticos, donde, utilizando técnicas brutales aprendidas en Panamá y Brasil, los peritos obligaban a los presos a confesar sus fechorías y el escondite de sus dirigentes. Los que pasaban por esta experiencia generalmente morían o enloquecían. Con frecuencia desaparecían. En todo caso rara vez quedaban igual que antes.

Si se trataba de un delincuente común, en cambio lo trasladaban a la cárcel pública, donde la justicia ordinaria se hacía cargo de él. Era cosa bien sabida en esa época, cuando las distinciones se tenían claras en todos los hogares como conocimiento preventivo ante el peligro de contaminación de sus hijos, que los delincuentes comunes no podían mantenerse detenidos más de cinco días sin someterlos a juicio. Si se probaba que el caso en cuestión «no tenía méritos», eran puestos en libertad con un certificado de buena conducta *sin antecedentes policiales.* Pero si, al contrario, se encontraban méritos en el caso, el delincuente era encerrado en la cárcel pública con encargatoria de reo. Aunque la cárcel acarreaba una nefasta leyenda de suciedad y vicio y tráfico de drogas y cuerpos, y de falta de alimento, higiene y abrigo, no era tan temida como los centros de detención para presos políticos, porque hasta la cárcel pública no llegaba la terrible mano de los peritos en desapariciones.

Fausta y Celedonio se vistieron a toda prisa para dirigirse a la cárcel, sección mujeres. Les trajeron a Judit, maltrecha, balbuciente y desarticulada, los ojos azules tan pálidos y sin expresión que parecían haberse ausentado de su cara pese a estar inyectados en sangre, su cuerpo cubierto de hematomas y de llagas, flaca de sufrimiento, las manos y las uñas sangrantes por refinamientos de castigo que la imaginación de Fausta prefirió esquivar. La habían cambiado de sitio anoche, declaró, después del toque de queda, cuando todo es sigilo en la ciudad y las hazañas del horror se cometen en silencio, y no se oía ni un murmullo en las calles del Barrio Alto que se adivinó cruzando sellada en el furgón celular —sí, sí, era el Barrio Alto, su Barrio Alto, nada en el mundo podía compararse con la fragancia de una noche veraniega en esas calles, pensó al reconocerlo con el desgarro de quien lo vive por última vez camino del patíbulo, nada en el mundo olía como los pitosporos mojados por el riego y las cascadas de madreselva, y los montones de poda de las macrocarpas que los jardineros retirarán al día siguiente: ahora, justo antes de su muerte, se dio cuenta dentro del furgón, que era imposible confundir una noche veraniega en el Barrio Alto con ninguna noche en ninguna otra parte del mundo— junto con otras cinco «extremistas», sus compañeras, que nada sabían del sortilegio de estas calles. Ella misma, explicó Judit, no comprendía por qué la trasladaron la segunda vez. La tuvieron detenida en otra parte primero, tres días y después la llevaron a otro centro para que se repusiera antes de traerla a la cárcel pública.

—El primero fue terrible. Me detuvieron al llegar de la casa de ustedes la noche que les robé la plata. En el segundo centro me dejaron cinco días.

—Ocho días en total —dijo don Celedonio secándose la frente sudada—. Oye, Ju..., óyeme...

No contestó.

—Judit —volvió a urgirla don Celedonio.

Sólo entonces ella levantó la vista para preguntar:

—¿Qué?

—¿No te detuvieron ayer en la mañana, entonces?

—No. Hace ocho días. Ayer en la mañana estaba encerrada en el segundo centro.

Cuando desplegaron el diario para que Judit leyera la noticia, pareció revivir. Nada de eso era verdad. Todo mentira. Jamás había oído esos nombres ni visto esas caras. A la hora que el diario daba como la del asalto, ella estaba encerrada en una celda con cinco compañeras. Tenía testigos para probarlo. Cualquiera de sus cinco compañeras podía dar fe de que decía la verdad.

—Si te trajeron aquí anoche, tenemos tiempo para sacarte antes de que te..., te vejen —dijo don Celedonio.

—No —dijo Judit pese a que no era verdad: reconoció, este, sin embargo, como el momento inicial, cuando ya no pudo resistir la necesidad de fabricar su mentira—. En el primer centro, en los primeros días, ya me había sucedido lo peor.

—¡Mi amor! ¡Pobre! —exclamó Fausta—. Después me cuentas. Lo que hay que hacer ahora es sacarte. No puedes seguir aquí.

Judit se aferró a Fausta:

—Sí. ¡Pero que no me vayan a devolver al primer centro de detención! ¡Por favor, que no me vuelvan a llevar!

Algunas personas permanecían años deshaciéndose en ese leprosario de la cárcel pública, para salir avejentadas y viciosas después de un tiempo tan largo que era imposible calcularlo. Aun así, esa situación era preferible a los centros de detención para presos políticos. ¿Qué enredo era el caso de Judit, entonces, el periódico falseando fechas y hechos que confundían su situación? Necesitaban establecer cuanto antes si Judit era presa política o delincuente común. Las autoridades habían cometido el error, seguramente no del todo inocente, de acusar a Judit de un delito que se habría llevado a cabo en una fecha y a una hora cuando se podía probar que se encontraba encerrada. Pero si se llegaba a probar que la noticia del periódico era falsa y que Judit no era delincuente común, seguramente el centro de detención de presos políticos la reabsorbería, hundiéndola otra vez en la incomunicación a la que ni los abogados tenían acceso, y si lo tenían, era imposible para ellos y para cualquiera desenredar la maraña de los torvos poderes en pugna.

Fausta y Celedonio siguieron al camión celular en su auto hasta el juzgado, que funcionaba en una respetable casona del barrio bajo, de adobe disimulado por pretensiosas confituras finiseculares, las molduras trizadas, la pintura descascarada, una bandada de parientes de los detenidos murmurando desasosegados en la puerta. Bajaron del carro celular a Judit junto a otros presos y los encerraron en el interior del recinto a esperar que les llegara el turno para que un actuario los fuera llamando. Fausta y Celedonio, insoportablemente inquietos pese a su fatiga, subían desvencijadas escalas, bajaban, recorrían los patios descuidados, se sentaban a

descansar en los bancos libres esperando que llamaran a
Judit y que, esposada como los otros presos, la conduje-
ran a declarar ante un juez en un cubículo. Veían volver
a los presos de sus careos para ser encerrados otra vez
por los gendarmes, con sonajera de llaves y candados, la
inquietud repetida con distintos rostros a lo largo de un
tiempo exasperantemente extendido. Grupos de hombres fumando conversaban en voz baja en la puerta del
juzgado, mirando el cielo, comentando el *smog,* escuchando las campanas de la Gratitud Nacional, de San
Lázaro. Nadie respondía a las preguntas de Fausta y Celedonio con certeza. A lo sumo con un:

—Les llegará el turno cuando el juez los llame.

Ya habían devanado todos los pronósticos posibles para Judit, y hacerlo de nuevo iba a romperles los
nervios. La primera alternativa era que se aclarara el
error de la prensa sobre el delito policial de Judit y fuera
devuelta a la policía política: lo que más temían, pero lo
más probable. La segunda alternativa era que, pese a las
pruebas, se la declarara delincuente común y la encerraran hasta que se pudriera en la pestilencia de la cárcel.
La tercera alternativa era que se declarara sin méritos su
caso y la dejaran libre, sin razones, así no más, irreflexi-
vamente, para bien o para mal, como solía ser ahora la
justicia, permitiéndoles llevársela. ¿Entonces, qué? ¿Qué
podían hacer con Judit libre de nuevo? ¿Dejarla que volviera a huir de casucha en casucha en la clandestinidad,
con la mirada del régimen más fija que nunca en cada
uno de sus pasos?

—Tiene que salir inmediatamente de Chile —declaró Fausta por millonésima vez, segura de su propio ins-
tinto de conservación aunque incierta acerca de los méto-
dos para ponerlo en práctica.

—No puede —respondió Celedonio también
por millonésima vez esa mañana, seguro de su lógica

aunque confuso respecto a su eficacia—. No tiene pasaporte ni certificado de antecedentes, y su nombre debe figurar en la lista de personas con arraigo en el aeropuerto de Pudahuel.

Fausta, componiéndose el peinado, se puso de pie y dijo:

—Averigüemos, entonces.

Fue exactamente en ese momento, pensó Fausta después, cuando todo comenzó a acelerarse locamente, como en una película de la que se ha perdido el control. Tomaron el auto y se fueron a la Embajada de Venezuela, donde el embajador perdonó gentilmente a don Celedonio por no aceptar fumarse un cordial puro con él, pero cuando supo el asunto que lo traía se puso serio y se excusó para encerrarse con un teléfono. Después de veinte increíbles minutos en que el mundo pareció haberse detenido en su eje descompuesto, salió para informarles que ese nombre no figuraba en la lista maldita de ningún aeropuerto chileno, pero que no le preguntaran cómo lo averiguó: era un favor muy especial que les hacía en atención a sus distinguidas personas. Además, iba a extenderles un papel que le serviría a esa dama como visa para entrar en Venezuela. Fausta y Celedonio salieron con el papel en la mano, la esperanza saltándoles en el corazón, a hablar con el padre de la Ju: andaba en viaje de negocios en USA. Y luego con un abogado de toda confianza que les dijo que, por supuesto, no faltaba más, que lo esperaran a mediodía en el juzgado. Cuando se enteró de quién era la detenida, sin embargo, cuya foto aparecía esa mañana en todos los periódicos y cuyo nombre atronaba desde todos los noticieros de las radios, dijo que pensándolo mejor tenía demasiado que hacer y como esos juicios se demoraban una eternidad no importaba que no llegara al juzgado hasta las cuatro de la tarde. Temerosos de que llamaran a Judit para que

compareciera sin estar ellos presentes —«¿Pero por
qué?», les preguntó el abogado. «¿De qué va a servir la
presencia de ustedes? ¡Cálmense!»—, don Celedonio y
Fausta, desmelenada, con el maquillaje borroneado por
el calor y el sudor corrieron hasta el bar más cercano a
tomarse un whisky de pie porque si no se morirían, y
volvieron al juzgado en el momento en que el gendarme
conducía a Judit esposada para que prestara declaración
ante el actuario. La siguieron hasta la sala donde sonaba
el tableteo de las máquinas de escribir, pero no los dejaron entrar: pudieron distinguir la silueta de Judit disuelta en el vidrio esmerilado de la puerta que vigilaba un
gendarme. Cuando alguien abría la puerta la asediaban
los parientes de los presos para mirar, y por entre sus cabezas, Fausta y Celedonio divisaban a Judit cabizbaja, ji-
bada, hablando al parecer lentamente, monótonamen-
te, de pie ante la mesa del actuario, que mecanografiaba
sus declaraciones. ¿Por qué no llegaba el maldito abogado? ¿Cómo iba a llegar si ni siquiera era mediodía y les
advirtió que no lo esperaran hasta las cuatro? ¿Llamar a
otro abogado? ¿A quién? ¿Dónde? ¿Cómo dejar sola a la
pobre, tan sucia y harapienta y desvalida? Que se calmara Fausta, decía Celedonio pechando en el grupo que el
gendarme trataba de mantener a raya: que no se agita-
ran, no había prisa, estos juicios duraban días y días,
eternamente, o por lo menos así parecían esos cinco días
antes que el juez se pronunciara acerca de si un caso tenía méritos o no, y si procedía o no una encargatoria de
reo. De modo que el abogado tenía tiempo de sobra para llegar a las cuatro, y ellos, después que se retiraran los
jueces y transportaran a los presos de vuelta a la cárcel
pública para que pasaran allí la noche, podían ponerse a
llamar con toda tranquilidad a esos personajes tan en-
cumbrados que decían conocer, para que los ayudaran
con su influencia. Que esperaran, como todos. Fausta y

Celedonio se dejaron caer en un banco, ella abanicándose con un diario, y abanicando de paso a Celedonio, que ahogado con los fétidos cigarrillos de los demás, repetía y repetía:

—Que su nombre no figure en la lista de Pudahuel ya es algo. ¿No te parece? Tal vez no sea más que porque todavía no han agregado a los delincuentes de anoche. ¿Servirá esta especie de visa que nos dio el embajador?

—¿Y el certificado de antecedentes? —preguntó Fausta.

—El juez lo va a dar en cuanto termine el juicio.

—Ése es el certificado de antecedentes policiales. Pero ¿y el certificado de antecedentes políticos?

Don Celedonio se alzó de hombros sin contestar. ¿Quién podía saber una cosa así? ¿Quién sabía nada, en el infierno de este país? Cerró los ojos y apoyó su espalda en la pared. Sólo entonces murmuró muy bajito, con un suspiro:

—No sé.

—¿Y el pasaporte?

—No sé. No sé, te digo.

Desde sus máquinas de escribir, los actuarios severos y agobiados, cuando abrían una ranura en la puerta, echaban una mirada al grupo reunido afuera gritándoles que guardaran silencio. Los gendarmes se llevaban a los presos que no tenían más con qué defenderse y cerraban las puertas con cadenas. A las doce y cuarto llamaron a Fausta y Celedonio para que comparecieran en la minúscula oficina del juez donde los esperaba la Ju. El juez les comunicó que el caso de Judit Torre Fox quedaba sin méritos.

—¿Puedo llevármela? —preguntó Fausta.

El juez, mirándola por encima del membrete de las hojas mecanografiadas que mantenía casi verticales, dijo que desgraciadamente, no: la detenida Torre Fox,

pese a sus apellidos rimbombantes, iba a tener que volver a la cárcel pública para que desde allí la reclamara el
centro de detención de presos políticos, que era donde
pertenecía aunque esos señores quisieran echarles encima la responsabilidad a ellos, la justicia ordinaria. Podía
considerarse el juicio terminado —¿quién dudaría que
se trataba de otra malintencionada metida de pata de los
periodistas? —pero quedaban ciertas confusiones indicadoras de que la justicia ordinaria en jamás de los jamases podría entenderse con la policía política. ¡Quién
sabe quién iba a salir perdedor en esta malhadada escaramuza! Él, por lo pronto, se lavaba las manos: le devolvía la detenida Judit Torre Fox a la policía política. Fausta olió la derrota. Tomó la mano esposada de Judit. El
juez le tendió el papel a Fausta, rogándole:

—Firme aquí, por favor, señora.

Por el rabillo del ojo, mientras firmaba no sabía
qué ni para qué, Fausta observó al juez, calculando
cuántos minutos, o más bien segundos, le quedaban para salvar a Judit, no sabía cómo. No se le ocurría de qué
echar mano para seducir a este muchacho delicado, con
anteojos de oro, dos redomas gruesas como lupas donde
nadaban los enormes peces negros de sus ojos asustadizos. Era flaco, pero se le insinuaba una pancita dura, y
tenía el cutis seboso del casado joven a quien su mujer
ya domina por el estómago. Cuando Fausta le devolvió
el papel, el juez se quedó descifrando la firma.

—¿Qué dice aquí? —preguntó sin levantar la vista.

—Fausta Manquileo.

El muchacho dejó caer el papel sobre el escritorio
y reflotando sus ojos asombrados los fijó al cristal de las
redomas, al mismo nivel de los ojos de Fausta. Ceremonioso, se puso de pie.

—¡No puedo creerlo! —exclamó ya sin timidez,
acercándose a Fausta y estrechándole la mano.

Había olvidado tanto a Judit y a su caso como a don Celedonio. No oía el tableteo de las máquinas ni el ir y venir y las voces en la sala contigua. Le estaba diciendo a la escritora que había leído *Ventana abierta a un mar de trigo* en el colegio, como todo el mundo, y su entusiasmo había sido tal que no sólo eligió como esposa a una prima suya parecida a Nélida la heroína, sino que en las librerías de viejo en la calle San Diego persiguió todos sus libros hasta completar la colección: creía tener sus obras completas. ¡No podía figurarse el honor que era para él conocerla, y la felicidad…! Le rogó a Fausta que tomara asiento un momento frente a él. Sí, sí tenían tiempo de sobra, los demás podían esperar. Repasó con la escritora título por título y las fechas de publicación de todos sus libros. Él también escribía, confesó: los peces negros no se movieron, pegados al cristal de sus redomas, atentos a la reacción de la ilustre visitante:

—En un trabajo como éste —comentaba el pichón de juez— las vivencias son muchas y no falta temática impactante para colocar en una obra…

¡Le gustaría tanto mostrarle sus escritos a alguien que entendiera de esas cosas, porque él vivía en un ambiente profesional un poco chato, alejado de las cosas del espíritu, y sus colegas se podían reír de él si llegaban a saber…! ¿Sí? ¿Sería posible? ¡Qué honor tan grande, que ella le diera su opinión! Sí, claro, encantada, respondió Fausta viendo escurrirse el tiempo sin poder frenarlo, sin poder huir con la pobre Ju a quien sentía tiritar a su lado de algo que no era frío. Además, agregó Fausta, podía obsequiarle cierto tomito de poemas eróticos publicados en edición limitada hacía, bueno, muchos años cuando ella era joven, claro, y esas cosas…, y si quería le podía autografiar su colección. ¡Gracias, gracias! El juez opinaba que era urgentísimo que le dieran el Premio Nacional de Literatura a Fausta Manquileo, ya que ese galardón se estaba desprestigiando porque lo otorgaban por pura politiquería, como tantas cosas que en el pasado reciente habían destruido la estructura moral del país.

Estuvieron charlando cerca de media hora. De vez en cuando traían documentos que se iban apilando en una esquina del escritorio, o entraba un actuario para recordarle que una cola de personas esperaba que terminara con este caso. El juez, furibundo, gritaba que cerraran la puerta, y continuaba su amena disquisición literaria con tan importante figura mientras su interlocutora sentía que su mundo se iba a desmoronar. Mañana mismo le traería de regalo la plaqueta, que era una pieza verdaderamente rara, le aseguró Fausta. Y si mañana él hacía el favor de traerle sus escritos ella podía echarles una mirada y darle su opinión.

—Además —agregó Fausta secándose el sudor, tartamudeando porque sabía que estaba exagerándolo todo, sobreactuando, ofreciendo demasiado, atosigando, tanto que el juez terminaría por dudar—, además, conozco gente en las editoriales, así es que si puedo echarle una mano en ese sentido, encantada. Claro que siempre que encuentre que sus trabajos lo merezcan, porque usted comprenderá que no puedo comprometer mi reputación profesional recomendando cualquier cosa...

¡Por supuesto! ¡Eso se daba por descontado! Lo último que se le ocurriría exigirle sería que una persona de su prestigio se comprometiera por algo dudoso. Sería como pedirle a él que firmara algo en cuyos méritos no creía, y eso era imposible. Por lo pronto, en el caso de doña Judit Torre se veía en la obligación de devolvérsela a la policía política y con eso manifestarles a esos señores que eran unos incompetentes, unos mentirosos, y que él, como representante de la justicia ordinaria, no les creía nada.

—¿No cree lo del asalto? —preguntó don Celedonio, avanzando hasta el escritorio.

—Naturalmente: no creo lo del asalto, entre otras cosas.

Don Celedonio, entonces, ante la sorpresa de Fausta inició una diatriba contra la policía política, acusándola de estar de acuerdo con esos sinvergüenzas de los periodistas que publicaban lo que se les pasaba por la cabeza con el fin de enredarlo todo y ensuciar instituciones tradicionales que en esencia eran sanas. ¿Creía honradamente el señor juez que el error cometido en el caso de la detenida Judit Torre Fox era, en realidad, un error? ¿No era más bien un acuerdo, una intriga siniestra de esas dos instituciones —de perfil dudoso, por decir lo menos—, para ensuciar y complicar a la justicia ordinaria, de tan noble tradición en nuestro país? ¿No era defendible, entonces, la posición de que si todo este asunto era una mentira de la policía en concomitancia con periodistas venales, también debía ser falsa, o parte de un desquite o una venganza a terceros la maniobra de tomar presa a Judit Torre Fox, acusándola de delitos políticos de los que nadie, hasta ahora, dentro de lo que él sabía, había exhibido ni una sola prueba?

Fausta, el juez que firmaba más y más triplicados bajo el efecto alucinógeno de la presencia de su escritora preferida, e incluso Judit, que pareció revivir con el alegato de don Celedonio, guardaban un estupefacto silencio contemplándolo, como quien contempla el paso de una cabalgata, el orden irrefutable de las argumentaciones del poeta menor, desplegadas en formación militar, que terminaron con un tajante:

—Judit Torre Fox debe quedar libre ahora mismo: estas pugnas internas entre las fuerzas que deben mantener el orden de nuestro país lo están minando, y su lucha, su rivalidad, su odio, será lo que finalmente eche por tierra la seguridad del Estado, no, como se dice, el terrorismo ni la izquierda, que, todos sabemos, está diezmada. ¡Es una vergüenza y me hace temer por mi patria! Si el asunto de la policía política no es de incumbencia suya, señor magistrado, después de la sentencia y del certificado de antecedentes policiales que usted acaba de firmar, me parece lógico que la detenida quede libre. ¿Qué más quieren de ella? ¿Que la policía política continúe abusando y les vuelvan a echar la culpa a ustedes, que son inocentes? ¿Que los periodistas fisgones vuelvan a meter sus sucias narices e inventen nuevas torpes maneras de embarrarlos a ustedes? ¡No, no! ¡No hay que permitirlo! Hay que pensar que si la policía ordinaria no toma determinaciones que pasen por encima de sus cabezas de manera olímpica, la policía política puede atreverse a pensar que ustedes les tienen miedo porque los creen más poderosos, y se sentirán impunes para seguir actuando del modo que en este caso, por ejemplo, han actuado, riéndose de ustedes, sin respeto, con la prepotencia que caracteriza a la gente que no tiene las manos completamente limpias, y así seguirán entorpeciendo y desprestigiando a la institución que usted representa.

Fausta no podía creerlo: todo era demasiado brillante, pero también tan frágil, con un movimiento en falso, con una palabra de más o de menos, todo se podía hacer añicos, y precipitarlos no sólo a Judit sino a todos ellos, en la cárcel. Quiso apresurar el asunto lo más posible con su mejor sonrisa.

—¿Mañana, entonces, con sus manuscritos?

El juez timbró los papeles. Luego, sin decir más, tocó una campanilla. Apareció un gendarme al que le indicó con un gesto de la mano que le quitara las esposas a la detenida. Fausta hablaba sin parar, sin saber qué estaba diciendo, sólo para apabullar, para no permitir que el juez pensara, porque ella, desde luego, no podía creer lo que estaban viendo sus ojos. Se daba cuenta que si no sacaba a Judit del juzgado ahora mismo, aprovechando el hechizo con que los dos peces negros asomados a los cristales contemplaban, sin ver, esta escena, no iba a salir jamás, y estaría perdida. Las virtudes de la prosa poética, los falsos valores, los escritores de segunda que se creen de primera, la casa de Neruda en Isla Negra, la vanidad de los poetas que en este país se creen más importantes que los prosistas, publicaciones, becas, era incalculable la cantidad de temas que el atolondramiento nervioso de Fausta la capacitó para abordar durante el brevísimo tiempo que duró la operación de quitarle las esposas a Judit, cosa que simuló no ver, ni la firma de los últimos documentos. Hasta que la detenida, por fin, levantó los ojos con un mínimo reflejo divertido ante la novela con que Fausta estaba acribillando los asombrados oídos del juez, usando el esqueleto de su biografía para colgar de él una conmovedora historia de inocencia, que por cierto no era la suya. El magistrado le hizo entrega de los documentos, la sentencia y el certificado de antecedentes policiales a doña Judit Torre Fox.

—¿Mañana? —le preguntó el magistrado a Fausta, dando un rodeo al escritorio para estrechar por última vez ese día tan distinguida diestra.

—¿A esta hora?

Don Celedonio se quedó atrás con Judit, porque comprendió que el papel protagónico le correspondía ahora a Fausta, y sólo ella, con sus aires de princesa, era capaz de maniobrar un *exit* triunfal.

—A esta hora, si es conveniente para usted.

—Encantada. No se olvide de traer sus originales.

—¡Cómo se le ocurre!

—Gracias por todo.

—No, a usted. ¡Ha sido un honor tan inesperado para mí!

—Y para mí un gusto. Hasta mañana. ¿Vamos, Ju?

Fausta tuvo que empuñar sus manos y agarrotar los dedos de los pies en sus zapatos de tacos altísimos para poder sobreponerse a su impulso de salir corriendo del juzgado antes que le arrebataran a Judit. Pero el tranco de ambas era largo y firme por los pasillos bochornosos, seguidas por don Celedonio, que apenas lograba alcanzarlas, renqueando con su bastón. Bendito sea Dios, bendito sea el dios de los incrédulos, iba murmurando Fausta al salir y dirigirse al auto estacionado a una cuadra, bendito sea el maravilloso dios de los ateos que había oído sus ruegos como siempre que lo invocaba cuando estaba a punto de zozobrar, bendito sea Celedonio y su labia que para algo servía.

Se puso al volante. Celedonio se sentó a su lado, y Judit, con lo que parecía la sombra de una sonrisa, se sentó en el asiento trasero. Cuando partió el auto, abrió las ventanillas a ambos lados para que soplara el aire sobre ella, refrescándole la cara y el pelo pegoteado por la mugre, produciéndole una especie de risita nerviosa mientras iba repitiendo los nombres de las iglesias y de los edificios públicos al pasar, como para comprobar si después de lo que le había sucedido aún se encontraban donde siempre.

¿Qué hacer ahora? De eso hablaba Fausta y Celedonio en los asientos de adelante, pero Judit no les prestaba atención por ir escudriñando las calles. ¿Qué hacer? ¿Qué sacaban con tener a Judit en libertad —libertad que podía ser sólo momentánea porque la policía política iba a darle caza y a ellos también como encubridores—, si no sabían qué hacer con ella? Tenía certificado de antecedentes policiales, es cierto. Pero no políticos. Su nombre, hasta hacía dos horas, no figuraba en las listas malditas de Pudahuel: quién sabe si ahora... Don Celedonio le entregaba dinero, que podía necesitar y entrar allá con la visa diplomática otorgada por el embajador. Daban vueltas y vueltas por el centro, por el embotellamiento de autos y sus exhalaciones, discutiendo el próximo paso a dar. Judit dijo que ella tenía un amigo que podía conseguirle un pasaporte falso. ¡No, un pasaporte falso no! ¡Era demasiado riesgoso y además demoraban varios días y tenía que partir ahora, cuanto antes! Por si acaso, ¿por qué no tomarse unas fotografías? Estacionaron en el centro y entraron a un kiosco de fotos *al minuto:* diez desesperantes minutos antes de tener una serie de fotos de Judit ajada, despeinada, flaca, moreteada, pero indiscutiblemente Judit Torre. Volvieron a subir al coche y repetían y repetían que pasaporte falso no, no podía ser, era demoroso, Judit tenía que salir de Chile en el próximo vuelo. Había uno de Swissair a las cuatro —mientras las mujeres esperaban en el kiosco de las fotos, don Celedonio pasó a la oficina de turismo vecina a averiguar—, un Air France a las cinco, un vuelo norteamericano a las cinco y media: el Swissair de las cuatro. ¿Pero, y lo más importante, el pasaporte? ¿Cómo conseguir un pasaporte? Estaban hablando como tontos: sin pasaporte todo era inútil.

—Y ropa —dijo Fausta—. No puedes viajar con esa facha.

—¿Estás loca, preocuparte de la moda en estas circunstancias? —le gritó Celedonio.

El aspecto de Judit era lamentable: una pollera en harapos que se le caía de tan amplia y tan larga porque había enflaquecido mucho, manchada y ajada. Y una camisa a la que le faltaban botones, con una manga descosida. Fausta y Celedonio se trenzaron en una discusión, acusándose mutuamente de frivolidad y cobardía, discusión en la que se adivinaba que no eran éstos los valores en disputa sino otros, y sólo usaban éstos para ventilar viejas desavenencias, porque sus agresiones se referían a cosas que quedaban ocultas en sus historias privadas y no se nombraban. O discutían de temor por sus vidas, como todo el mundo en menor o mayor grado en este país que parecía más y más a punto de encallar, hundirse y desaparecer con todos ellos.

—Veinte para las dos —leyó Judit en voz alta al pasar frente al reloj de la universidad—. Identificación cierra a las dos en punto.

—¿Y qué?

—Bueno —explicó don Celedonio para conciliar—. La Judit tiene razón. Lo único que tenemos seguro es el papel de antecedentes y que esta mañana su nombre no figuraba en el registro de Pudahuel. Hay que ir a Investigaciones para conseguir el pasaporte.

—¡Estás completamente loco! —le gritó Fausta.

—No, vamos —insistió Judit con la autoridad de quien toma una decisión sobre su propia vida, de modo que Fausta no dudó en enfilar hacia la calle General Mackenna y la Oficina de Investigaciones.

El resto del camino lo hicieron en silencio. Llegaron a la puerta de Identificación diez minutos antes de la hora de cerrar. Los últimos en ser atendidos venían saliendo, ufanos con sus documentos en la mano o guardándolos.

Un gendarme detuvo a don Celedonio:

—Vamos a cerrar —dijo—. Ya es hora.

Don Celedonio le mintió lo más serenamente que pudo que no se trataba de solicitar un pasaporte, sólo venía a retirar un documento que ya estaba listo. Mientras perdía dos minutos en convencer al gendarme vio en el gran salón a diez empleados en fila tras sus escritorios, terminando de ordenar sus papeles y disponiéndose a partir. ¿Qué más de diez minutos se iban a demorar en tenerles listo el documento? El gendarme miró a Judit, que bajó los ojos como si con eso quisiera velar su identidad.

—Pasen —dijo el funcionario.

Los tres permanecieron en el umbral de la gran sala frente a la fila de mesas, desde donde los empleados que terminaban de tapar sus máquinas de escribir los contemplaron. Era como si desde la puerta estuvieran eligiendo a cuál de esos diez empleados le iban a entregar el destino de Judit: que ellos lo decidieran. Y Judit se dirigió hacia cualquiera, hacia uno que tenía la mesa cerca del centro de la fila de empleados, no porque le pareciera el más importante ni el más comprensivo, sino por esas casualidades que estaban rigiendo su vida. Era un hombre corpulento, la cara olivácea mofletuda, los párpados gruesos, y un bigotito fino muy recortadito, demasiado insignificante en proporción a la amplitud de su rostro y su cuerpo. No se había afeitado esa mañana. Igual que otros empleados, se había sacado la chaqueta, colgándola del respaldo de su silla, luciendo una camisa blanca, grisácea de tanto uso, la tela adelgazada por el lavado transparentando la oscuridad de su pecho velludo. Encima de su cabeza, cerca del cielo ligeramente abovedado de la sala, volando con una pirueta de artista de circo, un gran reloj marcaba siete para las dos. Se acercaron, don Celedonio a un lado de Judit, Fausta un poco más atrás.

—¿Qué necesitan? —preguntó el hombre con una voz un poco gangosa, como si sufriera un resfrío de verano, de esos rebeldes que ponen de mal humor.

—Pasaporte para esta niñita.

—Van a ser las dos. Ya no es hora.

—Faltan seis minutos... —alegó don Celedonio lo más gentilmente que pudo.

El hombre de la voz gangosa miró fijamente a Judit. ¿La reconocía por la foto en los diarios de la mañana? Quizás no hubiera tenido tiempo para leer la prensa. Pero algo se puso a funcionar dentro de su mirada, en el fondo de sus ojos de seda, húmedos y pestañudos como náufragos en ese rostro vulgar, o como si hubieran permanecido bellos y acariciadores con el único propósito de inmovilizar a Judit con su ternura: el perdonador de la celda, el de la voz gangosa, debía tener ojos así. Sus manos regordetas barajaban, restregaban, ordenaban y desordenaban un montón de papeles sobre su escritorio como si esta actividad vacua no tuviera relación con la hondura de lo que estaba sucediendo en su expresión. ¿Eran tibias, blandas, húmedas sus manos? ¿La había reconocido...? Detrás de la mesa de más allá un empleado se levantó, poniéndose lentamente la chaqueta: don Celedonio se fijó en el forro desteñido en las axilas. En otro escritorio, otro empleado guardaba papeles en un cajón que sonó al cerrarlo, y retumbó en la gran sala. Detrás de sus mesas, dos empleados que hablaban se convidaron cigarrillos y mutuamente se los encendieron.

—¿Las fotos?

Mientras don Celedonio las buscaba en su billetera, el hombre de la voz gangosa, desde su máquina de escribir, escudriñaba a Judit, que le sostuvo la mirada: o la reconocía por la foto de la mañana, o la recordaba a pesar de su capuchón, y era él —¡sí, sí, era él, tenía que ser él, y la iba a perdonar otra vez!—, o no la reconocía y la dejaba pasar. Ahora estaba examinando las fotos, un segundo más de lo necesario, casi como si estuviera eligiendo una para guardarla de recuerdo. Luego, levantando la cabeza de nuevo, pidió:

—¿Certificado de antecedentes?

Fausta se lo entregó. Desde las otras mesas los empleados miraban sin decir nada. ¿Quiénes eran estos hombres que sin aparentar hacerlo la escrutaban para impedir su fuga porque la reconocían? El perdonavidas titubeaba detrás de su máquina sin decidirse a perdonarla también esta vez. Tenía la voz gangosa como todos los violadores, y las manos blandas: Judit ansió sentir esa mano reconfortante sobre su rodilla. Los otros empleados cubrían sus viejas Underwood, negras como ataúdes, como máquinas de coser Singer, como teléfono de pared, con sus terribles fundas de hule negro descascarado. Pero no el perdonavidas de la voz gangosa. Como si viera un certificado por primera vez en su vida, y no diez, veinte, cincuenta veces al día, todos los días de su pobre rutinaria existencia, examinaba el documento: antecedentes policiales limpios. Pero nada sobre antecedentes políticos. Levantó sus ojos vidriosos. ¿Bebía?

—Oye —dijo, dirigiéndose a su compañero del escritorio de al lado.

—¿Qué?

—¿Servirá este papel? —Se inclinó para mostrarle el certificado de antecedentes policiales.

El otro lo miró un segundo y dijo:

—Supongo.

—Claro que sirve —intervino sin acercarse el que se acababa de poner la chaqueta y estaba arreglando la corbata frente a un espejito minúsculo clavado cerca de una puerta. No parecía siquiera haberse dado cuenta de que entraron en la sala y menos de qué clase de documento se trataba. Sin embargo vio, como si todo fuera aterradoramente transparente. El hombre de la voz gangosa abrió un cajón y sacó un pasaporte en blanco. Preguntó el nombre, la fecha de nacimiento, el lugar, sin darse por aludido de que sabía todos esos datos que habían aparecido en los diarios de la mañana. Se hizo un silencio tan grande como toda la sala, y todos los demás empleados permanecieron sin moverse, transparentes, esperando.

—¿Casada?

—Sí.

—Certificado de matrimonio.

—No lo tengo.

—Ah, entonces no puedo...

Desde otro de los escritorios una voz exasperada no gritó, sino que dijo suavemente, pero ahogando con esa suavidad un grito de desesperación:

—Ya, pues, Medinita. Apúrate. ¿Hasta cuándo vamos a estar aquí?

Entonces Medina dijo, escribiendo:

—Pongamos soltera, entonces.

¿Era una confabulación, se preguntó Judit? ¿Era gente infiltrada de la izquierda que trabajaba en Investigaciones y sabiendo quién era, la perdonaban, ayudándola a huir del país para que no la mataran? ¿Eran empleados de tiempos de la UP que permanecieron en sus puestos para poder alimentar a sus familias pese a la humillación de tener que soportar sus cargos, que se desquitaban ayudando a huir a uno de los suyos? ¿O era que los diez empleados habían percibido en ella lo que percibió el perdonavidas de la voz gangosa a quien ella aterró con su desnudez en la celda y no se atrevió a tocar sus privilegios, dejándole sólo el recuerdo de una mano tibia y húmeda en la rodilla?

Con el fin de teñirle los dedos para tomar sus impresiones digitales, Medina, por fin, le cogió la mano. El corazón de Judit la ahogó de anhelo: no era la mano. Era musculosa, seca. No era la voz gangosa. Esos ojos de seda eran de otro, miraban otra cosa en ella. Después, sin hacerle lavarse las manos, le dijo:

—Firme aquí.

La lapicera cayó de los dedos doloridos de Judit. Medina se inclinó para recogerla y limpió la tinta de las impresiones digitales. Se la entregó.

—Gracias —dijo Judit al firmar.

—Ahora tiene que firmar el jefe —dijo Medina, levantándose—. Espere un ratito.

Fausta se adelantó un paso:

—¿Por favor, no se puede apurar?

—Señora, le estamos haciendo un favor. No sabemos si el jefe va a querer firmar a esta hora. Capaz que ya se haya ido.

—Dígale que soy Fausta Manquileo.

El empleado que tenía prisa la miró altanero, como si del desorden del maquillaje de ese rostro quisiera desentrañar una identidad.

—¿Y quién es Fausta Manquileo?

Fausta, en silencio, dio un paso atrás.

—Apúrate, pues, Medinita —susurraron desde varios escritorios.

—No está el jefe, Medina, ya se fue —dijo uno que no había hablado antes—. Yo firmo. Quién se va a estar fijando.

Medina le llevó el pasaporte. Casi todos los demás se habían levantado, contemplando la escena en silencio. Uno dijo:

—Son dos mil pesos. ¿Hago la boleta, Medina? Para que se apuren, decía yo. Ya son tres minutos pasadas las dos.

—Sí, por favor, Lorca.

Lorca escribió. Los demás miraban, se arreglaban el pañuelo en el bolsillo del corazón, se peinaban, se estiraban los puños de la camisa, terminaban de guardar el material de trabajo. Medina volvió a su escritorio con el documento, agitándolo en el aire como para que se secara la tinta.

—Tome... —dijo, entregándoselo a Judit después de apretarlo con el timbre seco, duro e implacable como debían ser los instrumentos de tortura.

—¿Y el certificado de antecedentes? —pidió don Celedonio.

—Ah, claro —dijo Medina, y doblándolo se lo devolvió.

—Gracias —le dijo don Celedonio a Medina.

—Gracias —agregó Fausta.

Esperando que Judit agregara sus propias «gracias», Medina no contestó «de nada», y Judit no agradeció, porque la mano no era la mano, ni la voz, la voz. Los confabulados de la sala de pasaportes la miraron en silencio mientras salían todos a las dos y cuatro minutos, Fausta delante, del brazo de Judit, apoyándola y apoyándose porque no podía creer y se estaba sintiendo muy vieja con todo este asunto y muy cansada, y temía desmayarse. Don Celedonio iba atrás, renqueando con su bastón: para celebrar el triunfo encendió un reconfortante puro al bajar a los dos y cinco la escalinata de Investigaciones. Tomaron el auto y se dirigieron a Pudahuel. El horror quedaba atrás. Y a las tres y media de la tarde Judit se embarcó en un Jumbo de Swissair rumbo a Caracas, sin equipaje, moreteada, hambrienta porque el miedo de que la reconocieran o que su nombre ya figurara en las listas le había impedido comer nada en el restaurante del aeropuerto.

21

Tendidos entre los acantos, como resultado de la fatiga del relato, Mañungo y Judit se durmieron abrazados. La noche había ido adquiriendo una gran uniformidad, ininterrumpida por paseantes y por perros perdidos, y hasta los astros parecían haber frenado su tránsito. Después de medianoche se fueron apagando las luces de los edificios en el fondo de los jardines, y quedaron montando guardia frente a la liquidez del cielo. Porque el miedo, por fin, había logrado limpiar de las calles a los que no pertenecían a ellas, que se fueron retirando silenciosos a sus escondrijos con el fin de seguir inventando estratagemas para desmontar los privilegios manejados desde esta zona. La historia que Judit contó pertenecía al temor que zanjaba medio a medio la ciudad rabiosa por sentirse decapitada, impotente, privada de voz, sin otro pulso que el de los helicópteros que más temprano habían hecho palpitar la noche, pero que ya no se sentía. En la vereda, uno en los brazos del otro, entre las plantas tan vigorosas que parecían carnívoras, Judit y Mañungo, envueltos en sus ropas pálidas, quedaron habitando el extraño revés de las cosas cuya punta destapa apenas el amor y el sueño.

Un Mercedes, por fin, se asomó en la esquina. Disminuyó su marcha y se introdujo bajo la penumbra de los prunus, avanzando sin ruido porque como era tarde no se debía despertar a los perros del vecindario. La luz interior del auto venía encendida. Guiaba un hombre de gran bigote a la mexicana junto a una mujer cinematográficamente rubia, y en el asiento de atrás, alerta, vibraba un pequeño perro de orejas mutiladas y hocico agudo, un doberman miniatura que era como la crueldad reducida a su escala esencial. En el número 2788 de Las Hortensias, el Mercedes se detuvo. Echó marcha atrás y viró, subiéndose a la vereda. Tocó el portón afectuosamente con la nariz, como si fuera un animal que lo husmeara para reconocerlo. El hombre se bajó a abrir. El perro lo siguió, alejándose un poco para oler los orines familiares que amarilleaban en las bases de las pilastras a ambos lados de la entrada mientras su amo abría. Olisqueaba aún, levantando la pata para orinar, cuando el hombre volvió a subir al Mercedes y lo metió en el jardín. Un minuto después, con la rubia que bostezaba llevando una linterna encendida en la mano, salieron a la calle a llamar al perro:

—¡*Boris!*

—¡*Boris,* ven...!

No les obedeció. Seguía husmeando el suelo, los matorrales archiconocidos, la reja. Se alejó tentativamente y ellos, tomados del brazo e iluminándose con la linterna, lo siguieron por la vereda. Lo llamaban de vez en cuando pero sin apremio, agitando admonitoriamente la cadena que llevaban en la mano al verlo disponerse a cruzar la calle. Se detuvo junto a los acantos. Arriscándose, tenso como un arco, rompió a ladrar histérico, más y más atiplado, señalando con su hocico algo que veía debajo de las plantas: una pareja, pálida y lunar, la mujer dotada de largos cabellos espectrales, se desperezaba con la lentitud de personajes de cuentos de hadas que por fin despiertan después de siglos de hechizado sueño, e incorporándose se sentaron en el pasto. El rayo de la linterna agredió los ojos del hombre y de la mujer que bostezaba en medio de la vegetación, que de ornamental, con esta luz, quedó transfigurada en algo peligroso y primigenio. No eran mendigos, cosa natural de temer que fueran dos personas dormidas en plena calle en la noche, y por lo tanto, no atacarían. Como no se necesitaba defensa contra ellos, el hombre llamó:

—¡*Boris!* ¡Ya! ¡Basta!

—¡Basta! —mandó la mujer, escudriñando con su rayo los rostros de la pareja.

—¿Qué andan haciendo aquí a las dos de la mañana? —los amenazó el hombre—. ¿No saben que hay toque de queda? ¿Quieren que llame a la patrulla?

Ninguna de las dos figuras contestó. Se estaban poniendo de pie lentamente, ayudándose uno al otro como si haber dormido tantos siglos en un lecho tan duro los hubiera tullido. Al verlos alzarse, blancos entre las hojas negras, el perro redobló sus ladridos sin hacer caso a su amo, que le gritaba para que se callara. El hombre dio un paso hacia Mañungo, exigiéndole:

—A ver. Identifíquese.

Mañungo frunció el ceño:

—¿Por qué voy a identificarme ante usted?

La rubia mantenía el rostro de Mañungo preso en el rayo de luz como si tuviera un papel asignado de antemano para circunstancias como éstas. El hombre se metió la mano en el bolsillo y saco un artefacto con un puntito de luz roja, en el que habló:

—Cambio.

—Cambio —respondió el artefacto.

El hombre volvió a hablar:

—Urgente, patrulla seiscientos sesenta y uno.

—A su orden —contestó el artefacto.

—Habla Farías, aquí.

La rubia, tirándole de la manga para que atendiera, murmuró:

—Oye, Ricardo...

—¡Cállate! —le gritó Farías a la mujer y luego al perro, que aullaba a las dos figuras entrelazadas en la vegetación—: ¡Tú también, cállate, mierda...!

—Ricardo...

—Paso. Habla Farías, en Las Hortensias...

—¿No encuentras que se parece...?

Tenía a Mañungo preso en su rayo:

—¿Quién, pues, Liliana?

—Este hombre.

—Cambio. Necesito urgente... Ya, déjese, pues, linda. ¿A quién se parece?

—A ese cantante...

El hombre dejó pasar un segundo mientras examinaba al personaje y después dictaminó:

—Estás loca, rucia. No se parece nada. Mis hijas me han contado que se exilió y vive en París. ¿Qué va a estar haciendo aquí en Las Hortensias a las dos de la mañana?

Farías, Ricardo: por fin su venganza adquiría un rostro y un nombre, además de una voz gangosa. La suya. ¿O no? Las voces gangosas son imprecisas, lanudas, invernales, una las acoge como caricias calientes en el vientre. Ésta, en cambio, era una voz marcial, que ni resfriada, como la de Medina con su desgraciado catarro veraniego, podía tener el carácter de la que hacía años la perdonó. Pero la voz de Ricardo Farías era gangosa. Y era tentador que su venganza tuviera nombre y rostro con bigote, y con casa y familia y dirección. ¿Y también mano blanda y húmeda de timidez? Judit se estaba abrochando los botones de su vestido, donde Mañungo estuvo acariciándola, pero dejó los botones de abajo abiertos, por si acaso. La calle entera, esta noche desasosegada bajo su fragancia, parecía a punto de revelar el contenido de los presagios. Judit se inclinó para recoger su cartera. Antes de que pudiera completar el movimiento, la mujer le gritó:

—¡Alto!

Judit se enderezó.

—¿Qué está haciendo?

—Recogiendo mi cartera. ¿Puedo?

—Recoja no más.

La abrió. Sacó su peineta y pasándosela por el pelo mantuvo la cartera abierta para mirarse en el espejito: cuando terminara de peinarse dejaría la peineta en el interior, sacaría la pistola y lo mataría. Porque era él y había llegado el momento de la venganza, que no podía ser otra que matarlo. Ella, Senta, Ada Luz, Beatriz, Aury, Domitila. La rubia, haciendo oscilar la luz en los ojos de la pareja, se dirigió a Mañungo y le acercó la luz a la cara:

—¿Quién es éste?

—Se llama Mañungo Vera —respondió Judit, presentando su cebo.

—¿Mañungo Vera? —exclamo Farías, apagando con un clic el punto rojo de su artefacto, que desde hacía rato repetía inútilmente la palabra «cambio..., cambio..., cambio...».

—No puede ser —dijo la rubia, triunfante—. ¿Qué puede estar haciendo Mañungo Vera tirado en la calle Las Hortensias a las dos de la mañana?

—Estuvimos en una fiesta y se nos pasó la hora —explicó Judit, dándose cuenta, al ver sonreír a la rubia y a Farías, que el pez había picado.

La sonrisa que rompió el hielo de la cara de la mujer platinada fue la de alguien que recién comprende el idioma que hablaban esos dos tránsfugas de otro planeta. Farías le puso su cadena a *Boris,* dándole un tirón para que dejara de ladrar porque ahora todos eran amigos.

—¡Mañungo Vera de farra! —rió Farías—. ¡Hay que ver! ¡Tirado a las dos de la mañana en la calle! ¡Cuando le cuente esto a los del servicio no me van a creer!

Judit tiritó.

—¿Tienes frío, mi linda? —le preguntó la rubia.

—El pasto estaba húmedo.

—¡Harto desabrigada que te tenía el Mañungo! ¿Por qué no le ofreces un traguito, Ricardo?

Farías se sacó una licorera achatada del bolsillo trasero del pantalón. La agitó junto a su oído, pero estaba vacía. Le dijo a la rubia:

—¡Te tomaste todo mi Chivas, rucia!

—¿Yo? ¡Claro! ¡Cómo no! Él no será un papel secante, entonces. ¿Por qué no los invitas a pasar a la casa? Ahí tienes Chivas como para un regimiento.

—¿Por qué no pasan a tomarse un traguito? Después los mando a dejar con un patrulla para que no se enfríen. ¿O tiene auto? No, no tiene. Si tuviera no estarían haciendo diabluras botados en el pasto.

—¡Mañungo Vera! —decía la mujer tomándolo del brazo, Farías llevando al perro sujeto con la cadena—. ¡Quién lo fuera a creer! ¿No vivía en Miami?

—En París —contestó Mañungo—. Pero llegué hoy a las seis. No, ayer.

—¿Es la señora...?

—No, una amiga.

Liliana sonrió maliciosa:

—¿Amiguita al tiro, llegando de París? Es que no hay como las chilenas, ¿no es cierto, Mañungo?

—Estos artistas —comentó Farías— tienen una suerte con las mujeres...

—Gracias —dijo Judit, adjudicándose esas palabras como un cumplido—. Y los militares son muy amables con las señoras.

—No soy militar.

—¿Qué, entonces? —preguntó Mañungo.

Farías se dio vuelta a la solapa para mostrarles una insignia. Mañungo silbó, admirativo, pero Judit supo, sin haber mirado, qué era. Después de cerrar el portón, Farías soltó al perro en el jardín. Arrastrando su cadena entró corriendo y se puso a arañar la puerta del bungalow y a gemir.

—Va a despertar a la familia —dijo Judit.

—No hay nadie. No sabes los años que me ha costado para que me convide cuando no está la Cristina.

—Tengo a la familia veraneando en Viña —explicó Farías.

Guiñándole un ojo a Mañungo, la rubia dijo:

—Tenemos el campo libre para portarnos todo lo mal que queramos. ¡Y cuando Ricardo se porta mal, se porta mal de veras! Ahora vamos a celebrar que Mañungo Vera volvió de Europa y nosotros nos sacamos la lotería porque lo encontramos botado en la calle frente a la casa. ¿Nos vas a cantar, no es cierto, Mañungo, para nosotros no más?

—Si te portas bien, Lilianita —dijo Farías.

—Yo siempre me porto bien cuando los caballeros son simpáticos.

En el sofá junto a Judit, Liliana le confiaba que tenía un problema muy grave porque era la mejor amiga de la Cristina, la esposa de Ricardo, la mujer más amor del mundo. Por eso, a pesar de trabajar juntos y verse casi todos los días, Ricardo se había resistido hasta este verano, que como se tuvo que quedar en Santiago porque con el toque de queda salía mucho trabajo, aprovechando la ausencia de la Cristinita él se había decidido a convidarla esta noche. Su propio marido —casi siempre de turno cuando no estaba de turno Ricardo, porque tenían el mismo grado— era el mejor amigo de Ricardo, y con frecuencia salían los cuatro a comer y a bailar. Decían que Ricardo era muy mujeriego, pero no era verdad porque adoraba a la Cristinita, y con sus conquistas —muchas, porque era simpático y rangoso— llegaba hasta por ahí no más. Pero ella se las iba a arreglar porque cuando se lo proponía era capaz de derretir piedras. Claro que era muy comprometedor todo esto. Se iban a tener que esconder si las cosas pasaban a más. Los jefes no miraban con buenos ojos que se establecieran esta clase de víncu-los entre la gente del servicio porque sólo servía para in-discreciones.

     —Claro que ahora —dijo la Lilianita, pintán-dose la boca— las cosas van a cambiar porque lo voy a matar de celos con Mañungo. ¡Me encanta Mañungo, oye!

22

Con el segundo whisky entibiándose en su mano, lo oía hablar muy tranquilo en el otro extremo del salón, exhibiendo su voz como una alfombra para que ella la identificara mientras llenaba su vaso junto a Mañungo en el bar montado sobre barriles, decorado con una oleografía norteamericana de dos cimarrones corriendo por la pradera. Había esperado una revelación que le aclararía el universo con una llamarada cuando por fin oyera la voz, y en un acto de certeza total que debía liberarla no dudaría en disparar. Pero Judit no podía pasar más allá de hacer tintinear el reducido trocito de hielo que aún flotaba en el líquido color ámbar de su vaso.

—¡Ah, no! ¡Hombres tan atractivos como Mañungo es inmoral que los dejen andar sueltos! Me lo voy a pescar aunque no sea más que para pololear un ratito. ¡Es mi tipo!

Al ver que después de esta declaración la rubia se disponía a levantarse del sofá, Judit la retuvo diciendo:

—A mí, fíjate, me atraen más los hombres un poco mayores, bueno, como Ricardo, con más autoridad, más experiencia.

—No te lo puedo creer. ¿Te gusta más un hombre como Ricardo Farías que Mañungo Vera? Estás loca.

—Mucho más. Tiene algo, bueno, tan viril, no sé, como un poco brutal.

—¿Ricardo Farías, brutal? ¿Un hombre que le tiene miedo a su mujer como si ella lo tuviera de aquí porque le sabe algún secreto cochino? ¡No me hagas morirme de la risa! Ricardo es cualquier cosa menos brutal. Tienes pésimo ojo para los hombres, mijita.

—Pero tiene un no sé qué en la voz que me encanta, su modo de hablar sobre todo...

—¿Qué tiene de particular que sea un poco gangoso? ¡Qué rara eres, oye!

—No sé. Ricardo me hace tilín.

—Juguemos a las cambiaditas por esta noche, entonces. Ricardo, corazón, pon un poco de música para que bailemos.

Ricardo obedeció y después de poner el cassette volvió a su taburete detrás del bar para seguir su charla con Mañungo. Estaba exhibiendo su doberman sobre el mesón, bajándole el belfo para mostrar sus dientes, abriendo sus dedos para jactarse de la finura y la fuerza de sus patas. Liliana se puso de pie y se dirigió al bar acodándose junto a Mañungo, de espaldas a Judit: desde la penumbra los veía enmarcando el rectángulo de luz del bar, un primer plano de dos espaldas oscuras y detrás Ricardo exhibiendo su perro sobre el mesón. ¿Cómplice, esta mujer? ¿Qué sabía? ¿Sabía que su mano blanda sudaba al ponerla sobre la rodilla de una mujer que sentía poderosa? ¿La Cristinita, excluida como ella, disfrutaba de extraños privilegios a cambio de guardar el secreto de Ricardo? La Liliana no sabía que ni sus designios respecto a Ricardo tenían fortuna, ella también estaba condenada a la exclusión: la complicidad entre ambos, entonces, era pobre, intrascendente, parcial, lo que no debía extrañarle, puesto que se trataba de seres intrascendentes que adquirían vida sólo al reflejo de una llama de crueldad. ¿Era posible que ese hombre de frente alta, falsamente noble, de cuello vigoroso, de bigote negro encima de labios locuaces, enfrascado en una disertación sobre *Boris* parado en el mesón, fuera a pagar por excluirla cuando desde la penumbra del sofá donde simulaba recomponer su maquillaje antes de unirse a ellos para iniciar el baile, lo apuntara con su pistola y vengara todas las exclusiones, hasta la exclusión de la incauta Lilianita? Porque desde el principio —desde la casa de Ada Luz, y ella y don César y todas las mujeres lo sabían— no se trataba de seducir, sino de disparar.

El cachorro era realmente espléndido, decía Ricardo. Se sacaba todos los premios en las exposiciones donde su hija, la Cristy, lo había mostrado. No eran nada comunes, los doberman miniatura, tan feroces como los estándar y mucho más fáciles de educar pese a que al principio era necesario castigarlos para que les quedara clara la diferencia entre lo que estaba permitido y lo que no estaba permitido hacer. A ella, Farías la había castigado con el peor castigo imaginable. No, castigado, no. Condenado, porque desde su regreso de Caracas con los despojos de ideología disuelta por los años y la lejanía, no podía enfocar su emoción sobre otra cosa que buscar al responsable de las violaciones, para enamorarlo y humillarlo, o destruirlo con un balazo. Había recogido, al llegar, su red de cómplices de los tiempos de la clandestinidad, lanzándolos a la noche ciudadana, don César sobre todo, con sus contactos y compadrazgos y su conocimiento de los chistes y los bares y el vino, y la Aury con su cháchara de peluquería, y el padre de Darío y Darío mismo con los chiquillos de su población, y la Ada Luz, para destruir y así volver a comenzar desde cero. Pero todas eran pistas falsas, las de todas las citas, y ella y los demás siempre volvían con las manos vacías. Nunca era él. Hasta que por fin, un año después del regreso de Judit de Caracas, lograron dar con la pista de Medina, el que le regaló el pasaporte para salir: había sido descubierto como infiltrado de la izquierda en Investigaciones y desapareció y fue dado por muerto. Su viuda, remendando las camisetas de sus hijos, sentada en una silla a la puerta de su casita en el barrio de Lourdes, sin levantar la cabeza de su labor cuando Judit intentó reclutarla para la venganza, dijo que no sabía nada y no quería tener nada que ver con nada. No quiso hablar ni que le hablaran: Medina borrado por el terror, definitivamente irrecuperable para su mujer y sus hijos, y para la gratitud. Pero en cierta medida, menos irrecuperable para ella puesto que lo vengaría a él también eliminando al hombre de la voz gangosa que los condenó a vidas sin un significado más complejo que las simplificaciones de la obsesión. Metió la mano en su cartera: el tiro pasaría limpio entre las dos nucas del primer plano para dar medio a medio en la frente del culpable, que atrás sostenía con orgullo el hocico y el muñón de cola de *Boris,* luciendo las líneas insuperables del campeón.

—Está flaco —comentó Farías.

Flaco. Mi flaca. Gangoso, sí, pero no era la misma voz aunque frente a la duda fuera necesario destruirlo. Porque ¿qué derecho tuvo ese hombre para perdonar? ¿De qué fuente improvisada emanaba su legalidad, tanto para eliminar como para perdonar, que era lo mismo? Nadie le confirió el derecho a dar vida o muerte, condena o perdón. Por eso debía morir. Judit sacó la pistola de su cartera. Le quitó el seguro. Levantó su brazo en la penumbra, apuntando, primero tentativamente, a la nuca de Mañungo. ¡Morir! Eso quiso para ellos en ese instante: la consumación de que jamás había sido capaz. Sólo con el hombre siniestro de la celda, esa sombra impotente que la hizo mentir el placer y el dolor unidos para salvarlo, pero no fue mentira, sino que la salvaje sorpresa del orgasmo desprovisto de erotismo, fisiológico, triste, solitario, al que un verdugo de voz gangosa y mano húmeda había sido capaz de llevarla: por eso era necesario eliminarlo. En el extremo del brazo extendido le comenzó a pesar la pistola que señalaba, en el otro extremo de la sala, el cuadro de luz con los tres personajes atentos al perro. Soltaron al animal. Judit escondió la pistola porque no tuvo tiempo para apretar el gatillo. Mañungo y la rubia comenzaron a bailar muy apretados. *Boris* caracoleaba en medio de la pista siguiendo los pasos de baile de Ricardo, sin otra pareja que su perro: ella era su pareja, su perra. No era más que un cachorrito, explicaba él mientras ambos se retorcían y se mecían y vibraban al son de los *Police,* pero los doberman eran una raza privilegiada, muy especial, artificialmente desarrollada por el ejército alemán durante la segunda guerra mundial para perseguir a los judíos que huían de los campos de concentración. Acezando, Farías fue a sentarse junto a Judit en el sofá y el perro saltó a las rodillas de su amo, donde se anidó.

—¿Aquí los usan para lo mismo?

—Aquí no hay campos de concentración.

—¿Ni centros de detención?

—No. Esas cosas las inventan los comunistas.

—Ah, claro...

La gran tentación de creer que nada de todo aquello existió más que como mentira de los fanáticos de una ideología que ya no era la suya..., no existió la celda donde estuvo esperándolo durante horas y horas, ni los ladridos, ni los ecos de los gritos de sus amigas..., ni existió el momento de la culpa al sentir algo que podía ser placer como descarga del miedo sólo porque la mano fue insegura sobre su rodilla, porque pareció implorarle humano silencio por su ineficiencia, y desde esa odiosa compasión ambos comenzaron a fabricar sus respectivas simulaciones.

Boris interceptó a Ricardo a su regreso del bar con el baile de su pequeño cuerpo musculoso y sensible, ansioso de mostrarle cariño pese a los castigos, o quizás por ellos: Mañungo y la Liliana se unieron al baile del perrito caracoleando en el centro. Mañungo reía, notó Judit. ¿Matarlo por estar contento con los banales azares de la noche? ¿Su historia no le había destruido el corazón, entonces? El placer le hacía olvidar a Matilde, a su hijo, a Chiloé, a Schumann, enloquecido por algo peor que el tinnitus, a la agotadora noche compartida con ella, para entregarse al barato placer de disfrutar restregándose contra los *jeans* de la rubia teñida, *jeans* que sólo acentuaban sus años y sus diversos partos. En Judit se levantó tal odio contra Mañungo, por ser capaz de experimentar placer irreflexivo, que se juró que si el hombre de la mano húmeda volvía a ponérsela sobre la rodilla no lo dejaría irse nunca más. Cruzó sus piernas de modo que la seda del vestido se partiera, cayendo a ambos lados, luciendo su rodilla fina y la mitad del muslo. Le sonrió a Ricardo. Él le sonrió y le puso la mano en la rodilla como quien cumple con un precepto de buena crianza y hace el mínimo de lo que se espera de un caballero en estas circunstancias. Era su mano: un poco temblorosa, tibia, mojada. La emoción de Judit salió anhelante al encuentro de ese contacto, pero no pudo llegar a él porque la intención de la mano no era la de entonces y las sensaciones no se duplican, sólo la soledad. Pero Mañungo, y la gente como él, sabía duplicarlas, esos que disfrutan sin pensar y que son, en el fondo, los culpables. ¿Culpables de qué? De todo. De la sangre, por ejemplo. Mañungo bailaba apretujado con la rubia que parecía envejecer con cada compás, con cada apretujón, como si cada abrazo la desinflara. Se desplomaron juntos en el sofá que los acogió, besándose mientras Ricardo, junto a Judit, los miraba complacido como si fuera un gran honor para la casa y quitó la mano de la rodilla de Judit. ¿Estaría escuchando Mañungo, en este momento, el tinnitus en el oído interno descompuesto, el mensaje de la voz de la vieja llegándole desde las playas de Cucao? El anfitrión estaba tan complacido con el besuqueo de sus invitados, que se había olvidado de ella.

—Mañungo —oyó Judit que la voz amorosa de Liliana solicitaba desde el sillón.

—¿Qué?

—Ahora cántanos.

—¿Qué quieres que te cante? —preguntó Ricardo.

—Algo lindo.

Mañungo se puso a bailar con el perrito, sosteniendo el vaso de whisky sobre su cabeza. Liliana, despaturrada en el sofá, con cara soñolienta, trataba de incorporarse, domando con manotazos su pelo químico revuelto.

—Judit —dijo Mañungo y dejó su vaso en una consola—, creo que es hora de irnos.

—¿Por qué se van a ir? —preguntó Liliana—. No sean fomes. ¡Aguafiestas!

—Tengo que ir a ver a mi hijo.

—¿Qué hijo?

—Traje de París a mi hijito de siete años. Me está esperando en el hotel. Le prometí llegar temprano. Este asunto del toque de queda le da miedo Dicen que disparan.

—Puras cosas de los comunistas.

—Pero le da miedo.

—Ah, no —gritó la rubia, repentinamente deserotizada, tratando de escarmenar su gran melena revuelta con una peineta roja—. De esta casa no se va nadie. Te invitamos, te servimos Chivas y todo y no te metimos en la cárcel por estar hueveando en la calle a las dos de la mañana. Así es que, guachito, nos tienes que pagar la hospitalidad por lo menos cantándonos un par de cancioncitas que voy a grabar con tu dedicatoria para que quede constancia que estuviste aquí y después no andes diciendo que en el servicio no respetamos los derechos humanos.

—No puedo grabar sin que lo autorice mi agente.

La rubia se paró con la aureola de su gran cabellera oxigenada batida, una fiera lista para atacar blandiendo la peineta bañada en sangre como un arma que ya ha cobrado muchas víctimas:

—¿Ni para nosotros?

—¿Quiénes «nosotros»?

—No te vengai a hacer el huevón.

Cuando Judit quiso ir hacia la puerta para juntarse con Mañungo, el perrito, ladrando, le cortó el paso mientras la Liliana continuaba su perorata:

—Y la flaca esta que se quede tranquilita mientras nos canta el Mañungo Vera, que hasta las piedras saben que es comunista. No sé cómo lo dejaron volver.

—Nunca estuve exiliado —protestó Mañungo.

—¿Entonces por qué no volviste antes, cobarde?

—No tiene derecho a decirme eso.

—La Lilianita tiene derecho a decir lo que se le antoja en mi casa —intervino Ricardo Farías.

—Gracias. ¿Ve, mijito, cómo la defienden a una los compañeros de servicio?

—Dicen que te dabai la gran vida, afuera.

—Salí antes del golpe.

—¿Qué tiene que ver eso? ¡Ya me dio rabia, oye, Ricardo! ¿De qué golpe me estai hablando, mierda? Del pronunciamiento se dice, para que sepai. Harto mal que hai estado hablando del país desde que saliste, así es que nada de cuentos.

La rubia logró domar su enorme melena, ordenando en la forma de una campana las quebradizas fibras metálicas de su cabellera. Ricardo, con las piernas encima del brazo del sofá y un whisky en la mano, esperaba ver reacciones interesantes producidas por la soberbia actuación de su compañera.

—¿Vamos, Judit? —dijo Mañungo, calculando que todo estaba a punto de estallar y era necesario ocupar el menor espacio y el menor tiempo posible.

—¿Tenís guitarra, Ricardo? —preguntó la Liliana.

—Las niñitas tienen una, me parece. Pero se la deben haber llevado a Viña. Déjame ir a echar un vistazo porque yo también tengo ganas de oír cantar al famoso Mañungo Vera, sobre todo si se hace de rogar, el perlas.

—No. Voy yo. Tú cuídamelos, que con este par de pájaros lo podemos pasar muy requetebién. La noche está recién comenzando y tenemos tiempo para hacerlos cantar. Después los mandamos a dejar con la patrulla donde nosotros queramos porque para algo hay estado de sitio.

La rubia desapareció en el interior del bungalow. Judit, con la mano dentro de su cartera, se colocó junto a Mañungo, que al darse cuenta de lo que iba a hacer le advirtió:

—Cuidado.

Judit no sacaba la mano de su cartera porque Ricardo se había levantado de su cómoda posición en el sofá, persiguiéndolos torpemente alrededor de los muebles con movimientos mucho más complejos que los requeridos por los sucintos desplazamientos de Judit y Mañungo, que poco a poco se fueron acercando a la puerta que daba al exterior. *Boris,* ladrando y saltando para mordisquear cariñosamente los pantalones de su amo, no entendía lo que pasaba, si era juego, baile, o era necesario agredir. Ricardo tropezó con el sofá y cayó desparramado en él. Mañungo y Judit aprovecharon para abrir la puerta, y salieron. Judit sacó la pistola.

—No —le advirtió Mañungo.

—Sí —respondió ella—. Es él.

A través de los visillos de las ventanas vieron a la rubia que volvía con la guitarra, enfrentándose con Ricardo, increpándolo por haberlos dejado escapar. Él le dio una patada feroz al perrito para que se callara, y lo dejó chillando, encogido de incomprensión más que de dolor debajo de una mesa, mientras el tono de la gritadera y de las gesticulaciones de la Liliana fueron en aumento hasta que Farías le asestó un golpe que no la alcanzó.

Judit tenía que matar a su verdugo, que por fin se llamaba Ricardo Farías. Todo lo demás, el maquillaje, el peinado, el vestido de seda, fue la mascarada de una seducción, pero ella, Ada Luz, y don César, y la Aury, sabían que pese a que no quería hacerlo porque se había marginado de todo operativo, ella era la única capaz de vengar. ¿Cómo no, si la mano en su rodilla, esta noche, había sido la misma mano que la mano en su rodilla, entonces? No existía la venganza por medio de la seducción. La única venganza aceptable era la del fierro apretado en su mano que comenzaba a calentarlo, y el frío paralelo de la noche tocando su rodilla: algo limpio, lícito, positivo.

Judit fue alzando la pistola hasta apuntar a través de los visillos en el centro del salón, a esa alta frente que no servía más que de blanco para una bala: pero la helada negativa del placer que la eludía con todos salvo con este hombre, condujo su mano, y en vez de detenerse a la altura de sus cejas continuó su movimiento más y más ascendente, y sólo disparó allá arriba, contra las lucarnas abiertas en el techo, y ante la consternación que inmovilizó al dueño de casa y silenció los ladridos de *Boris* y los gritos de la mujer, Mañungo y Judit huyeron a la calle antes que terminaran de caer los vidrios quebrados.

23

La lancha que cruzaba una vez por semana, a veces dos, el lago Huillinco, unido al lago Cucao formando un ocho perpendicular tocando la playa del Pacífico,
era el único medio de comunicación del litoral oeste de
la isla grande con el mundo exterior, separado por kilómetros y kilómetros de fría selva coriácea que entre telo-
nes de neblina y de lluvia cubre las orillas de ambos lagos. Al bajar del destartalado bus que hace el trayecto de
Castro a Huillinco, el viajero encontraba en las mañanas
de lancha un piño de gente tomando la embarcación de
apariencia demasiado frágil para contener a los pasajeros
que desde temprano esperan hacinados adentro.

Como la lluvia es el elemento natural de la zona,
pocos de los que esperaban la partida habían tomado
precauciones extraordinarias contra la intemperie: a lo
sumo algún gorro tejido, los habituales ponchos pardos,
pañuelos para protegerse del viento firmemente atados a
las cabezas de mujeres de achatadas facciones polinési-
cas, chalones de grandes cuadros envolviéndolas. Desde
el extremo del muelle de madera, hombres y mujeres saltaban a la lancha a punto de zozobrar y se acomodaban
adentro con sus paquetes de compra, porque el caserío
de Huillinco en el extremo oriente del lago era el centro
de aprovisionamiento para Cucao. Una señora gorda y
corta, de tetas apretadas por refajos, la tez amarilla, casi
sin dirigir sus ojos chinos al muchacho que corrió desde
el bus para alcanzar la lancha, se removió con el fin de
hacerse un hueco junto a ella en la bancada repleta.

La lancha dejó atrás el muelle echando pestilencia

de combustible. Una manga de lluvia ocultó el caserío, pero duró poco: la neblina se instaló durante un rato, y después la lluvia volvió a cuajarse. La conversación era de temas consuetudinarios: el caballo manco que mejoró, llegó carta del hijo que vive en Río Gallegos, caro el azúcar este año, y el té, van a abrir la carretera, parece. La proa densa de pasajeros acharrapados bajo la lluvia hendía la neblina: atisbos de claridad sugerían el perfil de una persona en el grupo, el pompón de una gorra, unos bigotes, una mano ahuecada contra el viento para encender un cigarrillo. El compañero de asiento de la gorda aprovechó un escampe para encender un Viceroy en la caverna de su mano, igual al baqueano de la proa, y le ofreció el paquete a su compañera, que aceptó sin mirar. Después, el muchacho se reclinó de nuevo sobre la guitarra enfundada que llevaba sobre las rodillas. Absorta, los ojos lagrimeándole, la señora, colocando en su falda una caja de zapatos agujereada llena de pollitos, no dijo nada durante un buen rato, como si escuchara, hasta que por fin murmuró:

—La voz de la vieja..., va a abrir...

Diez minutos después comenzó a despejarse el cielo. Antes de mediodía, pasando por la angostura entre el lago Huillinco y el lago Cucao, bajo un cielo mansamente azul, el muchacho se sacó la gorra de lana, derramando su pelo negro hasta los hombros. Entonces la gorda le preguntó:

—¿Eres Mañungo Vera?

—Ojalá fuera... —repuso el bisoño de la guitarra, riendo al ofrecer otro cigarrillo a su compañera de viaje que de nuevo aceptó y dijo:

—Será más viejo que tú. Pero es igualito.

—¿Era de aquí?

—No. De Dalcahue. O de Curaco de Vélez. No me acuerdo.

Doña Petronila Quenchi no le volvió a hablar al falso Mañungo Vera durante el resto del viaje, que fue largo: aunque partieron a mediodía de Huillinco no llegarían a Cucao hasta que comenzara a debilitarse el sol. Doña Petronila reservaba la energía que le quedaba de pasar la noche echada a la intemperie después de haber vendido su cochayuyo a los japoneses, para la marcha de cuatro horas por la playa hacia el sur, hasta su choza en las dunas frente a la lobería.

Al atracar en Cucao, los que bajaron a tierra antes que ella y el muchacho que permaneció en la lancha porque iba a la otra orilla la ayudaron a desembarcar sus bártulos. Acezaba acomodándolos a su espalda o atando una sarta de paquetes para llevarla al brazo, pero los demás viajeros dejaron que se las arreglara sola entre las quilas de la orilla porque doña Petronila era una temida artista. El grupo se echó a andar hacia el caserío, disolviéndose en la arena de las calles apenas sugeridas, donde sin relación unas con otras se levantaban diez o quince casas de tablas encanecidas por la sal de las rompientes.

Doña Petronila los siguió, aun cuando no se veía a quién seguir. Cansada, sí, pero cargando todo lo que se había propuesto comprar. Era el sexto viaje que le debía al dueño de la lancha, un tal Barrientos, pero de unos Barrientos de otra parte, no de los de aquí, al que le dijo que cuando enterara diez viajes el menor de sus hijos —«no son hijos míos, pero son más que hijos»—, le pagaría con trabajo de carga y descarga. Se había levantado un vientecillo insidioso, de esos arrastrados que se meten por debajo de las polleras de las mujeres ganosas y las embarazadas. Doña Petronila se encorvó para enfrentar al viento. En las calles todas las puertas y todas las ventanas estaban cerradas. No se veía ni un alma. Claro: cómo, con este ventarrón, y con esta marejada que remecía el planeta tan alto que era como si el Pacífico subiera hasta la curvatura del horizonte inmenso para ensamblarse con el cielo, que comenzaba muy arriba.

—Viento de mierda —murmuró doña Petronila.

Al doblar la esquina de una casa de madera quebrada por un aletazo de viento y que quedó así, se encontró de sopetón con una mujer vestida de negro y se saludaron. Doña Petronila la arrastró para guarecerse con ella contra un muro.

—Oye, Ulda —dijo la artista—. Quería preguntarte una cosa.

La Ulda no ignoraba que encontrarse con doña Petronila en una calle desierta era de mal agüero. Titubeó un segundo antes de seguirla y la ayudó a desembarazarse de su carga para charlar. Tomando la caja con pollitos sobre su falda se sentaron en la arena. Doña Petronila, hurgando en los envoltorios de ropa que la cubrían, le ofreció un cigarrillo que la Ulda rechazó.

—Oye, Ulda —repitió la bruja una vez que estuvieron instaladas y con el cigarrillo encendido—. ¿Era de Dalcahue o de Curaco de Vélez, Mañungo Vera?

La Ulda retuvo una sonrisa. Sus maduros ojos negros eran demasiado cargados de pestañas, demasiado atentos en la cara blanca y fresca. Sus cejas espesas se fruncieron al preguntar:

—¿Para hacerle un mal, querías saber?

—No. Para llamarlo. Creo que era de Dalcahue.

—No. Yo nunca fui profesora de Dalcahue. Mañungo era de Curaco de Vélez, nacido y criado allá hasta que se fue a Concepción y a Santiago, y a París cuando cambió el régimen y a mí me relegaron aquí por sospechosa...

—¿Curaco de Vélez? No conozco Curaco de Vélez. ¡Tan lejos que será...!

—¿Y Dalcahue?

—Tampoco. Dicen que tú echaste a Mañungo a Santiago y no lo dejas volver.

—No tengo poderes, como tú. ¿Quién dice?

—Venían hablando en la lancha —mintió doña Petronila que como artista tenía el don de transformar sus mentiras en verdad, y de joven, murmuraban, anduvo embarcada en el Caleuche, donde aprendió sus artes.

—¿Por qué hablaron de Mañungo?

—Porque en la lancha venía uno igualito.

Junto al volumen arracimado de doña Petronila, y de su abultado rostro asiático, la Ulda Ramírez parecía nítida como un grabado al acero, pura línea, puro nervio controlado. O no controlado: porque al oír las palabras de la vieja se le escapó una sonrisa de su boca fina, que refrescó los ángulos de su rostro.

—¿Cómo sabes que era igualito si no lo conoces?

—¿Tú te crees la única que conoce a Mañungo Vera porque fuiste su profesora? Y más que profesora, dicen las malas lenguas. ¿Cómo no lo voy a conocer si mis chiquillos tienen un póster de Mañungo clavado en la pared de la cocina? Y un cassette con su cara, además de su voz, porque se compraron el cassette con la última lavada de oro. Y hasta la voz se le parecía, fíjate. Bueno, niña, me tengo que ir.

Tiró su colilla y se puso de pie con la ayuda de la Ulda, cargando otra vez sus bártulos. La Ulda le imploró que mandara a sus hijos a la escuela aunque ya estuvieran grandes. La vieja le dijo que no: este año la temporada iba a traer mucho oro que lavar. Ella tenía demasiada edad para hacerse cargo de tanto trabajo y le daba miedo que le echara a sus chiquillos para el norte y no volvieran más, como Mañungo. La Ulda no cambió de expresión: pero lo femenino que quedaba en doña Petronila percibió tanta espera en esa máscara blanca que decidió hacer esa misma noche su embrujo más potente para que el tal Mañungo volviera del norte a ver a la pobre Ulda, que lo quería desde que le enseñó a tocar la guitarra a los catorce años, y más que la guitarra, confirmó doña Petronila en el fondo del corazón transparente de la Ulda. Canelo. Piures. Miel de ulmo. Pelo de pudú. Caca de choroy. Y uña del pie de su hijo mayor, que le cortaría esta noche durante su sueño, cuando sin saberlo el muchacho estuviera duro con visiones de las mujeres desnudas que frenéticas bailaban en el Caleuche.

Despidiéndose de la Ulda con un sacudón de cabeza, doña Petronila partió rumbo a la playa. La Ulda se dirigió a su casita en las miasmas. Antes que la distancia entre las dos fuera como para que necesitara gritar, doña Petronila se dio vuelta y sin desembarazarse de sus bultos llamó:

—Oye, Ulda.

La Ulda se detuvo y miró a la vieja:

—¿Qué?

—Te apuesto que uno de estos días Mañungo se te va a presentar aquí mismo, en carne y hueso, no su fantasma como el que vi en la lancha.

—¿Y a mí, qué?

—Bueno, mujer, no es como para que te enojes. Yo te decía no más...

El vaho batido por las olas, acumulado como un colchón sobre la arena, borró primero los pies, luego las piernas de las mujeres que se alejaron cada una por su lado y después de flotar sobre la neblina un rato, desaparecieron.

24

Todo movimiento había desaparecido de las calles del Barrio Alto, fijando el follaje de los plátanos y las gotas suspendidas en la hierba como en una fotografía. Sólo lo situado más allá de la percepción —el llamado de un insecto tan fino que el oído humano era incapaz de registrarlo; el resplandor secreto de unos ojos diminutos vigilando desde debajo de los terrones; el desplazamiento de las babosas que marca con su huella corrosiva el tierno revés de las hojas— prolongaban la vida hasta el alba sintió Mañungo, manteniéndolos prisioneros dentro de las horas que les impedían huir a la casa de Judit. No porque los persiguieran: Ricardo Farías no cayó con el disparo. Sólo se abalanzó a la ventana gritando insultos porque no alcanzó a verlos huir, como si gritarle a la inmensidad de la noche fuera suficiente para retenerlos. La pareja huyó hacia la avenida Lyon porque era tan recta y tan amplia que desde lejos podían ver a quien viniera, dándoles tiempo para refugiarse en el portal de un edificio o en un jardín abierto o bajo arbustos. El disparo no fue suficiente como para que se organizara un operativo policial en el barrio, que al fin y al cabo sólo llamaría la atención sobre la conducta irregular de dos miembros del servicio, de modo que Ricardo Farías recapacitó antes de gritarle a su artefacto con el puntito de luz roja para hacerlos perseguir por la patrulla, y lo apagó antes de decir «cambio». Por suerte no había sucedido nada de importancia: haría cambiar el vidrio roto de la lucarna como precaución ante las preguntas imbéciles de Cristina a su regreso de vacaciones. Mucho más fácil sería atrapar a Mañungo Vera de otro modo, se quedó diciéndole a su compañera ya más tranquila, atraparlo desde arriba para castigarlo de veras, consiguiendo que las autoridades destacaran gente de confianza para tenderle una celada en los próximos días, ya que así sería presa más segura que de una simple persecución nocturna.

Al menor ruido, al menor roce o sombra que se movía, o luz que destellara en la perspectiva de la calle, Mañungo y Judit se apegaban a un muro o se escondían detrás de un arbusto o de una columna. ¿Cómo llegar hasta la casa de Ju en Bellavista? ¿Cómo recorrer estas calles sin ser descubiertos y cruzar la avenida Providencia, la Once de Septiembre, el Parque, los puentes, para alcanzar el otro lado del río sin revelar sus siluetas? Lo único que el cuerpo de Mañungo ansiaba era dormir, días y días envuelto en Judit como en una estola, para aplacarla, y ella quería lo mismo para llorar y llorar arropada en los brazos de Mañungo. Eran las tres y media de la mañana. En buenas cuentas, habían pasado la noche juntos.

—Estoy agotada —murmuró Judit, deteniéndose en una cavidad de sombras.

—Tenemos que llegar.

—No puedo. Tendámonos aquí.

Y se tiró en el pasto bajo unos abutilones a la entrada de un edificio, desde cuyo resguardo se podía vigilar la avenida recta de norte a sur y de sur a norte, una lisa superficie azul como un río congelado. Pero al caer al prado fue Mañungo el que instantáneamente se sumergió en un sueño amplio como su océano austral, contemplando a la efigie vestida de negro que desde lejos se acercaba por la playa de rompientes que estremecía el suelo como si latiera un gran corazón de helicópteros invisibles, reanimando la noche: en silencio, la mujer de negro se inclinó sobre él, y cortándole secretamente la uña de un pie sin quitarle el zapato, lo llamaba sin voz, pero él se negó a seguirla porque no le veía el rostro, y su pulso y su sexo ya no latieron más, dejándolo cubierto por la espesura del sueño: sólo oía la voz de la vieja, el tinnitus persistente anunciando desde el océano que se avecinaban cambios.

Judit no lograba descansar. Se sentó junto a su compañero dormido bajo el arbusto. Rodeó sus rodillas con sus brazos, su cartera colgándole de la mano. ¿Ir a su casa al instante para demostrarle a Mañungo que era capaz de entregarle a él por placer puro, no para demostrar nada, aunque esto fuera una contradicción? Miró la cara dormida de Mañungo. ¡Qué irreductible era, con su historia mitológica heredada de una antigüedad altiva en la que ella no iba a poder aclimatarse! Regresar a Chiloé o no, no importaba —¡bien podía volver a París y encontrar allí lo que creía preso de los fantasmas isleños!—, porque Mañungo era de los que no se pierden más que transitoriamente, dejándola a ella fuera de sus mitologías futuras.

Había una salvación, sin embargo: que esas mitologías no se cumplieran. Sacó la pistola. Olió el cañón. No tenía el seguro puesto. Colocó el cañón en la sien de Mañungo: que no despertara jamás de su absurdo sueño vernáculo. Pero eso no solucionaría nada. Como no hubiera solucionado nada matar a Ricardo y a la rubia ajada por el sol químico de su pelo. Apoyando el cañón en su propia sien pensó que tampoco solucionaba nada eliminándose ella porque su culpa seguiría viva en sus mujeres sin vengar, en los ladridos del *Zar* en otros oídos, en la mano húmeda derrotada por otra rodilla. ¡*Zar, Zar! Zar* era un *Boris* gigante, tan finamente modelado por el ejército alemán para perseguir asesinos en la noche santiaguina, como la irrisoria miniatura que Ricardo exhibió sobre el mesón de su bar. Las pisadas nocturnas del *Zar* sonaron en la gran avenida absorta bajo la magnificencia de sus plátanos. Un perro perdido cruzó la calzada desde la otra vereda, sus pasos acolchados resonando en el silencio con la firmeza de un pulso vigoroso. Impune, ese perro podía transitar sin miedo por las calles después del toque de queda para hacer lo que quisiera, pero, como de costumbre, trasladando lo más modestamente personal a lo político, Judit no pudo sino pensar que ellos dos carecían de libertad para volver a su casa a dormir abrazados en una cama porque una ley se lo prohibía.

Se puso de pie para observar desde detrás del arbusto. No era un sólo perro que andaba por ahí. Cuatro, no, ocho, diez, doce, quince perros brotando como en una pesadilla de las calles adyacentes, siguiendo a una perrita blanca que fue la primera en cruzar la calzada contoneándose, y a este lado esperó tiritando a los demás perros: quince, veinte perros levantiscos de variadas razas entremezcladas y genealogías confusas y pelajes diversos, predatorios, gruñendo, los ojos brillantes, los hocicos babosos, las patas inmundas. Se apiñaron gimiendo alrededor de la frágil perrita blanca de pelaje liso y fina cara empolvada y ojerosa. En el pasto de la vereda, justo al otro lado del abutilón desde donde Judit la observaba, la perrita se sentó delicadamente y orinó con remilgada expresión de disimular lo que hacía, sabiendo que esto enloquecía a las bestias que no le creyeron su discreción. La husmeaban, gemían lunáticos, enloquecidos por sus emanaciones; un perro alazán con aires de abanderado la aplastó torpemente con una pata, otro la levantó por el sexo con el hocico puntudo, trataban de montarla, lamerla, morderla, se mordían unos a otros, azorados y malignos, perros enormes y perros lanudos y perros gordos y con pintas, perros overos, rubios, negros, alborotados por el simple hecho biológico de que la perrita blanca casi lampiña, de cara demacrada y orejas azules, estaba en celo. Nada de amor: cumplían las misteriosas órdenes de la naturaleza porque era de sexo femenino y el poder de su fragancia convocaba a estas fieras desde cuadras y cuadras a la redonda. Un dogo overo se abrió paso entre los demás con fatuidad de matón, y con gruñidos amedrentadores aprisionó entre sus torpes patas a la perrita blanca, que se dejaba hacer, aunque sin cooperar, segura que las pretensiones del perro con desplante de bandolero no se concentrarían. ¿Y si el matón llegaba a fertilizarla? ¿Si la dejaba preñada con sus groseros espermatozoides, engendrando en ella cachorros de su talla de modo que al nacer de ese vientre no apto para dar a luz perros de gran tamaño rompiera sus delicados órganos reproductores? No fue piedad, sino indignación lo que hizo salir a Judit de su escondite, lanzándose al ruedo de perros erotizados que turbulentos y díscolos quién sabe de qué parte de la arbolada noche brotarían con sus instintos listos, de qué rincones fétidos, de qué secretas miasmas, qué rejas saltarían, qué cercos destruirían, qué agujeros cavarían y puertas derribarían para acudir al llamado de los efluvios de esta perrita de ojeras violáceas y cara empolvada como la de una tonadillera, que parecía reservarse la sonrisa que provocaba tan insensato tumulto. Los perros, sorprendidos por la repentina aparición de Judit, huyeron pero no se dispersaron, sino que se dejaron arrastrar por el taconeo ondulante de la perrita, ninguno dispuesto a perdonarla. Los perros no saben perdonar: oía sus ladridos, sus gemidos, su mañosa gresca, su gruñir implacable, pero ninguno era gangoso. La leva entera iba a violar, a devorar a la perrita, uno por uno, y ella lo sabía y lo quería, huyendo evasiva del destino rutinario de su celo sólo por coquetería, puro juego ante la tiranía del ciclo. Judit cruzó la calle en pos de la perrita sin importarle que pudieran verla desde muchas cuadras al norte o al sur, o desde las ventanas de un edificio, o desde la garita de un guardia escondido, y avisaran a las autoridades que una loca perseguía una leva de perros.

—¡Judit!

Desde detrás del arbusto, Mañungo se lanzó a toda carrera. ¿Qué hacía, le gritaba? ¿Estaba empeñada en que la detuvieran? ¿No se daba cuenta del peligro que corría con la patrulla probablemente sobre aviso, las sirenas listas, los *walkie-talkies,* los silbatos? Judit le gritó que se fuera, él no entendía nada, no le quería hablar nunca más, ni verlo nunca más, porque no podía entender nada. Necesitaba salvar a la perrita blanca de los violadores. Los perros huyeron porque sabían desaparecer en la vegetación de estas calles. Cuando Mañungo alcanzó a Judit, reteniéndola en un abrazo, entrelazados, su sedosa cabeza rubia caía sobre su hombro, continuaron paseando por las calles que todo podían ocultar.

En una esquina vieron el tumulto de perros en la acera de enfrente. El perro enorme enloquecido, y abajo, entre sus patas, con el pelaje pegado a su desnudez, la perrita blanca esperaba, relamiéndose, a que la bestia cumpliera su trivial impulso. Los demás perros formaban alrededor suyo un arisco círculo pendenciero, expectante, alrededor del macho que no lograba ayuntarse satisfactoriamente. Al ver a la perrita, Judit, con un grito, se desprendió de Mañungo, y cruzando la calle, sin importarle quién la pudiera ver ni oír, gritaba, váyanse, déjenla, perdónenla. Pero los perros no estaban dispuestos a dejar a la perrita cuyas orejas parecían más profundas y viciosas, y su rostro más concentrado y más pálido, aceptante de todos los perros que quisieran poseerla. Dieron vuelta sus cabezotas hacia Judit, gruñéndole babosos, mostrándole los colmillos para defender su derecho, el odio en la combustión de sus ojos sangrientos, pero ella, blandiendo su cartera y pegándoles en las orejas mutiladas y en los cuerpos sudorosos, logró abrirse paso entre los animales, que le desgarraban el vestido para no permitirle entrar en su círculo. El perro grande, sopeado de sudor y bochorno, vibrando con sus ancas comprimidas por el esfuerzo, la gigantesca lengua rosada desplomándosele del hocico, buscaba desesperadamente con su cuerpo el sexo de la perrita dispuesta a dejarse hacer, pero su torpeza anhelante lo hacía fracasar. Mañungo, desde el exterior del círculo, le gritaba a Judit que se apartara, que dejara que esos perros asquerosos cumplieran su destino. Pero su voz no penetraba en ninguna conciencia, igual que en las soledades de Cucao. Los perros saltaban alrededor de Judit jironeándole las mangas, la pollera, la blusa, manchándola con sus babas, con sus líquidos sexuales, con su sangre, dispuestos a violarla, y los más chicos, frenéticos, se adherían masturbándose a sus piernas desnudas. Mañungo se debatía para entrar en la hoguera sexual centrada antes en la perrita, ahora también en Judit y en los efluvios que exhalaba y los perros percibían. Fauces fosforescentes le habían arrancado la cartera, rajándola al peleársela entre el clamor de sus ladridos como si fuera un órgano de Judit. La cartera se abrió y rodó la pistola: pudo inclinarse para recogerla. Apuntó a los perros. Eran muchos. Todos iguales. Todos debían morir, machos indiferenciados que adheridos a ella la ensuciaban. En el medio de la leva, en cambio, la perrita blanca, única, delicada, irónica como si todo esto transcurriera en un salón digno de su alcurnia, centraba la furia desatada por sus circunstancias en la fatiga de sus orejas y en la melancólica sonrisa de quien sabe que no puede escapar a su destino, aunque por lo menos puede jugar. Judit no podía llegar hasta la perrita porque los animales mordían sus piernas chorreadas. Estaba a un metro de ella. Entre ella y la perrita hervían los perros arremolinados, sin que la perrita blanca, al parecer, se descompusiera, porque desde las patas del perro overo en el centro del círculo infernal, tierna, limpia, fatigada, le sonrió a Judit, su cómplice, su salvadora, su hermana, que apuntó con la pistola y le disparó a su cabeza: el cuerpo dio un respingo y la perrita cayó inerte.

El perro que estaba violándola distendió la energía de sus ancas comprimidas dejando caer a ese vestigio de entre sus patas. La husmeó una vez, y después se puso a oler y masticar unas hierbas un poco más allá. Los otros perros también la olieron, desinteresados. Algunos lamieron su charquito de sangre antes de alejarse. Uno se acercó al cuerpo y como último homenaje le olisqueó brevemente el sexo, como para comprobar que ya no servía, y después se fue a husmear los sacos de plástico negro de la basura, arañándolos para destriparlos antes de partir.

—¡Imbécil! —gritó Mañungo, arrebatándole la pistola.

—¡Déjame! —le respondió Judit al sentir que la tomaba por la muñeca para arrastrarla.

Mañungo entonces, con un amplio voleo del brazo, tiró la pistola por encima de la reja del jardín más próximo, por encima del cerco de laureles, al interior de un jardín desconocido donde nadie encontraría el arma hasta avanzado el día siguiente, cuando ellos estuvieran en el funeral de Matilde. Tomó a Judit de la mano con firmeza para ir a buscar escondite, pero la sintió resistirse. Los perros se habían dispersado. El cadáver sangrante yacía solitario en la vereda. Judit se acercó. Sentándose en la cuneta lo tomó en su falda, acariciándolo y murmurando cosas ininteligibles.

Por una de las avenidas —quizás por la avenida Lyon vista desde esta oscura calle lateral donde se habían perdido de tanto dar vueltas en busca de los perros—, la patrulla pasó gimiendo como una enorme bestia en celo. Con la perrita obstinadamente en brazos como si fuera una muñeca obtenida de premio en una tómbola, se apegaron a un cerco para protegerse. Estuvieron quietos un rato. ¿Por qué no surcaba la oscuridad el Caleuche iluminado, con sus velas albas y su arboladura de oro, navegando majestuoso por el extremo de la calle, para embarcarse en él y sumergirse en la eternidad, salvados por el buque de arte?

—Vamos —dijo él.

—¿Dónde?

—No sé.

—A escondernos.

—¿Dónde?

Judit, entonces, dijo sí, vamos, yo sé. Y avanzó llevando a la perrita en sus brazos. Él le rogó que dejara el cuerpo en la calle. ¿Qué cosa más absurda que andar vagando por las calles de amanecida de Santiago en toque de queda, con el cadáver de una perra en brazos, sin saber dónde dirigirse porque para ellos, no para los animales, estaba prohibido transitar a esta hora? Judit se detuvo en una esquina. Miró calle arriba y calle abajo. Luego, con la certeza de un marinero que ha husmeado el aire y adivina de dónde viene el viento, dijo:

—Por aquí.

Y enfilaron hacia el norte por una calle majestuosa que Mañungo reconoció sin ser capaz de nombrarla. Habían transitado antes por este rumbo, esta misma noche. Iban dejando un reguero de sangre en la vereda: sería fácil seguirles la pista. En el horizonte, hacia el poniente ahora, cantaban sirenas agónicas que lentamente fueron extinguiéndose.

25

En la niebla convocada por la proximidad del alba, el idílico jardín de thuyas piramidales, de bolas de boj, de tejos negros, de obeliscos de laurel tan desgreñados que ya era difícil adivinar la forma que originalmente se les destinó, cobró vida con los desplazamientos de los personajes harapientos que salieron a recibirles, atenuando las simetrías de lo que fue jardín. El padre de Darío habló el primero, mientras las demás figuras se formaban detrás de él:

—Oímos disparos.

—¿Más de uno? —preguntó Mañungo.

—Sí, uno desde el oriente y un poco al sur...

—¡Qué buen sentido de orientación!

—Uno se acostumbra.

—Ése fue el de Las Hortensias: porque fuimos, por fin, a Las Hortensias.

—¿Lo mató, señora?

—No. Sólo a la perrita.

—Y el otro de aquí, muy cerca, hace poco rato.

—Ése fue el de la perrita.

Se sentaron a hablar con las piernas colgando hacia el hoyo de la piscina en escombros. En el alto edificio en tinieblas, más atrás, se encendió una luz, quién sabe por qué a esta hora, y después de unos minutos en que suspendieron la charla para observarla, también sin explicación, la luz se apagó. El padre de Darío le dijo a Judit que si le hubiera hecho caso a él en vez de a don César no hubieran tenido que enfrentar al imbécil de Ricardo Farías, que en efecto estuvo en el centro de detención de presos políticos cuando estuvieron ellas, pero no podía haberlas condenado porque lo tenían a cargo de la sección hombres. No era así, pensó Judit, porque ella sintió esa mano inconfundible en su rodilla. El dato que él le dio, en cambio, estaba diciendo el padre de Darío, era más fidedigno porque se refería al que fue encargado en esos días de la sección mujeres. Los dos miembros del mismo servicio habían pasado gran parte de esta noche celebrando con unas compañeras la ausencia veraniega de las buenas esposas, y después partieron, uno en el Mercedes azul rumbo a Las Hortensias, el otro en el Volvo verde rumbo a Lota. Uno de los arbustos que escuchaban la historia de los dos disparos le dijo a Judit:

—Que la señora me entregue a la perrita para enterrarla.

—No.

—Antes que empiece a ponerse hedionda —insistió un laurel de pie detrás de ellos.

—Con este frío no se va a descomponer.

Mientras Mañungo terminaba su relato de los dos disparos cuyo eco la soledad de la noche transportó hasta aquí, Judit se reclinó en su hombro porque estaba muy cansada y quería dormir. Antes que terminara de hablar se lo dijo:

—Estoy cansada.

—Yo también —susurró Mañungo.

—Van a tener que dormir aquí esta noche. Es imposible cruzar la ciudad con la vigilancia que hay —dijo un obelisco de boj desde la oscuridad.

—Por eso me vine a refugiar aquí.

—También tiene buen sentido de orientación la señora.

—Cuando era chica vivía en este barrio. Pero ya casi no quedan casas de las de entonces. Está muy distinto. A veces me traían a jugar en este jardín. Era muy bonito.

Se levantaron. Una sombra o un tejo desaliñado o un hombre extendió sus brazos para recibir los restos de la perrita al ver que Judit se disponía a recostarse junto a un arbusto que resguardaría su sueño. La niebla estaba espesando: era justo antes del amanecer. Las sirenas cantaban su canción mortal en el horizonte y el resto de la noche pareció estallar otra vez con el pulso de helicópteros invisibles. Judit se negó a entregar el cadáver: el pequeño rostro empolvado dormía ahíto en sus brazos. Se estaba tendiendo en el suelo sin soltar a la perrita. Mañungo se tendió a su lado.

—¿Quiere algo para abrigarse? —preguntó el padre de Darío.

—No —respondió ella, rechazando la mugre de sus posibles cobijas.

—Gracias —dijo Mañungo.

Se recostaron uno junto al otro. Él le rogó que rindiera el cadáver a uno de los enigmáticos acólitos. Pero Judit apretó a la perrita contra su vientre al mismo tiempo que tendía su cabeza rubia en la tierra. ¿Quería algo para ponerse debajo, como almohada?, le ofrecieron. No. Había dormido demasiadas veces sin nada en qué apoyarse, y no contestó, cerrando los ojos para rechazar lo que la rodeaba, e intentar dormirse. Mañungo daba las gracias. Se tendió detrás de ella, abrazándola, remedando la curva fetal de su cuerpo con el suyo, y calzándolos. Pasó un brazo debajo de su cuello. El otro sobre su cintura, y la atrajo hacia sí. En la misma forma Judit mantuvo abrazado el cuerpo de la perrita blanca. Arropados por la ligera bruma, los arbustos estrafalarios se alejaron, también ellos a dormir antes que aclarara el día y se levantara el toque de queda. Así serían los primeros en hacer la recolección de cartones de la mañana.

—¿Ju? —susurró Mañungo.

No contestó.

–Vente conmigo, a vivir juntos en París.

Ella interrumpió su respiración acompasada para contestarle muy bajito:

—No trates de redimirme.

—¿Por qué no?

—No quiero.

—¿No me quieres?

Ella esperó tanto para contestarle, que Mañungo temió que se hubiera dormido otra vez y ya nunca más volvieran a hablar de nada.

—No sé —respondió Judit, un rato después.

Las dos respiraciones se habían acompasado antes que ella despertara para acomodar a la perrita, ya muy tiesa, junto a su cuerpo, y le preguntó a Mañungo, que también despertó:

—¿Y tú...?

Él sabía qué le estaba preguntando, así es que inmediatamente repuso:

—Creo que no.

—¿Pero quieres que hagamos el amor, no es cierto?

—Sí. Pero deja a esa perra.

—No.

—¿Entonces?

—En cuanto amanezca, la haremos enterrar y nos iremos a mi casa. ¿Quieres...? Para entonces ya no va a importar que no nos amemos, ¿no es cierto?

—Tampoco importa ahora.

—Tampoco.

Él se durmió al instante otra vez. Y cuando Judit sintió su respiración de sueño logró por fin abrazar a la perrita como quería y dormirse.

Tercera parte

La mañana

26

Despertaron doloridos con los terrones del suelo, el sol hurgándoles los ojos. El primer impulso de Mañungo al incorporarse fue consultar su reloj. Pero el reloj no estaba en su muñeca.

—¡Me robaron mi Rolex! —exclamó, poniéndose en pie de un salto.

Al registrar su ropa comprobó que durante la noche también había desaparecido su dinero y no estaba ni su morral ni los jirones de la cartera de Judit. Sólo le quedaba un pequeño rollo de billetes calientes en el bolsillo de los *jeans,* hasta donde, debido a su postura durante el sueño, no se aventuraron las manos ladronas: ladrón, pero no traidor, eso era don César, eso, seguramente, eran todos, ése era el código de los miserables.

—¿Y mis documentos? —exclamó Mañungo alarmado mientras se sacudía la ropa, aunque su alarma fue breve porque encontró sus papeles tirados cerca de donde habían dormido, junto con los de Judit.

—Nos robaron la plata —dijo ella, sentándose en la tierra y sacándose el pasto seco y las ramitas del pelo, cerca del cuerpo descartado de la perrita blanca, rígido como un juguete de palo tallado en una sola pieza—. Pero nos dejaron los documentos: a pesar de todo, no quisieron hacernos daño.

Estaban solos en el baldío, transformado por la luz de la mañana en un basural, latas, y papeles y trapos entre los matorrales, el suelo manchado con las huellas negras de pequeñas fogatas donde habían calentado comida, chamuscando los yuyos secos. En un balcón del edificio del fondo una señora en bata regaba sus plantas, y en otro balcón idéntico pero sin ninguna relación con el de las plantas, otra señora bruñía un tiesto de bronce que refulgía con el primer sol que tocó la cima de la torre. Judit le dijo a Mañungo que no se preocupara: lo del Rolex, claro, era una pena, pero había recuperado sus documentos, que era lo más importante. Ella no llevaba nada de valor en su cartera destripada por los perros. Sentada en el suelo, peinándose la melena con los dedos, giró para darle la espalda a la perrita blanca.

¿Fue falsa, entonces, su hiperestesia de anoche, la emoción que acompañó el asesinato de la perrita, con la que durmió abrazada como con una muñeca? Al ponerse de pie, Judit encontró tan natural que Mañungo no la ayudara, que ese desapego lo enfrió, de modo que cuando ella intentó abrazarlo y besarlo, él no pudo reaccionar más que formalmente ante la sorpresa: una desconocida le prometía al oído la felicidad que no sería capaz de darle, rogándole con susurros que la acompañara a su casa y se quedara con ella.

—¿Y el niño? ¿Qué hago con el niño?

—De mi casa puedes llamarlo.

—Vamos.

¡Qué insoportables las llantinas de Jean-Paul, sobre todo cuando tenía que resolver el problema de Judit antes de encararlas! El niño le iba a hacer pagar muy cara esta escapada, seguramente con meses de amurramiento, cobrándole la cuenta con toda clase de exigencias.

Pero las cosas con Jean-Paul iban a cambiar: estaba bueno que se fuera acostumbrando a otro régimen, sin tantas compensaciones por las fallas de sus padres, porque en los países subdesarrollados los padres tienen más derechos, incluso el derecho de no justificarse, y los hijos deben soportar las situaciones tal como se dan. En esta ocasión, por ejemplo, el niño no tenía de qué quejarse porque si bien su padre no regresó a la hora prevista, se había preocupado de que le pusieran a una buena nana chilena para que lo cuidara en el Holiday Inn, de modo que Jean-Paul no debía estropear con recriminaciones su maravillosa primera noche en Santiago. ¿Pero había sido, en realidad, maravillosa esa noche, y el resultado, visto desde la perspectiva de esta mañana, no era más bien cadavérico y siniestro? ¿Podían amarse, él y Judit, ya que eso, en el fondo, era lo que parecía estar planteándoles esta mañana?

Le pareció demasiado temprano para estas consideraciones. Aunque el cielo hubiera amanecido con la piel dorada como la de un damasco, la luz pronto recogería esa fina cutícula y para la hora del funeral el sol iba a picar desde un cielo implacablemente azul. Tomaron un taxi en Providencia, que aún no comenzaba a animarse. Lo dirigieron a Bellavista: la pasaría a dejar a su casa antes de irse al hotel. Porque ¿qué compromiso lo unía a ella? Ninguno. Podía perfectamente separarse diciéndole: chao, y nada más. Hacia el norte, el cerro San Cristóbal recién se desvestía de su sombra. El taxi, igual que el suyo esta tarde —¿era posible que todo hubiera ocurrido en menos de doce horas? ¿Que los perros y los helicópteros, y Farías y el velorio, y la historia de Judit relatada bajo la madreselva y sus cuerpos unidos bajo los acantos, todo un mundo, toda una vida, dos vidas porque la suya también contaba, y París y Chiloé, todo cupiera en ese apretado puño de tiempo? ¿Que no se cumplían aún las veinticuatro horas de la muerte de Matilde y en seis más la fueran a enterrar?—, se metía por el barrio, prosaico a esta hora de niños partiendo al colegio y de señoras saliendo con bolsas rumbo al mercado. El taxi se detuvo. Reunieron los pocos pesos que les dejaron los ladrones y después de pagar subieron la escala, enlazados por la cintura, arrastrando una mano por la baranda brillosa como

una castaña donde antiguas manos la habían lubricado.
Ante la puerta de Judit les sorprendió el olor a huevos fritos. Golpearon.

—¿Quién...? —alcanzó a preguntar Judit antes
que Lopito abriera.

Claro, tuvo que aceptar con desaliento: Lopito.
¿Quién otro para estropear sus proyectos y confundir la
imagen que quería obtener de sí misma en los brazos de
Mañungo? Lopito los recibía bañado, peinado, perfumado, el más afable de los dueños de casa, ataviado con
la bata de viyela azul de Judit. Al cerrar la puerta lo contempló atónita: se dirigía al equipo, rogándoles que se
sintieran perfectamente *at home* y cambió el cassette:

—*Los dos granaderos* —reconoció Mañungo.

—*Elementary, Watson* —asintió Lopito—. Cantando por Fisher-Diskau que a mí, te diré, no me gus...

—¿Qué haces aquí? —le gritó Judit, pasando
rápidamente de la sorpresa a la histeria, sobre todo porque recordaba demasiado bien, cuando ya era tarde para
remediarlo, qué, exactamente, hacía allí Lopito. Porque,
claro, no era en absoluto el estilo de Judit llegar en las
primeras horas de la madrugada arrastrando una aventura galante, de modo que jamás se le ocurrió que se le
iba a presentar este absurdo inconveniente para pasar
días y días en los brazos de Mañungo como remedio para todos sus males. La presencia del inmortal Lopito,
bien bañado y bien dormido, intruso en su vida privada
y señoreando como un marido comprensivo en su casa,
se le hizo, a estas alturas, psicológicamente inmanejable.

—¿Sabes que en el fondo estoy aburrido con Fisher-Diskau? —le decía Lopito a Mañungo, sin prestar
atención a las preguntas de Judit—. ¡Tan monótono! No
deja opción, porque como ha grabado absolutamente toda la literatura musical para voz masculina, no hay forma de escaparse de su ubicuidad. ¡Un asco! Schumann,

entonces, suena igual que Ravel, y Fauré igual que *Adelaïde:* dictadura musical se llama eso. En el fondo es un vulgar mercader. ¡Cómo no, si es dueño de la Deutsches Gramophone y graba todo lo que se le pasa por el culo! Son las mejores grabaciones del mundo, eso hay que reconocerlo. ¿Qué irá a hacer ahora la Deutsches Gramophone con los *compact-discs?* ¿Has oído *compact-discs?* Son la verdad absolu...

—¿Qué haces aquí, te digo, Lopito? —volvió a preguntarle a gritos Judit, aunque lo sabía de sobra, pero creyó poder descargar la presión de su rabia reiterándosela—. Yo necesito mi vida privada.

Lopito la encaró:

—¿Ah, sí? ¿No te acuerdas, mi preciosa Virginia Woolf chilensis? Me prestaste tu llave para que durmiera aquí esta noche, con la condición de que me bañara. Ya me bañé, y te diré que en el fondo no es una experiencia desagradable. Déjame disfrutar un rato más de este oasis antes de regresar al horripipante mundo de la realidad contra el cual tu casa es un antídoto tan civilizado. No se ruboricen ante el tío Lopito porque los sorprendí en una mañana de devaneo. Les aseguro que soy el celestino perfecto. ¿Quieren que les abra la cama? ¿Que les eche a correr la ducha o la tina? ¿Qué prefieren? ¿Que les prepare huevos revueltos para que tengan proteínas suficientes para disfrutar de esta mañana de amor antes del funeral? Ah, te tengo un mensaje urgente, Ju. Te llamó Celedonio diciendo que por favor lo llames. Y también Ada Luz. Los dos parece que te quieren decir algo relacionado con el funeral de la Matilde y están enloquecidos. Dicen que Lisboa anda hecho un basilisco. ¿Qué será un basilisco? Mira, mira, oye qué maravilla es Schumann que de repente se resbala y cae en la locura total en la *Kreisleriana* y no se puede armar otra vez... Oye... ¡Es la verdad absoluta, este tipo!

A Mañungo lo tenía irritado sobre todo que Lopito se hubiera ataviado con la bata viyela azul de Judit, como si su uso fuera parte estable de una costumbre, e hiciera gala con eso de una intimidad casi marital: en realidad, pensó, lo lógico sería que se fuera él, Mañungo, dejando a Lopito instalado en el departamento. ¿Qué circunstancias ignoradas durante sus doce años de ausencia unían a esos dos? ¿Clandestinidad, muerte, cambios brutales, hambre, frío, traiciones mutuas y mutuos perdones, consuelo...? ¿No era, acaso, el cúmulo de estas mezquindades lo que se suele llamar amor? Y la ilusión, y después la desilusión de todo, de todas las ideologías, dejándolos solos, dando manotazos porque en las circunstancias presentes a que las autoridades los habían empujado no cabía otra cosa. Leyeron las mismas novelas al mismo tiempo, estos dos, y estaban sufriendo el contagio, tal vez pasajero, de Schumann, y citaban los mismos poemas ilustrando situaciones paralelas, y compartieron noches sin luz porque ya no les quedaban ni siquiera velas, y una frazada, y la última manzana, unidos, perteneciendo al mismo paisaje, con o sin amor durante tantos años para Mañungo perdidos. La bata de viyela azul estaba vieja porque a falta de otra también la usaba el «marido». Nadja no sabía compartir viejas batas de viyela con nadie: todo era tuyo o mío. ¿Habían hecho el amor, Lopito y Judit, alguna vez después de aquella lejana primera ocasión cacareada como un triunfo por Judit, como un acto de arrojo, en la universidad durante los años heroicos en que era necesario ser más grande que uno mismo y saltar más allá de su propia sombra? ¡No! ¡No podía soportar esa idea! Pero debajo de la intimidad de esos dos, Mañungo adivinó que Judit se quería entregar a él para que la ayudara a explorar su desconcierto, las perplejidades a resolverse sólo haciendo el amor urgentemente, ahora mismo.

Despedir a Lopito y hacerse dueño de la bata de viyela azul. ¿Cómo podía Judit acostarse con un tipo tan asqueroso como Lopito. La respuesta era porque ella también era asquerosa. Se hizo intolerable su necesidad de echar a Lopito de la casa para lanzar a Judit sobre la cama y preguntarle todo.

En la cocina estaría preparando café e ingeniando, se imaginó Mañungo, alguna manera de deshacerse de Lopito, que se divertía desacreditando la idea de que Schumann se hubiera lanzado al Rin amarrado a su velador como lastre. ¡Era una historia surrealista inventada por don Celedonio! Aunque la idea no estaba mal. Lástima que los veladores de ahora no fueran muy prácticos en ese sentido, tan livianos que flotaban porque no eran más que mesitas de caña, no sólidas estructuras de caoba tallada, con muchos cajones y cerrajería de bronce. Sería necesario prevenir a los fabricantes de veladores si no querían perder su clientela. Claro que la vez del velador no fue cuando Schumann se mató. Ése fue sólo un intento de suicidio, igualmente sin importancia que los intentos de suicidio de toda la gente como uno, aunque ahora no estaba de moda amarrarse a un velador para hacerlo: claro que el Mapocho no era el Rin y en su papel de vater quedaba sumamente deslucido; en cambio el Rin lo ennoblecía todo, aseguraba Lopito, tosiendo al mismo tiempo que tarareaba los momentos más peligrosos de la *Kreisleriana*. Levantó el teléfono al oírlo sonar:

—Habla con la residencia de don Juan López.

—¡No seas imbécil, Lopito! —le gritó Judit desde la cocina—. ¿Quién llama?

—¡Freddy, mi amor! —estaba diciendo Lopito, gesticulando obscenamente—. ¡Pero qué gusto tan grande! ¿Ah, no sabías que hace años que la Ju y yo vivimos en concubinato? Sí, tienes tres hermosos sobrinos López Torre, overos, por desgracia, por lo blanca la Ju y lo negro yo, lástima que no resultó la tonalidad café con leche que es tan exótica. Pero son buenos chiquillos y sacan siete en comportamiento y hablan francés como Jean-Paul. ¿Qué importa quién es Jean-Paul? ¿Por qué me ama la Ju? Muy claro: su *«amour pour la boue»,* tan respetable como tu afición por los chupetes, aunque comprendo que ésa ya sea una fase superada de tu evolución sexual. En fin, el amor es pura fantasía, como se sabe, y da lo mismo Príamo que la cabeza del burro...

¿Y si fuera verdad este horrible chiste de Lopito? ¿Si dentro de un minuto irrumpieran por la puerta tres enanitos overos, con la quijada de Judit y los dientes verdosos de Lopito?, pensó Mañungo, que no despegaba de la puerta sus ojos alarmados. Judit se apoyó en Mañungo. Él le hurtó su cuerpo discretamente porque no estaba dispuesto a aceptar intimidad alguna sin antes aclarar las cosas. Ella, ahogando su risa, por fin se adueñó del fono:

—No, Freddy, no te voy a dar explicaciones de por qué está Lopito en mi casa, además en paños menores, a las ocho de la mañana. Sí, durmió aquí. No te voy a contestar nada más porque no voy a aguantar tu papel de primo mayor que vela por la pureza de su parentela femenina.

Lopito se tiró en la alfombra, con calambres de risa. Mañungo fue a la cocina y se sirvió un vaso de agua, que no bebió. Se quedó en el umbral, escuchando la comedia:

—Bueno. Basta. ¿Qué quieres, Freddy? Sabes muy bien que no tengo nada que hablar con un carajo como tú. No puede ser tan urgente. Nada en el mundo es tan urgente ahora que la Matilde se murió. ¿Por qué hoy, que es el funeral y hay tanto que hacer? Me quedé de juntar con Celedonio y la Fausta en la casa de la Matilde y no me puedo atrasar. ¿Antes, contigo? No, no quiero que vengas para acá. ¿Para que después andes comentando «pensar cómo vivían los padres de la Ju y para qué decir nuestros abuelos, y miren cómo vive la pobre ahora»? No. Tienes toda la razón: un tipo como tú puede mancharme. ¿Pero cuál es tu apuro, pues, Freddy? No, tampoco quiero ir a tu oficina en ese edificio todo de vidrio, que detesto. ¿Cómo no vas a poder esperar hasta mañana o pasado?

Lo escuchó atentamente, seriamente, unos minutos. Mañungo, en la cocina, sirvió dos tazas de café. No sabía a quién le iba a dar la que no era para él. Debió haber preparado tres, pero le faltaron manos. La segunda taza podía ser para Judit o para Lopito. Bajó el volumen de la música para descifrar lo que decía Judit, que de pronto se había puesto a atender las palabras de su primo. Hasta que la oyó decir:

—Bueno, entonces. En veinte minutos más.

Y colgó sin despedirse. Murmuró:

—Apenas voy a tener tiempo para ducharme.

—¿Dónde vas? —le preguntó Mañungo, con las dos tazas de café humeante en las manos.

—El cretino de Freddy tiene urgencia de hablar conmigo de algo a «alto nivel», como dicen los periodistas. No me imagino qué puede ser. Lopito, mientras me visto hazme un favor y llámame a Celedonio. Dile que voy a estar en la casa de la Matilde dentro de una hora. Que nos encontremos allá. Y como es muy posible que llegue con Freddy Fox, que avise a la muchachada para que no lo espanten.

—¡Se van a espantar esos hotentotes! —observó Lopito, como si él nunca hubiera pertenecido al grupo más soliviantado de esas hordas.

Diez minutos después Judit se disponía a salir, fresca y con la melena empapada. Se despidió de sus amigos con besos en las mejillas —dos besos idénticos, no pudo dejar de observar Mañungo, dos besos que anulaban la noche que acababan de compartir y que él tuvo la ingenuidad de creer que enlazaría por lo menos brevemente sus ciclos—, y tomando la taza de la mano de Mañungo bebió un sorbo antes de pasársela a Lopito. ¿Para quién, entonces, era la otra taza, la que había preparado en un inconsciente esfuerzo por definir una pareja? Cuando Judit salió y cerró la puerta, Lopito se puso a sorber el café, devolviéndole después la taza a Mañungo, que pasó a la cocina para lavar las dos tazas, muy a la europea. El lavaplatos rebosaba con la vajilla sucia de Lopito. ¿Cómo se las ingeniaba para ensuciar tanta loza él solo?

—¡Mira cómo dejaste todo esto, huevón! —murmuró en voz baja para no agredir a su amigo.

—¿Para qué te apuras? ¿Dónde, por otra parte, se puede ir hoy en esta ciudad, fuera de al cementerio? ¿Ves? Es la ciudad la que nos propone sólo programas funerarios sin ofrecer ni una sola alternativa vital. Somos habitantes de *La Isla de los Muertos*.

—Voy a ver a mi hijo.

—¿A Jean-Paul? —El tonito siniestro asomando su punta de escarnio: intolerable, como el hecho de que no hubiera siquiera pretendido quitarse la bata de viyela azul de Judit.

—Sí, a Jean-Paul.

—¿Y cuándo me vas a presentar al monstruo?

—No es un monstruo.

—Perdón —dijo Lopito, mimando una reverencia de mosquetero—. Se me olvidaba que los *Vips* suelen perder completa y absolutamente el sentido del humor.

Mañungo, avergonzado, se sentía perdido, enredado, sin saber por dónde seguir ni por dónde salirse ni en qué tono retomar lo escaso que quedaba de un posible diálogo con Lopito. No pudo dejar de hacer un último esfuerzo:

—Bueno, Lopito. ¿Quieres que borremos todo y comencemos otra vez, *da capo?* Ya, déjame comenzar a mí, a ver si me sigues. No es tan difícil no ser odioso: te voy a presentar a mi hijo, Jean-Paul, en el cementerio —le dijo, odiándolo por hacerlo capitular del todo.

—Regio, entonces. Yo voy a llevar a la Moira para que se conozcan y se hagan amigos, ya que a nosotros parece que nos está resultando más bien difícil.

—¿Quién es la Moira?

—La Moira López, mi hija de seis años, conocida como la Lopita cuando la tengo que cuidar porque la Flora anda trabajando, y me la llevo a algún bar a pasar el rato porque si no me ahogo de depresión en la casa. No te rías: te reconozco que Moira le queda grande como nombre. Y como le dicen *la Lopita,* a ella también la jodieron igual que a mí.

Mañungo, junto a la puerta de salida ya abierta, no pudo controlar la risita de su mezquino desquite:

—¡La Moira! Puchas, huevón, que hay que ser esquizofrénico para ponerle un nombrecito así a una pobre cabra inocente... ¡Y si se parece a ti...!

—Sí. Es fea. Pero ella no sabe que es fea porque yo le digo que es linda y a mí me cree todo. Pero es fea, la pobre.

—Tiene a quién salir.

—¡Déjate, Mañungo, si no querís que te pegue!

—¿Tú pegarme a mí? ¡No me hagas reírme! Tenís las manos tembleques y respiras como una cafetera descompuesta...

Al cerrar la puerta le dijo a Lopito:

—Lleva a la Moira al cementerio, si te atreves.

—Mañungo...

La voz de Lopito era ronca, implorante.

—¿Qué quieres?

—No seas así.

—¿Qué?

—Cuando la conozcas tú y Jean-Paul, no se rían de ella. Por favor. ¿Me prometes?

Mañungo cerró la puerta al decir «sí», con un golpe de compasión que no podía tolerar porque Lopito lo estaba deshaciendo, y sólo al llegar a la esquina pudo sacar su pañuelo para sonarse.

27

Decidió que la sonrisa del portero del hotel al verlo entrar, prodigada no al personaje ilustre de Mañungo de regreso en su patria, era auténtica: ya lo había deslumbrado la amabilidad general, la buena disposición casi excesiva de mozos y taxistas expresada en esta dulzura que era desconfianza en la efectividad de lo agresivo, desconfianza que había llegado a ser un lujo ya casi extinto en Europa. No es que allá los porteros no sonrieran. Pero lo hacían profesionalmente, que no era el caso del botones que ajustaba el discreto desorden mañanero del *lobby* y a su paso lo saludó con una cordialidad brotada desde debajo de la piel de la cortesía, que en su mundo, en sus poblaciones, seguramente sería descartada a la hora de ventear rencores. ¿Este botones pertenecía o no a la misma estirpe que las trashumantes siluetas de anoche, cuyas manos blandieron cuchillos y lo despojaron de su amado Rolex? Podía ser: quizás fuera el reverso necesario del rencor de Lopito, por ejemplo, siempre tan a flor de piel que resultaba cuestionable. En todo caso, no estaría mal que Juan Pablo tuviera la experiencia de esta cordialidad, él, un niño criado con la rigidez de los deberes galos de Nadja, y en la competitividad inmisericorde de los colegios y de los niños de allá.

—Señor... —le dijo el conserje—. Buenos días...

—Buenos días. Habitación nueve siete ocho.

—El niño está abajo.

—¿Jugando?

—No. Durmiendo. Aquí en la oficina —y abrió la puerta para que Mañungo entrara.

—¿Qué le pasó?

Juan Pablo, envuelto en chales escoceses, dormía en el sofá de falso cuero.

—¿Por qué está aquí? —se inquietó Mañungo. Y besándolo para despertarlo le dijo—: Jean-Paul...

—Tuvimos que darle un Diazepam.

El niño saltó, sin transición, del sueño al llanto en los brazos de su padre, con un grito que no era la alegría del reconocimiento, sino del pavor:

—*Tu est en retard. Tu m'as dit que tu vas rentrer bientôt. Papa, papa! Rentrons chez nous, je ne veux pas être ici...*

Y mientras Jean-Paul sollozaba, el conserje y otros empleados reunidos en torno al padre con su hijo histéricamente pegado a él le expusieron la situación: anoche, un temblor no demasiado fuerte en comparación con los que solían ocurrir en Chile, lo asustó, y se puso a llorar y a gritar porque, claro, una habitación en el piso nueve oscila bastante con cualquier sismo. Además, se habían cortado las luces, de modo que el niño, como todo el hotel, quedó a oscuras antes que echaran a andar los generadores. Los extranjeros se alarmaron, tanto que un *tour* de botánicos canadienses modificó su excursión, y partirían hoy pese a tener reservas para cuatro días: no estaban dispuestos a pasar otro susto como el de anoche. No fue un temblor muy fuerte comparado con lo que eran nuestros temblores —el conserje hablaba de los puntos en la escala de Richter con el orgullo de un campeón—, pero un niño como Jean-Paul, pobrecito, jamás expuesto a una experiencia parecida, naturalmente se había asustado. No quiso permanecer en su habitación, arriba. Ni siquiera acompañado por la cariñosa cuidadora, empeñada en explicarle a su manera estos curiosos fenómenos de la naturaleza. Sollozaba, insistiendo en que quería pisar tierra firme, abajo, e incluso permaneció un rato en el jardín sin darse a la razón de que era mucho más peligroso estar afuera en caso de una réplica, porque se podían desprender cornisas y caer desde grandes alturas, mientras que dentro del hotel todo era de concreto armado, de la mejor calidad de construcción norteamericana. El niño gemía clamando por su padre, que viniera a llevárselo a su casa en la rue Servandoni, tanto, que por fin lo trajeron a dormir en la oficina de la planta baja.

Mañungo no había sentido temblor alguno. Tomó a Jean-Paul en sus brazos para trasladarlo a su habitación, intentando calmarlo al subir en el ascensor. ¡Era culpa suya, suya, de su papá, mentiroso, por ser de este maldito continente de cataclismos, funerales y revoluciones! ¡Se quería ir! ¿Por qué no se podían ir inmediatamente?

Mañungo soltó el agua del baño. Desvistió a Jean-Paul y lo metió en la tina caliente, limpiándole en primer lugar los mocos de sus sollozos. Pidió desayuno para dentro de un cuarto de hora. Jabonándolo y bañándolo, el niño se fue calmando un poco, logrando por fin extraerlo de ese mundo de catástrofe que apuntaban hacia una trascendencia que veía como totalmente hostil, de la que jamás lo habían noticiado. ¿Cómo explicarle que la cordillera nevada y la fracturación de islas que encontraría en su viaje al sur, canales por donde navegaba el Caleuche de velas alborozadas por el viento, eran el resultado de antiguas catástrofes no muy diferentes a ésta aunque de mayor magnitud, y ya enfriadas? No pudo dejar de recordar que casi se palpaba la perturbadora proximidad de la geología, la presencia del mesozoico que en otras partes no era más que una bella palabra, pero aquí una realidad de tiempos previos a los hombres y a los idiomas, al ir bajando la cuesta que conducía a Dalcahue en un día claro: extensiones de canales, de tiernas islas verdes como escombros geológicos refugiados en la marsupia de Castro, y al fondo de la atmósfera transparente de la espina dorsal de la gran cordillera deslumbrante de vértebras nevadas... Sí, esa sensación de plática trascendente con el tiempo era lo que Mañungo recordaba, y tal vez, aunque no se lo planteara siempre así, lo añoraba. Después del maremoto que eliminó la vida de bordemar de su familia y diezmó a los miembros sobrevivientes, su padre lo llevó a protegerse en sus tierras de Curaco de Vélez, que por lo menos proporcionaban sustento para mantenerlo a él en el colegio, y más tarde, precariamente, en la Universidad de Concepción. En Curaco de Vélez todo era lechería, papas, peces, producidos y consumidos en forma casera, y el tono era de duro aprendizaje a resistir sin quebrantos los temporales infinitamente prolongados e infinitamente destructivos. En el colegio del pueblo, la Ulda le enseñó a tocar la guitarra para conjurar la oscuridad de las tardes aisladas, porque la Ulda provenía de tierras de más al norte, donde la música era alegre y la gente expansiva. Ella, como si fuera la hembra de un animal más sabio que el hombre, después de regalarle dos años de música y de amor, lo echó de su lado: ándate, le dijo, eres demasiado inteligente, si te quedas aquí te vas a matar de ahogo y de falta de alimento, no me importa que me dejes muriéndome de amor, siempre encontraré a alguien que por lo menos sustituya tu parte física y tendré que aprender a conformarme con eso, pero ya no soy joven y espero poco, y en un año más estarías mirando a otras más jóvenes que yo con los ojos que yo te abrí, así es que ándate, lo que importa es que te salves. ¿Había cambiado mucho en quince años, la Ulda? ¿Había encanecido su pelo negro, oloroso a humo de leña? Anoche, mientras dormía abrazado a Judit en el baldío, sintió ese olor del pasado rondándole, más potente que el sueño, y penetrándole. Despertó desazonado con la sensación de que desde la isla, por primera vez en todos estos años, la Ulda estaba movilizando quién sabe qué poderes para llamarlo. Se abrazó con fuerza a Judit y a la perrita blanca, prendiéndose de ellas para no dejarse arrastrar a la niebla austral, contra la que la misma Ulda en otro tiempo lo había precavido, pero donde ella, ahora, lo estaba convocando. Poco podía saber en Europa de lo que en la isla sucedía porque don Manuel le mandaba escasas noticias, más que nada sobre sus animalitos o las cosechas del año: para el viejo analfabeto cada carta debía obedecer a necesidades mayores porque cada vez tenía que emprender un viaje a Castro en busca de un escribiente de confianza que no traicionara los adustos secretos que dos veces al año compartía con su hijo.

Jean-Paul, en cambio, desnudo y mojado aún, envuelto en un rico toallón que parecía proporcionar cierto grado de placer reconfortante a sus sentidos, sabía no sólo escribir, sino leer, y además, hablar francés e inglés. Caminando de su mano por la rue de Seine bajo las canonizadas ventanas de Sartre, una vez el niño le comentó que cuando fuera grande estudiaría electrónica para construir los aparatos que producían la música, pero estas confidencias eran muy ocasionales porque el niño no saltaba más allá de la barrera de Mickey Mouse y *Au claire de la lune, mon ami Pierrot,* entretenimientos para los que decididamente ya estaba demasiado grande. ¿Cómo sería bajar con el de la mano desde la casa de tejuelas de su padre hasta la ensenada, y dejando la ropa en un montón bajo una sangrienta fucsia silvestre, sumirse, tanto por placer como por higiene, en esa corriente diáfana que al jabonar al niño se nublaría alrededor de su cuerpecito blanco como la panza palpitante de un batracio? Esa corriente densa de pejerreyes y jureles a veces traía hasta la costa de enfrente a un lobo marino que durante horas o días o semanas permanecía bramando cavernosamente en las rocas, corriente que lo arrastraba todo, después, hasta las Guaitecas y el istmo de Ofqui más al sur, en la zona de los ventisqueros y las ballenas, donde las erosiones siguen alterando la topografía y en montañas sin nombre galopan manadas de guanacos y generaciones de aves marinas enriquecen las escarpas con siglos y siglos de excremento.

El niño ya estaba vestido con sus *jeans* y su camisa, miniaturas del atuendo paterno, disfrutando de un desayuno que no le mereció reparos. En todo caso, pese al cariño con que le habló y le consoló, Jean-Paul se mantuvo severo frente a Mañungo, interrogándolo acerca de dónde y con quién había pasado la noche, así, directamente, acusadoramente, requiriendo de él —como Nadja ante sus escapadas, cuando su «alma eslava» la torturaba con acusaciones con demasiada frecuencia bien fundamentadas—, exigiéndole respuestas sin rodeos, nombres, horas, fechas, como le gustaban a ella las cosas. Mañungo le explicó al niño que siendo la primera noche de regreso a su patria se había enredado paseando por las calles de la ciudad con una amiga muy querida. Ahora esperaba de un momento a otro su llamado telefónico para ir juntos al funeral de Matilde Neruda, aquella «reina», ¿se acordaba?, que acababa de morir. Se trataba de una ocasión no sólo afectiva, sino pública, histórica, algo para contarles a sus nietos, probablemente la última vez que en este país sucedía algo así porque su desgraciada patria se hallaba prisionera de un «estado de sitio» y se llevaban presa a la gente porque sí, y los diarios mentían porque el régimen era dueño de los diarios y sólo publicaban lo que al régimen le convenía, y había miedo y toque de queda...

—*Couvre-feu...?* —preguntó Juan Pablo, de pronto encantado—. *Comme dans «Vingt ans après»?*

—*Comme dans «Vingt ans après». Mais ici c'est douze ans après, et pire qu'au debut.*

—*De quelle heure à quelle heure, le couvre-feu?*

—*Minuit jusqu'à cinq heures le matin.*

—*Tu as donc été avec cette femme de minuit jusqu'à cinq heures du matin!*

—*Cette dame, Jean-Paul, pas cette femme.*

—*Tu vas donc l'épouser et nous resterons ici?*

Sintió un impulso de abofetear a Jean-Paul por esta impertinencia. ¿Pero cuál, en realidad, fue su impertinencia? Distendió su puño agarrotado y le acarició la cabeza de oro húmedo sin darle respuesta, ni a él ni a sí mismo, porque, claro, no dejaba de ser una posibilidad. ¿Judit sería capaz de acariciar a su hijo así, a su pobre hijo que lo necesitaba tanto y que él sólo rara vez y cuando se sentía muy culpable, llegaba a acariciar? Tal vez éste fuera el insulto que entrevió en la propuesta matrimonial sugerida por su hijo, que era pura antena, pura sensibilidad: pero él sólo sabía amar a mujeres sin ternura, como Judit. Como Nadja. Pero en Nadja la frialdad era una cuestión gratuita, estética, una experimentación con sus propios límites y los límites de los demás, mientras que en Judit era un destino vertiginoso, el de la soledad detrás de barreras —tal vez detrás de su origen, aunque Mañungo tenía muy claro que ella y los que eran como ella le adjudicaban más importancia a estas diferencias que los que no participaban de ese juego—, que alguien había establecido. Porque sus rebeldías estaban fijadas por su origen, Judit sería una compañera muy poco contemporánea, subdesarrollada en el fondo, al dejarse definir por algo tan nimio que no debía contar ni para bien ni para mal. Sintió ira al verla estropeada por su preocupación de pagar idiotas deudas de clase que no le dejaban energías para los festejos del placer en que la ternura era un ingrediente principal. ¿Era esa carencia la que la mantenía vívida ante sus sentidos, su clámide de seda mojada, palpable, moldeándole la

grupa, su tacto invadido por la frescura vegetal de sus pechos contaminados por la limpieza clorofílica del césped
y los acantos?

La pregunta de Jean-Paul le había herido. Sí.
¿Por qué no casarse con Judit? ¿Por qué no casarse si era
verdad que lo atraían las mujeres encarceladas por sus
fantasmas? Juan Pablo siguió su interrogatorio:

—*Dis-moi la verité. Il y aura la révolution cet
après-midi? J'ai très peur. J'ai vu des choses comme ça dans
la télé. Et on mange même les enfants quand il y a la famine.*

—*On ne mange pas les enfants au Chili. Nous
sommes civilisés.*

—*Ça n'est pas vrai. J'ai vu les uniformes à la télé.
Il sont très beaux, comme dans Tin, Tin, pleins d'or. Et que
me dis tu de ces tremblements de terre? Est-ce qu'on peut
dire qu'un pays est civilisé quand il tremble comme ça? Et
les révolutions... Non, n'est-ce pas? Partons, papa... allons
chez nous. Laisse cette femme ici et partons...*

—*Je t'ai dit de ne pas l'appeller femme. Dame, mer-
de alors.*

—*Dame.*

Mañungo trató de consolarlo por su exabrupto.
Iban a salir en cuanto terminaran el desayuno, para dar
un paseo por un parque muy bonito que quedaba cerca
del hotel, antes de ir al funeral: tenían tiempo. El niño se
negaba a salir, a ir al funeral, a todo. Llevándolo lloroso, a
tirones y empujones, salieron del hotel. Para apaciguarlo
Mañungo le prestó su estupendo equipo fotográfico. Si se
portaba bien le permitiría hacer fotos, lo que Jean-Paul,
después de velar un rollo y estropear un botón, tenía prohibido. El peso del aparato en su cuello lo consoló.

En el parque, la Fuente Alameda, al mediodía, estaba en el apogeo de su grandilocuencia triunfalista de
agua y bronce reluciente en drapeados y pechos metálicos,
falsos cañones y focas y guirnaldas y rocas, aspersiones de

luz que transparentaban los arcos de agua desde los hocicos de animales mitológicos: el agua desmenuzándose
en cascadas, en rosarios, encantó a Juan Pablo, que opinó que la fuente se parecía a algunos monumentos de
París —Mañungo prefirió no pedirle que precisara a
cuáles porque el niño detectaba con demasiada facilidad
cualquier ironía en su voz—, y quiso sacar fotos de la
fuente con la máquina de su padre. Viéndolo hacer, Mañungo lo corregía, irritantemente, inútilmente, porque
Juan Pablo había nacido sabiéndolo todo respecto a
cualquier máquina y odiaba que le corrigieran. Terminaron peleados, la máquina de nuevo colgada del cuello
de su padre, y volvieron al hotel sin hablarse para hacer
hora antes de partir al funeral. En su habitación Mañungo se puso a hojear el diario tendido en su cama,
tratando de no prestarle atención a Juan Pablo, que miraba por la ventana, igual que como allá.

28

Quien no haya estudiado exámenes bajo los plátanos del Parque Forestal ni se haya acalorado defendiendo sus pasiones y leído *Veinte poemas de amor* a la sombra de su follaje, ni haya tomado la mano de una compañera al resguardo de sus arbustos, no conoce la deslumbrante novedad de ser adulto y libre por fin, volcado a la gente y a las calles de la ciudad que como universitario por fin se le abren.

Los prados hundidos anegados de sol, los terraplenes y escalinatas, algún modesto monumento *belle époque* refugio de palomas y verbajos, los estudiantes barbudos arreglando el mundo, han sido el ornato estable de este parque que yace como una angosta vaina verde junto a la cuchilla herrumbrosa del río que escinde la ciudad: parque urbano pese a lo frondoso, recoleto pese al bullicio de los autos que recorren ambos costados de su estrecha forma de sable, en la noche transparente a las luces y a los ojos de los gendarmes que lo vigilan. Los ediles miman al Parque Forestal porque es el rostro más presentable de la ciudad plomiza —el pequeño «pulmón verde», como se usa decir ahora, de su centro—, portada digna de ser exhibida como prueba de nuestra pretendida solera: este parque ha sido para varias generaciones una patria dentro de la patria, fuerte por ser capaz de mantener su identidad pese a violaciones y transformaciones. Freddy Fox había vivido como cosa propia todos sus avatares, identificándose con el Parque desde que su *nanny* lo sacaba a tomar aire en su cochecito baboseando su primer collar de chupetes, hasta sus paseos de miope estudiante aplicado a sus textos de derecho a la vez que el registro de alguna compañera que se ponía al alcance de su mano. Más tarde llegó a ser quien concertó las *razzias* contra los marihuaneros que durante la Unidad Popular surgían de los barrios para ensuciar con pintadas soeces los edificios y el parapeto del río. Hasta que por fin el momento presente trajo el sometimiento y la recapacitación de la ciudadanía dispuesta por fin a dejarse guiar en materias en las que no era experta, maduración forzosa a la que él no era ajeno. Esperando a la Ju en el banco frente al museo podía decir con satisfacción que el presente y el futuro de «su» parque se encontraban ahora cautelados por su autoridad y por su gusto, ya que emanaban de su persona las políticas de ornato más celebradas por los entendidos, o que por lo menos en alguna etapa del proceso debían contar con su beneplácito.

En cierta medida, y descartando todo envanecimiento criollo, pensaba Freddy Fox, el Museo de Bellas Artes quizás fuera más proporcionado, menos pomposo que el Petit Palais, su prototipo. El edificio fue el núcleo del parque desde que se comenzó a construir con dineros de la nueva minería a comienzos de siglo, cuando se inauguró con un gran baile del que él poseía una curiosa serie de fotografías, al que asistió su abuela paterna, una de las grandes bellezas de entonces. Dato trivial, por cierto, pero uno de tantos que lo hacían sentirse profundamente entroncado con la historia de su país, avalando su desdén por los advenedizos que intentaban apoderarse de un mendrugo de poder, fuera del que él les tiraba para que lo picotearan cloqueando innoblemente. Que Neruda coleccionara autógrafos y manuscritos, muy bien. Neruda era un genio, un mutante, pero en último término Neruda debía coleccionar para él, para Freddy Fox, cuya abuela, ataviada de crespón blanco y llevando un abanico de plumas, bailó una mazurca con el presidente don Pedro Montt para inaugurar este museo en 1910: todo en Chile, finalmente, se relacionaba con la política, desde los abanicos de plumas de las abuelas hasta las colecciones de autógrafos, y quien no actuaba con el poder sino en su contra, quedaba fuera del fluir de la historia, tan tormentosa, tan sucia como la corriente del pequeño río urbano que entre sus altos muros de cantería se despeñaba desapaciblemente.

Antes de identificar como la Ju a la mujer que cruzó, allá lejos, el puente de Purísima y se vino acercando bajo los árboles, una voz muy queda le susurró a su versátil corazón de gordo de ese cuerpo femenino de tan cuidada construcción y de movimientos espléndidos que avanzaba hacia él, satisfacía estéticamente los anhelos de su propio cuerpo desmedido... Sí, esa hipotética interlocutora era dueña de poderes quizás capaces de calmar su angurria por adquirir más y más, sin que nada saciara nada. Sólo después de sentir ese rebencazo pudo identificar a la Ju —«Me estoy quedando piticiego...»,pensó, limpiando sus anteojos con la punta de su flaca corbata que le caía al sesgo por la prominencia de su barriga—, y salió al encuentro de la silueta que atravesaba los prados hundidos, en otro tiempo hoya de un estanque con cisnes y botecitos de paseo.

Como Judit compartía con él la abuela del abanico de plumas y la mazurca, hacerla sentarse a su lado en el banco al fondo de lo que fue el estanque, donde la luz de los castaños simulaba el ligero temblor del pasado acuático, fue tarea de índole tan familiar como el beso en la mejilla. Pese a saberse odiado por esta traidora a su clase, chúcara y taciturna, la sabía dueña de un poder sobre él que se encarnaba en la metáfora de una belleza que él veía desmesurada, pero que tal vez por eso, desde chico, había activado su impulso por destruirla con sus grandes manos de masa cruda, de vejarla con la salacidad de su sexo tan torpe que casi no era sexo: pero su fantasía tiránica dotaba de vigencia a este impulso cuando Judit era su objeto, para destruir a esta enjuiciadora, para exigirle a esta descalificadora implacable que se justificara, e imponer a esta testigo de sus malandanzas que callara cuando ya era demasiado tarde para callar.

En la independencia de Judit para encender su cigarrillo sin siquiera contar con la posibilidad del gesto de buena crianza masculina que Freddy no alcanzó a esbozar, él leyó la prescindencia de Judit por todo él, sobre todo debido a lo que él tenía de «antiguo», de «prefreudiano, premarxista y prefeminista», como lo había acusado Judit una vez, que definió su falta de complejidad acusándolo de creerse dictador de la cultura por el simple accidente de haber nacido en una clase habituada a frecuentarla.

—Aquí me tienes —le dijo Judit sin saludarlo.

—¡Qué gusto de verte! ¿Cómo estás?

—No hagamos sociedad, Freddy. Tengo veinte minutos. Dime.

—Tú siempre a la carrera.

—¿Qué quieres que te diga? ¿Que te cuente cómo está Lopito, mi amante del momento?

—No me digas que andas otra vez con ese roto de porquería.

—No, Freddy. Fue sólo una broma.

—De mal gusto.

—Si te hubieras acostado alguna vez con Lopito, sabrías exactamente de cuán mal gusto. Como todo lo mío.

—Mentira, Ju. Tu gusto es tan impecable como el mío. ¿Cómo estás?

—Ya ves. Hecha una anciana.

Freddy se enjugó el sudor de las mejillas, que Judit se dio cuenta que no se debía tanto al calor de la mañana sino a la presencia de factores aún no revelados:

—Pura coquetería —contestó él—. Estás espléndida.

—Gracias, pero...

—... hay gente que en distintos períodos de su vida entra y sale de focos de luz que los iluminan, como si durante un breve período encontraran su rostro definitivo. Tu belleza está, me parece, en uno de esos momentos cenitales.

Bonito, pensó Judit. Y bien observado. Aunque el resplandor a que aludía, irónicamente, fuera efecto de su trasnochada. En todo caso, lo que Freddy dijo era demasiado relamido como pensamiento. Quizás la hubiera emocionado o por lo menos complacido dicho por otro, en otras circunstancias, y redactado de otra manera, con períodos menos prolongados y menos frases intercaladas... y también menos simple. Y porque se dio cuenta que Freddy en el fondo era simple, eligió no contestarle, poniéndose así en la posición de no enredarse con él en ningún sentido.

—¿Cómo estás? —reiteró Freddy, que parecía haberse quedado en contemplación arrobada no de Judit sino de su propia observación.

—¿Desde qué punto de vista quieres noticias mías? Políticamente hablando, ya ves, estoy viva y no en la cárcel por mis supuestas actividades subversivas, lo que es bastante decir para una disidente en este país de mierda. Y eróticamente...

—«Emocionalmente» dice la gente como uno, Ju... —corrigió Freddy y ambos sonrieron.

—Emocionalmente... —Pero en el segundo titubeo antes de calificar su sentimiento, Judit se dio cuenta de que se disponía a mentir: después de la intrusión de su paseo de anoche, la verdad de su respuesta hubiera tenido que ser exactamente la contraria a la que siempre daba, porque ahora se descubrió llena de Mañungo, y su corazón saltó con el alborozo de este reconocimiento. A pesar de esto eligió dar su respuesta habitual—: Emocionalmente... cero. Y económicamente apenas sobreviviendo, como casi todo el mundo en Santiago menos los sinvergüenzas como tú.

—¿A qué llamas sobrevivir? Hay tantas categorías de sobrevivencia...

—Bueno: pongamos que estaría feliz de poder sobrevivir en una categoría un poquito más alta que en la que estoy.

—Y cómo lo haces para sobrevivir?

—¡Qué pregunta más sórdida, Freddy, por Dios! En todo caso te aseguro que no soy agente secreto, ni que estoy embarcada en proyectos oscuros que vayan a cambiar la vida del país.

—¿A ti, te interesaría cambiar?

Se adivinó atrapada por el acoso para que su primo la había convocado al parque: quería comprarla porque para él no había nada ni nadie que no estuviera en venta, sobre todo los objetos y las personas heridas, y que ella estaba herida no era secreto. Para darse tiempo de reaccionar se inclinó a recoger una bellota bruñida. Este instante de silencio que su gesto introdujo le sirvió a Freddy para simular un cambio de tema:

—¿Cómo está Celedonio? No lo vi nada de bien ayer.

—Muy alterado con la muerte de la Matilde.

—Fíjate que estoy un poco preocupado por él. Y por el destino de la Fundación Pablo Neruda. ¿Lo crees capaz de ese trabajo, Ju? ¡Tanto tiempo que se han demorado en aprobar la Fundación! ¿Y si Celedonio se nos muere?

—Acuérdate que para el régimen la Fundación es parte de un tenebroso plan comunista.

—Puede que tengas razón. Uno nunca sabe. En

fin, por un motivo o por otro este asunto parece alargarse y alargarse, los papeles que autorizan la Fundación
perdidos en una montaña de legajos, me imagino que
en Tribunales o en cualquiera repartición pública, sin
que las cosas lleguen a resolverse jamás. Sería una gran
pérdida para el país que la Fundación no resultara. Pero
anoche estuve pensando y se me ocurrió una idea que
no me parece nada de mala, por si el gobierno, como tú
bien dices, o quien sea, detiene el asunto por un tiempo
demasiado largo.

—¿Ah, sí? ¡Qué ángel eres, Freddy, desvelarte
con una idea que proveniendo de ti, seguramente debe
ser para el bien de la humanidad!

—¡Qué pesada estás!

—¡Y tú qué burdo! Se te nota dónde vas.

—Puede ser. Pero también puede que tú no seas
tan perspicaz como crees. ¿Quieres que siga? Bueno, como te iba diciendo, esta mañana se me ocurrió la idea de
que si los trámites para la Fundación se trancan, tal vez no
sería tan difícil buscar algún acomodo legal para arreglar
las cosas de manera que los albaceas queden autorizados
para llamar a un remate público de las pertenencias de
Neruda, y entonces, con el producto de ese remate, hacer
una generosísima donación a la universidad, pongamos,
que nadie podría impugnar ni rechazar. Esto es lo que me
tiene preocupado y para eso quería hablar contigo.

—¿Con tanta urgencia?

—Sí. Antes del funeral.

—No entiendo por qué.

—Antes que los comunistas dominen a Celedo-
nio y a la Fausta y se metan a hacer las cosas como a ellos
les conviene. Los vi muy alzados anoche en Bellavista, y
si no se tiene cuidado esa masa ignorante puede destruirlo todo. Si la Fundación no sale rápido esas hordas
van a mandarlo todo a Moscú, si es que no lo queman.

Judit no pudo contener una carcajada. Freddy se puso de pie delante de ella, las manos inquietas en los bolsillos de su pantalón de tiro perturbadoramente alto sobre la barriga, la chaqueta abierta hacia atrás revelando las trabillas de sus suspensores.

—¿Qué te pasa? —le preguntó Freddy, consciente de que su risa era puso sarcasmo.

—Es que no puedo creer lo que estás diciendo.

—¿Por qué?

—¡Que un hombre de tu inteligencia sea capaz de repetir esos lugares comunes paranoicos y ridículos!

—¿Y los lugares comunes de ustedes, los comunistas, el imperialismo yanqui suministrándonos armas para acribillar al pueblo durante el toque de queda, la CIA metida hasta en la sopa..., qué te parecen esos lugares comunes?

—No veo por qué me metes en el Partido, en que estuve seis meses en la Universidad, y me revienta. Después fui del MIR, pero hace tiempo que me salí. Eso también lo sabes.

—No es cierto. Perteneciste al Partido hasta que se anunció la lucha armada hace dos años, cuando te saliste, por lo que te felicito. También sabemos que no perteneces al MIR, pero que en cambio estás metida con un grupo que no hemos podido identificar..., independiente, parece, y violentista, aunque no podemos entender qué haces tú, que probaste ser antiviolentista, saliéndote del partido en el momento preciso, y en este grupo que parece no estar definido por nada...

—Por el rencor.

—De mal en peor. ¡Sabía que terminaríamos peleando!

—¿Para qué me llamaste con tanta urgencia, entonces?

—Porque te necesito.

—Ah, no, Freddy, no voy a ser agente tuya en ninguna de tus cochinas maniobras.

Entonces, de pie ante ella, Freddy le dijo escuetamente:

—Entiéndelo: si andas libre, es porque queremos averiguar en qué estás metida, y con quién, y quiénes son y cuánta gente hay.

Se sentó junto a ella. En otro tono, implorante ahora, le tomó las manos, que Judit desasió de las suyas mientras él hablaba con un recrudecimiento de empalagosa intimidad:

—Óyeme. No seas tonta. ¿No decías que querías sobrevivir de una manera más digna? Bueno, ayúdame, entonces. Soy tu primo. No entiendo por qué te pones en mi contra y a favor de una cantidad de rotos que nadie sabe quiénes son. Óyeme: lo único que te pido es que aconsejes a Fausta y Celedonio que hagan un remate, que francamente sería lo mejor, hasta mejor que esa tontería de la Fundación. Ah, Judit, mi linda, se me olvidaba decirte: esta mañana antes de salir de mi casa te mandé de regalo, porque sé que te gusta la música, un equipo estupendo, de los que importaba una compañía mía antes que quebrara...

Judit se puso bruscamente de pie delante de él, sentado con los brazos en cruz en el respaldo del banco: su indignación era tal que Freddy temió que le asestara un golpe con su cartera y se mantuvo alerta para esquivarlo en caso de que la agresión se produjera. Pero a medida que montaban de volumen y sordidez las acusaciones de su prima, mezclando sucios recuerdos de infancia con invectivas que lo responsabilizan de las humillaciones que sufría el país, en Freddy también iba creciendo la ira: la obcecación de Judit, su estupidez encubierta por una máscara de buenas intenciones, su falsa ingenuidad porque de ingenua no tenía ni un pelo, su rencor social construido de mentiras, en el fondo formas un poco más sutiles de terrorismo y traición, pero terrorismo y traición al fin y al cabo y era urgente destruirlas. Que a él no le viniera con cuentos la tal Ju: era un elemento peligroso para la sociedad con esos aires de pureza y reivindicación, que pronto metería la pata en algo que revelara que había salido ilegalmente del país y vuelto quién sabe cómo, y entonces la justicia caería sobre ella y tal vez de su extraño grupo que la policía no perseguía aún porque no se sabía su forma, pero pronto se desataría la campaña destinada a darles caza... No, la Ju no tenía derecho a insultarlo ni a echarle cosas en cara porque hasta las piedras sabían que la Ju era una puta que se acostaba con todo el partido y que estaba a un milímetro de que la hicieran dasaparecer, lo que no sería mala idea...

—¿Para quedarte con todo en el remate?

—¿No sería preferible eso antes que ver ese material exportado a Rusia, o a Cuba, ponte...? ¿O en el hipotético caso de que resultara la Fundación, ver esas maravillas sobajeadas por estudiantes y poetastros de manos cochinas y mal aliento? Yo lo cuidaría todo muy bien...

—Francamente, prefiero que los ratones devoren hasta el último inédito de Pablo en espera de que autoricen la Fundación —le estaba gritando Judit—, a que tus manotas sudadas toquen siquiera una de esas hojas.

Manos sudadas. Manos blandas, aterrorizadas, que ocultaban su terror disfrazándolo de otra cosa. Manos tibias, un poco temblorosas: ayer las suyas, ahora las de ellos, los perdonadores, que eran los mismos. Estas manos inmisericordes por el momento la perdonaban en parte porque Judit era prima suya, y en parte para seguir el rastro de un grupo que hoy mismo era preciso disolver. Las manos de Freddy eran sudadas y viciosas, pero muy distintas a las que la perdonaron, pese a que éstas también, en otro tiempo, tuvieron temor de su

cuerpo de mujer. En ese momento de silencio Judit creyó haber ganado su victoria. Pero Freddy dijo:

—Siento decirte que va a depender exclusivamente de mí, quien toque y quien no toque ese material.

—¿Qué quieres decir?

—Los papeles que autorizan Ía Fundación están
sobre mi escritorio, esperando mi firma.

—¿Tú los tienes bloqueados?

—Yo los tengo bloqueados. Momentáneamente. Después veremos qué pasa.

—No entiendo qué sacas con algo tan...

—No es tan perverso como parece. Simplemente, que me propongo quedarme por lo menos con
una tajada de esa colección. En mis manos estará mejor
que en cualquier parte porque en este país soy la única
persona que realmente aprecia su valor. En una fundación, que será muy a la chilena y al lote, eso hay que
darlo por descontado, van a estar mal catalogados y mal
guardados, y van a ir desapareciendo poco a poco por
robo o deterioro o descuido, como todo lo de valor en
este país de salvajes. Y a Moscú estoy seguro que ni tú
ni yo queremos que parta ese tesoro que nos pertenece
a todos los chilenos. Estimo, eso sí, que sería conveniente aconsejarle a Celedonio que no hiciera un remate demasiado bullado a nivel internacional, porque si lo
hace, con Sotheby's por ejemplo, que imprimirá catálo-
gos estupendos para alertar a la prensa especializada de
París, Londres y Nueva York, estas inocentes aficionci-
llas burgueses de coleccionista refinado del gran Pablo
Neruda podrían atraer comentarios desfavorables sobre
la autenticidad de los sentimientos de este poeta del
pueblo...

—En otras palabras, quieres decir que si se hace
el remate no lo debe hacer Sotheby's para que no concu-
rran los coleccionistas millonarios internacionales que

hagan subir los precios, y así poder quedarte con todo, bien baratito...

—Francamente, ésa es mi idea, mi linda. Ah, te quiero preguntar una cosa. ¿Es verdad que existe una importante correspondencia con Trotski entre los papeles de Neruda? Tengo miedo, por ejemplo, que esa colección sea comprometedora para la posición de comunista-stalinista de Neruda, y que los comisarios destacados en Chile, para blanquear la figura de Pablo, quemen esas pruebas y se pierdan. Él siempre negó la existencia de esas cartas, pero...

Judit, un poco atontada por el calor y la vehemencia angurrienta de Freddy, le contestó que no sabía nada porque esas cosas jamás le habían interesado. Alguna vez, claro, le mostraron las colecciones, y como cualquier persona con un poco de sensibilidad no pudo dejar de conmoverse al tener en sus manos las cartas de Isabelle Rimbaud contándole a su madre la sórdida muerte sifilítica del poeta en un hospital de Marsella, a quien la madre acababa de abandonar sabiéndolo agónico, porque juzgó más importante ir a vigilar la cosecha de papas en sus pobres tierras frías de Charleville. Y *Leaves of grass,* anotada de puño y letra por Walt Whitman... y tanto que hacía muy inmediatas ciertas cosas de la cultura que la conmovían. Pero no los papeles en sí. Sentía más bien repugnancia, dijo, por las colecciones de cualquier cosa y por los coleccionistas en general, como si para ellos fuera imposible admirar o amar algo que no pudieran adquirir, y esa manía posesiva fijara ciertos rasgos glotones que le daban asco. Al anunciar estas ideas ante un Freddy atento y nada conmovido, Judit vio con una certeza deslumbradora en que reconoció un toquecito de romanticismo un poco cursi que después se preocuparía de erradicar, que si en este momento quería a Mañungo y su interior luchaba con la extraña idea de casarse con él, o quizás sólo irse con él, era en parte porque Mañungo no poseía absolutamente nada, su música, nada más, sus cassettes, su guitarra, su papel pautado, sí, una visión románticamente libre, una noche en la casa de un amigo, otra noche en la casa de una pareja acogedora después de una fiesta, o de una mujer en cuyos brazos dormía una semana y después se iba: *hippy* viejo, pensó, riéndose afectuosamente del patético cliché de tantos que no lograron triunfar y tuvieron que refugiarse dentro de ese disfraz. En todo caso, nada de libros. Nada de ropa. Nada de objetos que constituyeran una carga. En París, Judit sabía, Mañungo poseía un lindo apartamento, central pero utilitario, que él mismo manejaba para que nadie lo entorpeciera. El placer de poseer objetos no era suyo porque jamás tuvo un collar de chupetes. ¿Trotski? No, ella no sabía nada. Aunque le parecía recordar que alguna vez le oyó comentar algo a Celedonio sobre Trotski. Le dijo a su primo que no estaba dispuesta a transmitir ninguna información. Freddy, con su zapato, escarbaba la arenilla leonada del sendero mientras la oía hablar, y un leve vaho de polvo cubrió la punta acharolada. Cuando Judit terminó de exponer el caso de su repulsión, Freddy se sentó otra vez junto a ella y reasumiendo su dulzura le explicó:

—No te culpo por no entender estas cosas. Te culpo, sin embargo, por condenar a los que sienten placer por cosas que no son iguales a las tuyas. Ya sé que les dices a quien quiera oírlo que no sientes placer por nada y que yo tengo la culpa. Pero no es verdad. Tus problemas, mijita, son anteriores e independientes a mi pequeña intervención en tu niñez. No simplifiques, como todos los freudianos, aunque Freud con tu Marx no veo que se mezclen muy bien pese a lo dogmáticos que ambos son. ¿Te confunde que yo tenga mi pequeño *«hang-up»*, como dicen los americanos, con Trotski? Es de lo más simple. Trotski era el enemigo de Stalin, un intelectual fino y perceptivo que no se puede dejar de admirar: tenemos esa admiración en común, primita, porque no me lo niegues, es por ahí, por la «revolución permanente», si no por locura del nihilismo puro, por donde andas merodeando ahora... En fin, ya hablaremos de eso. Estoy seguro de que Trotski hubiera hecho triunfar una revolución de veras, sobre todo si es verdad lo que los stalinistas decían, que Trotski estaba pagado por William Randolph Hearst, lo que no es improbable porque ese gringo sí que era un genio de verdad. Si Stalin no lo hubiera hecho asesinar no estaríamos viendo el caos en que vivimos. Tal vez otro caos peor, pero no éste. Neruda conoció a Trotski. Por lo menos eso se ha dicho y Celedonio lo sabe. Todos los comunistas que vivían en México en esa época lo conocían. Dicen que lo mató el cretino de Siqueiros pagado por el Kremlin. ¡Era tan mal pintor que no me extrañaría! Existe un rumor, ampliamente desmentido por otra parte, que Neruda, amigo de toda la bandada de comunistas de México en esa época, anduvo implicado en el asesinato y que el Kremlin lo encubrió, a Siqueiros, quiero decir, por sus servicios. Yo tengo varios documentos que bordean esta relación Siqueiros-Neruda-Trotski, pero por desgracia no aclaran nada. Faltarían unas cartas que parece que Trotski le escribió a Neruda. ¡No me dirás que la correspondencia de alguien que pudo haber cambiado la historia del mundo, como Trotski, no es fascinante! Tú, como mirista anti-stalinista, lo reconocerás más que nadie...

Abrumada, Judit cerró con fuerza sus ojos hasta ver estallar estrellas en el día claro. Agitó su cabeza para exorcizar y deshacerse de la voz de su primo, de las palabras de ese hombre que ahora, de pie ante ella, hablándole con cierto grado de repulsiva seducción, hundía sus manos en sus bolsillos, inquietas allí, como si estuviera masturbándose: tenía el sexo blando, blanco, largo, lo recordaba como un reptil viscoso, a la altura de su boca, muy cerca, para mordérselo, cercenárselo, hacerlo aullar de dolor y no seguir oyendo.

—¡No, no, no...! —gritó Judit, parándose.

—¿No, qué?

—¿Qué te propones hacer con los papeles de Trotski, si existen?

Las manos de Freddy dejaron de gratificar su sexo y tomando suavemente a Judit por los hombros, sus ojos azules de Fox disueltos en la mirada azul de Fox de su prima, le dijo:

—Si me ceden los papeles de Trotski ahora, inmediatamente, antes que se haga el inventario de la colección Neruda, sólo los papeles de Trotski porque estoy seguro que en ellos voy a encontrar la prueba de que no sólo él sino sino muchos de los jerarcas de entonces estaban a sueldo de Hearst y del gobierno americano, me comprometo a hacer expedita la autorización oficial para la Fundación Pablo Neruda y salvaguardarla contra cualquiera que se proponga cuestionarla o impugnarla. Creo que podría dejar firmemente establecida la Fundación en, digamos, diez o doce días. Dile a Celedonio que...

Con saña, Judit levantó bruscamente su rodilla y con ella golpeó brutalmente el sexo de Freddy.

—¡Salvaje! —chilló él.

—Aprendí a hacerlo en los campos de adiestramiento del MIR, para que lo sepas —le dijo y le dio la espalda, encaminándose muy rápidamente a través de los prados por donde había venido, hacia el puente de Purísima, sumergida en la luz subacuática de la mañana ya madura bajo los árboles. No miró hacia atrás. A paso largo cruzó el césped sin pensar, sin sentir más que un odio ciego por Freddy, asco por su mundo de maniobras y compadrazgos, de utilización y corrupción, de manipulaciones e influencias, de voraces adquisiciones y ganancias. Era tarde. Freddy se había demorado más tiempo que el prometido para derramarle su mierda y ella debía ir a juntarse con la Fausta en la casa de la Matilde, sobre todo ahora, para prevenir a la Ada Luz y a sus mujeres que corrían peligro porque había ojos fijos sobre ellas, apresurarse sobre todo para olvidar, olvidar a este sórdido personaje, para llevar a cabo con algo de dignidad los últimos, graves ritos del cariño por Matilde. Al poco rato oyó a Freddy trotando detrás suyo, que la llamaba.

—¡Ju...! ¡Ju...!

Judit hizo alto, enfrentándolo: estaba sudado, como maquillado por la polvareda ocre levantada por su carrera adherida a su piel grasienta, la camisa azul empapada, la cabeza gacha como dispuesto a escuchar su sentencia, ya sin apelación. Judit le dijo:

—En cuanto me desocupe del funeral te voy a mandar de vuelta tu equipo: nunca olvides que tú y yo somos enemigos —y volvió a darle vuelta la espalda para seguir su camino.

—Sí, sé que somos enemigos, mi linda, pero no porque yo haya elegido esas posiciones. ¿Quieres que te acompañe?

—¿Dónde?

—A la casa de la Matilde.

—¿Por qué?

—Francamente, porque sin ti es probable que no me dejen entrar y quiero hablar con Celedonio.

—Déjate de joder y ándate.

Y se dio vuelta para seguir camino sin mirar a Freddy, pegado a sus talones. Su primo todavía iba siguiéndola cuando cruzaron el puente, y pasando al otro lado de la avenida Bellavista se internaron por las callejuelas del barrio. Un medio hombre con el sombrero

ocultándole teatralmente los ojos parecía esperarla con
la espalda apegada a una pared, la mano limosnera estirada: ella le hizo un gesto mínimo indicándole que huyera, y en cuanto lo dejaron atrás Judit oyó con alivio
que el patín de don César rodaba en dirección contraria
hasta fundirse con los demás rodamientos de la ciudad.

29

Ada Luz no pudo hablar con la Ju para contarle lo que tenía que contarle, porque la vio llegar acompañada por don Federico Fox, que no era amable, y no se atrevió a acercarse. Venía descompuesta, la Ju, por algún innominado percance sin duda ocurrido durante su supuesta aventura nocturna, aunque debido a cierto conocido desaliento en su actitud adivinó que otra vez más, la pobre, no le había pasado nada más allá de las acostumbradas trivialidades frecuentes en sus cacerías que nunca cobraban presa, porque la presa buscada no existía más que en su imaginación y «eran puras cosas suyas», conjeturaba Ada Luz.

Sin embargo, se dio cuenta, algo distinto a otras veces parecía haberle sucedido, aunque no en el plano de lo previsible: desalentada, sí, pero bella como nunca, presa de una tormenta que le desconocía, como si el rugido de *Carlitos* que traspasaba el toldo amarillo sobre el patio no surgiera de la garganta de la bestia sino secretamente y misteriosamente desde dentro de la Ju, como tantas cosas que a ellas las mantenían a distancia. El rugido de *Carlitos* parecía estar partiéndose su simple corazón de fiera con el dolor de la despedida. Además, un oído afinado a los sonidos como el de Judit, percibió que esta mañana de apariencia tan silenciosa estaba poblada por rumores de voces animales debilitadas al filtrarse entre los árboles del cerro de modo que parecían más bien susurros vegetales que chillidos de papagayos y de monos, ladridos de infortunados perros inexplicablemente enjaulados, rebuznos de equinos y refunfuños de camélidos que así confirmaban su voluntad de sumarse, ellos también, al postrer homenaje a tan ilustre vecina. Con la esperanza de hablarle, Ada Luz siguió a la Ju hasta el bar del comedor, donde la vio marcar un número de teléfono. Equivocada... o no contestaban. Colgó otra vez. Impaciente, torpe, volvía a marcar y a errar mientras Ada Luz iba registrando su perturbación: no era sólo por la pérdida del arma, como se lo insinuó, picoteando el relato mientras marcaba mal y volvía a equivocarse, contándole trivialidades sobre lo sucedido anoche. Pero su flamante jirón sangriento, tan curiosamente embellecedor, era el espacio que Judit les vedaba a ellas cinco, y al sentir su celo por su vida privada, una especie de tropismo como de molusco hizo que Ada Luz se cerrara, retractándose de su impulso de consultar a Judit sobre la visita de Lisboa de anoche y sobre los rumbos que a raíz de esto había tomado el asunto de la misa de la señora Matilde: se cerró porque Judit, equivocándose cada vez que marcaba el número de teléfono, era armónica, es cierto, sin embargo, de alguna manera, hoy era igual a ella, a todas ellas, no superior.

—Es muy urgente que hablemos —le decía Judit mientras esperaba que contestaran al teléfono.

—¿De lo de anoche?

—En parte. Y de nosotras, de ustedes, y de don César... Es probable que me tenga que ir a Francia... No digas nada, no sé todavía... pero podría ser, nos están vigilando...

—Con Mañungo —adivinó Ada Luz.

Pero antes que pudiera contradecirla Judit desfogó su ira de ser fácilmente desenmascarada, gritándole a su hija, que por fin contestó, que no le permitía ausentarse del funeral, aunque un funeral fuera el programa más aburrido del mundo para este día de vacaciones de verano: no todos los niños tienen el privilegio de participar en el funeral de un ser emblemático como esta gestora de la esperanza de recobrar los derechos perdidos, esperanza que con su muerte, que era como la segunda muerte de Pablo, podía desaparecer definitivamente. Su admiración por Judit estremeció a Ada Luz al oírla: ¡cómo comprendía y cómo hacía comprender las cosas! ¡Qué precisas las ideas de su seductora amiga! Incompleta, eso sí, pero capaz de proyectar con sus palabras un hecho cotidiano como la muerte de esta cliente distinguida, a una dimensión infinita, y hacerla ingresar, aun a ella que era pura inmediatez, en el entendimiento de que cada uno puede ser la encarnación, si se atreve, de la historia. Sí: pedirle consejo a Judit. Contarle que el sinvergüenza de Lisboa apareció en su casa anoche después que la Aury se fue, amenazándola con no volver a hacer el amor con ella si se atrevía a contarle a alguien la historia de la confesión de Matilde y su pedido de que un sacerdote revolucionario le dijera su misa de difuntos. Sólo cuando ella, llorando, le juró a Lisboa que no hablaría, él consintió en pasar la noche en su casa. Judit sin duda iba a comprender sus perplejidades, señalándole cómo proceder acertadamente. Por otra parte, la hora avanzaba, y cada segundo se hacía más y más difícil darle curso al deseo de Matilde que Lisboa impidió realizar, porque en un rato más ya no quedaría tiempo para avisarle a nadie y el cortejo tenía que partir. La responsabilidad de darle el empleo debido a estos minutos restantes era una carga enloquecedora que no la dejaba pensar: quería agarrarse de Judit para que le dijera qué hacer.

Que lo dejara todo, le estaba ordenando Judit por teléfono a su hija: amigas, cine, tele, juegos, lo que fuera, para ir al cementerio. Pero, por Dios, ¿quién podía llevar a la niña, preguntaba la abuela? Ella ya no estaba para esos trotes. Tenía que atender a su marido aquejado de Parkinson, tiritando como si nevara sobre su pobre cuerpo, sentado desde hacía años ante la ventana que miraba un patio limitado por bidones de parafina y un alambrado de gallinero. La abuela insistía que una adolescente como la Marilú no podía asistir sola a un funeral multitudinario durante el que seguramente se iban a producir incidentes de los que tanto Judit como ellos y la niña sabían, por desgracia, demasiado. Ada Luz concordaba con esto pese al alegato de Judit de que si la Luz tenía edad suficiente para salir a bailar, también la tenía para tomar un bus y buscar a su madre entre los asistentes al cementerio.

Al otro lado del mármol del velador en que Judit clavó su codo, fumando mientras alegaba con su hija, Ada Luz percibió que su seguridad era intercambiable con su dureza, y de repente, dándose media vuelta, decidió no confiarle nada de lo suyo. Se proponía contarle su secreto de la misa a quien ella quisiera, o a nadie. Tenía media hora antes que comenzaran a llegar los asistentes a las exequias, tiempo en que ella —dueña de un talismán que la hacía poderosa con la conciencia de que su determinación de contarlo o no podía cambiar el rumbo de la historia— podría extraerle la verdad de lo que le sucedió anoche, que se negaba a compartir con ellas, a quienes, dijera lo que dijera, consideraba sus inferiores. Ella, sin embargo, armada con el talismán del secreto de la misa, ya no era inferior. Judit, furiosa, colgó el fono:

—¡Chiquilla de mierda!

—Si quieres te voy a buscar a la niña en un ratito más y te la llevo al cementerio en un taxi —le ofreció Ada Luz.

Judit salió del comedor, deslumbrada por el amarillo del gran toldo que cubría el patio bochornoso ocupando la tonalidad de sus pupilas, tan estimuladas por el falso sol que casi le dolieron al contraerse. Parada al lado afuera de la puerta del comedor donde Ada Luz se había quedado preparando café en la maquinilla, mientras los hiperkinéticos muchachos de la jota bajaban las coronas y las depositaban en grandes montones fragantes de pudrición junto a la escala de la calle, abrió su cartera. Sacó su peineta y se la pasó por el pelo; la conversación con Ada Luz terminó por ponerla tan frenética que mientras trataba de explicarle los peligros de las asechanzas de Freddy y la necesidad de disolver el grupo, se había puesto a hacerse cachirulos que le dejaron el pelo hecho un enredo sin lograr que Ada Luz entendiera más que les aconsejaba un poco de cautela. Y no era eso. Era más grave: era el juego de la vida y de la muerte, del derecho y de la injusticia, de los verdugos y de las víctimas. Sin embargo, más que enervarse con su incomprensión, se había irritado porque su amiga lo reducía todo con insoportables diminutivos: pero era sólo una irritación clasista que señalaba sus propias limitaciones.

Freddy Fox, al otro extremo del patio, tendiéndole quién sabe qué siniestras celadas de coleccionista a Celedonio, estaría, en cambio, usando el idioma con elegancia. Su impulso de ir a sumarse a esa conversación era huir de los diminutivos de mal gusto de su amiga para llegar a salvo a la orilla del buen hablar. Pablo y Matilde, recordó, hablaban curiosamente, mezclando con mucha conciencia lo popular campesino de su origen rescatado, con el idioma más culto, más pulcro posible, sazonado con sabrosos neologismos de fabricación casera. Al principio, cuando recién los conoció, los Neruda se reían de ella preguntándole si encontraba cursi su dicción demasiado precisa en contraste con el borroneo deshuesado de su dicción de buena clase, que Judit fue acomodando en contacto con el poeta y su mujer, con Fausta y Celedonio y su círculo, adoptando, incluso, el leve sonsonete nerudiano con que el poeta contagiaba a sus amigos. Guardó su peineta y cerró su cartera.

—¡Judit!

Lisboa, acarreando la enorme corona de crisantemos blancos con la hoz y el martillo en claveles rojos, se había detenido a saludarla, como con la intención caricaturesca de ponerle la ofrenda mortuoria —a ella, una renegada— a sus pies. Se trataba de la corona protagónica del funeral, llevada por alguien como él que poseía la autoridad para darle un lugar significativo entre las demás coronas: maniobrar esa colocación era su cometido, porque igual que Ada Luz, pensó Judit irritada de nuevo con el recuerdo de su amiga, a Lisboa le interesaba sólo el significado de la muerte de Matilde, no el simple, desolador hecho humano, y se proponía utilizarla. ¿Ada Luz, utilizar a Matilde? ¿Cómo? ¿Para qué? ¿Para qué iba a utilizar a la Matilde la pobre Ada Luz? No, Ada Luz no, a no ser que Lisboa la arrastrara. Él colocaría en un lugar destacado la corona, transformando el antiquísimo rito de la muerte en un mezquino juego de poderes.

—¿Sí, Lisboa?

—¿Y la Adita?

—Se quedó preparando el café en el comedor.

—¿Le contó que...?

Mirándolo fijo, segura, segurísima de que estaba iniciando un gambito que sería como una redada en que caerían todas las piezas, Judit dejó transcurrir un segundo:

—¿Me contó qué?

—¿No estuvieron hablando, allá dentro?

—¿Nos estaba espiando? ¿De qué íbamos a hablar, encerradas?

—Bueno, del último deseo de la señora Matilde.

—No. Ni sabía que la Matilde hubiera dicho nada. ¿Por qué se lo iba a decir a la Ada Luz, en todo caso, y no a la Fausta o a mí? Voy a ir a preguntarle.

Lisboa la retuvo del brazo con más brusquedad

que derecho, mintiéndole, le explicó, sin que Judit le creyera ni una palabra:

—Creo que quería que le cantaran algo cuando sus restos abandonaran esta casa. La Adita y yo pensábamos que quizás usted le puede decir eso a Mañungo Vera...

Ridículamente, Judit se ruborizó, irritada con la sensación de lo que le sucedía. Replicó:

—No tengo idea si Mañungo va a venir esta mañana. Y no tengo confianza con él como para pedirle nada.

Mañungo, dijo. No Mañungo Vera como Lisboa, como el público, como los periódicos de la mañana a los que Mañungo Vera pertenecía: eran pareja, ellos dos, los elegidos. Cualquier imaginación medianamente efusiva sería capaz de unirlos, a ellos dos, los independientes, los solitarios, los que no sentían necesidad de doblegarse ante las directivas de partidos políticos ni convenciones sociales para tener estatura heroica. Bastaba el talento, la belleza, la arrogancia, los dones gratuitos, como el porte señero de Mañungo, que pertenecía a la diminuta raza chilota. Ellos trazaban sus propios caminos, inventaban sus leyes, Mañungo con su voz aclamada, Judit con su martirio de todos conocido hasta el punto de haberse convertido, para la leyenda, en una especie de santa laica de la izquierda. Nadie había visto las horribles cicatrices de sus muslos. Se murmuraba que para ocultarlo se mantenía sin pareja. ¿No bastaba ya de tanto dolor colectivo? ¿No era hora de partir a París, lejos del peligro?

—Si Mañungo no ha llamado esta mañana, no creo que venga. Es más probable que espere el cortejo en el cementerio —dijo Judit.

Mañungo. Su nombre resonaba libre en el patio mientras Lisboa se iba alejando. Pero se quedó con la incómoda sensación de haberle contestado la pregunta no formulada que él quería forzarla a contestar, sin saber cuál era la pregunta ni qué le aportó su respuesta.

—Mañungo —pronunció en voz baja, para ver si el nombre era capaz de volar libre como un pájaro por el patio y volver a refugiarse en su boca.

30

—... Y te diré, Freddy, que este brujo de la poesía resultó ser también, incongruentemente, un brujo de las finanzas: figúrate que su viuda deja una fortuna muchísimo mayor que la que es probable que dejes tú, con todas tus manipulaciones y sinvergüenzuras. ¡No quiero ni pensar en lo que van a decir de este poeta comunista millonario en dólares en cuanto se sepa el monto de sus caudales! Le va a romper todos los esquemas a la derecha, que siempre lo odió, además de no comprenderlo. En todo caso me parece deliciosamente irónica la lección que el poeta les da a ustedes, los banqueros, economistas y empresarios, quebrados por su propio sistema y llenos de deudas, mientras la viuda de este escritor stalinista muere con un peculio de millones de dólares de honrados derechos de autor, bien saneados, por cantarle al caldillo de congrio y a la ensalada de cebolla con tomate. ¿No te parece que es como para morirse de la risa? Y eso sólo para hablar de su cuenta corriente, no de sus propiedades y sus colecciones, como su colección de libros raros, por ejemplo, cuyo valor se ha centuplicado desde los años cuando comenzó a coleccionar, no como esas porquerías de bonos y acciones y cosas por el estilo que a ustedes se les hicieron mil pedazos y no valen un cobre. ¿Cómico, no? Me da cierto placer imaginarme la cara que pondrán los buenos burgueses con esta noticia y lo que tratará de hacer este régimen que está en vergonzosa bancarrota para disfrutar de los haberes de este patipelado de Temuco que logró conciliar su comunismo con los mayores honores de la poesía y con millones de dólares: da risa, pero claro, Pablo era perito en ensamblajes estrafalarios de este tipo que sólo él comprendía y sólo a él le resultaban. Cuando las autoridades pertinentes le den el pase a la Fundación Pablo Neruda, la organizaremos aquí, como Matilde lo dejó estipulado en su testamento, en esta casa que se llama como ella: La Chascona. Será cuestión de mantener una revista, supongo, y una editorial de poesía, dar conferencias e invitar a escritores extranjeros ilustres que nos vengan a desasnar, y dar conferencias y ofrecer becas para escritores jóvenes, todo alrededor de esta casa que debe transformarse en un foco internacional de cultura. La estrella, claro, será la biblioteca, verdaderamente extraordinaria, con cualquier cantidad de ediciones importantísimas. ¿Autógrafos...? No. O no muchos, creo. Los autógrafos no le interesaban realmente a Pablo, ni tampoco los manuscritos. Incluso, lo que es una lástima, guardó pocas cartas, ni las de gente importante. No como yo, que las guardo todas porque si no las conservara no tendría la certeza de que he existido. Sí, claro que tengo tres o cuatro cartas de Trotski, ya te dije anoche. Pero he cambiado de opinión y no las quiero vender porque no me pienso morir todavía. Mis cartas son de cuando Pablo recién llegó a México y me pidió que le escribiera en su nombre a Trotski para ponerse en contacto y posiblemente servir de puente entre él y los stalinistas que andaban hechos unos locos. Pero su espíritu ecuménico le duró poco, te diré, porque en ese mismo Hotel Montejo donde recaló a su llegada, se reunía la camarilla de escritores y pintores mexicanos stalinistas que odiaban a Trotski por sobre todas las cosas del mundo, por considerarlo contrarrevolucionario y reaccionario, enemigo del primer gran país que construyó el socialismo: la sagrada Unión Soviética. Estos artistas eran amigos de Pablo porque habían hecho juntos la Guerra Civil española que tanta cola trajo a América, y no tardaron en arrastrarlo en su marea de odio a Trotski. Antes del mes Pablo me pidió que suspendiera mi correspondencia con él. Todo este lío venía de que los stalinistas mexicanos estaban furiosos con el presidente Lázaro Cárdenas por haber asilado a Trotski en México, y además haberle proporcionado protección policial en la casa de Coyoacán donde vivía, que era la casa de Diego Rivera y Frida Khalo, entonces trotskistas, donde Trotski finalmente fue asesinado. ¿Cómo no iban a odiar a Trotski, el archi-enemigo de Stalin, si Stalin había ayudado a la causa republicana española en la Guerra Civil, causa con la que los mexicanos se sentían profundamente identificados? Alegaban bajo juramento a quien quisiera oírlos, que fue Trotski, apoyado por el dinero norteamericano del sindicato de periódicos de Hearst, que desde Coyoacán organizó el sangriento levantamiento en Barcelona de los trotskistas del POUM, el Partido Obrero de Unificación Marxista, que dejó un saldo de cinco mil muertos además de haber derivado hacia ese inútil enfrentamiento una fuerza de treinta mil hombres que debían haber estado combatiendo a los franquistas. Aseguraban que fue por esa debilitadora falta de tropas que cayó el frente del Ebro, entregándole Cataluña, y España, a Franco. Los stalinistas mexicanos interpretaban la derrota de la República como una consecuencia directa de la intervención de Trotski y de los americanos que lo habrían respaldado desde México, y en este sentido la derrota habría sido culpa de México, cuyo gobierno asilaba y protegía al culpable: fue una mancha que algunos mexicanos locos se sintieron con el deber de lavar eliminando a Trotski. ¡No sigas insistiendo que Pablo anduvo mezclado en este asunto, Freddy, no seas imbécil, yo estaba allá con él y no es verdad! Era amigo de algunos de los que participaron, a los que frecuentaba en el Hotel Montejo, pero nada más, eso queda claro en las cartas de toda la gente de esa época. Ahora me acuerdo: una vez Siqueiros le mandó de regalo a Pablo un paquete de correspondencia Trotski-Frida Khalo-Diego Rivera, cartas que en buenas cuentas comprometían directamente a la pareja Diego-Frida en el asunto del POUM en Barcelona. Hace años que no las veo y ni siquiera sé dónde están esas cartas. No, no las compró. Se las regaló Siqueiros, te digo, con toda mala intención, además, porque odiaba a Frida y a Diego, por trotskistas entre otros motivos menos limpios. A Pablo le regalaban muchas cosas así, que conservaba sólo si le parecían importantes, como las famosas cartas de Isabelle Rimbaud que le regaló Éluard. ¡Cómo se te puede pasar por la cabeza que voy a vender nada si todo pertenece a la Fundación! ¿Estás loco? ¿Anoche te dije que sí? Lo dudo. No me acuerdo. En todo caso, los viejos tenemos derecho a la mala memoria y a contradecirnos y a cambiar de opinión, y hoy no te las vendo. Para demostrarte lo poco aficionado que era Pablo a los manuscritos, te contaré que una vez lo acompañé donde un librero en la rue des Saints Pères, un sucucho chiquitito y oscuro, pero uno de los libreros más importantes de París. Pablo acababa de leer *Lokis* de Próspero Merimée. Estaba muy entusiasmado con esa extraña historia del hombre-lobo que enardeció la imaginación de los románticos. El gran refinamiento de Pablo era leer a sus escritores preferidos en ediciones exquisitas, no por lo lujosas, sino por lo auténticas, y le preguntó al librero de la rue des Saints Pères si tenía un *Lokis*. El librero le respondió que por desgracia había vendido la semana anterior su *Lokis,* que permaneció un decenio en su poder sin que nadie lo mirara. Pablo quiso saber qué edición era, a lo que el librero, erizado de furia profesional, le respondió que lo que tenía eran los manuscritos de *Lokis,* los originales, *bien sûr,* no una edición. Cuando Pablo, decepcionado, le dijo que no le interesaban los manuscritos, el librero se puso a gritar, diciéndole que un ignorante como él, incapaz de apreciar un original de Merimée, no debía pisar su librería. ¡Claro, si hubiera sido una primera edición, Pablo hubiera hecho cualquier cosa por rastrearla y comprarla en el acto! Es decir, no en el acto, porque nunca llevaba mucho dinero en el bolsillo. Lo que hacía era reservar lo que le interesaba, dejando un depósito al contado. Es una forma de comprar muy respetada en Francia, te diré, por lo menos en mi tiempo. Y después, cuando tenía dinero pasaba a pagar el resto y llevarse sus libros. Recuerdo que en mil novecientos sesenta y cinco estábamos Pablo, la Matilde y yo en su cuarto de hotel en París cuando recibió un cable anunciándole que cobrara el dinero de su Premio Viareggio, siete mil dólares creo que eran. Inmediatamente se metió el cable al bolsillo y la Matilde y yo nos quedamos en la ventana viéndole salir del hotel con su tranquito tan característico, para ir al banco a cobrar su giro. Estuvo afuera una hora. Regresó con los brazos llenos de primeras ediciones que había dejado reservadas en distintas librerías de París, y que ahora, con el Premio Viareggio, rescataba. Puedes estar seguro que la calidad de su biblioteca es verdaderamente sorprendente, Freddy. Estoy de acuerdo contigo que aquí en Chile, como no tenemos nada, creemos que todas las atribuciones, las «escuelas de», los esbozos de mala época, son una gran cosa y no nos queda otra cosa que inflar, como dicen los muchachos ahora, todo lo nuestro, desde nuestros tenistas y futbolistas hasta nuestros terremotos y nuestras revoluciones... y para qué decir a nuestros poetas y escritores, frente a los cuales perdemos toda perspectiva. Mira, si no, a Gabriela Mistral, Premio Nobel, hoy, me parece a mí, totalmente irrecuperable como poeta aunque dicen que no como prosista, no sé, yo no he leído nunca su prosa y no te puedo decir que la idea de leerla me seduzca. El mismo Huidobro es una soberana lata con sus chistecitos, además de haber contagiado a la poesía chilena con el «mal francés» que es el surrealismo, del que no se han podido curar los poetas posteriores. Sí, aquí lo inflan todo, imitaciones y falsificaciones, pero qué le vamos a hacer si aquí nunca hubo nada. La gente ni sospecha el valor de la biblioteca de Pablo. Claro que también desinflan las cosas por pura envidia, o para tratar de conseguir las cosas a bajo precio si hay remate. Y no va a haber remate, Freddy, te lo aseguro. ¿Inflarme yo? ¿O que me inflen? ¿Quién, si ya nadie se acuerda de mí? Hasta a la Fausta a veces se le olvida de que existo. Y con razón no se acuerdan, porque mi balance dice que no he escrito nada que vaya a quedar y lo acepto. ¿Qué importa? ¿Qué son un par de centurias, un par de milenios de recuerdo, pensando en la dimensión del tiempo que viene después? En mi juventud me creí el Lautréamont chileno. ¿Por qué no, al fin y al cabo, si amé tanto su poesía que acepté no tener un rostro propio? Y después Mallarmé... y Saint-John Perse. Era necesario amar hasta la locura esas máscaras literarias de que me apropié para sentirme existiendo. Me queda mi amor por la poesía, eso sí que es eterno y no se extingue con los siglos, tanto que a veces pienso que es un don superior al de escribirla. Cuando disfruto de veras de algo que me gusta, de Quevedo, por ejemplo, pienso que tal vez no sea tan terrible no ser un gran creador, pero que hubiera sido realmente espantoso no ser capaz de amar al tétrico y agusanado Quevedo, que a pesar de todo dice «Morir vivo es última cordura». Debe ser terrible ser como tú, pobre Freddy, que sólo sabes cuánto cuestan las cosas y sólo por eso las aprecias. ¿Cuánto cuesta un soneto de Quevedo, por ejemplo, o una oda de Keats? Nada: es la superioridad de la literatura, que no cuesta nada. ¡Pobre Freddy! ¿Y cómo está tu mamá? ¿Murió? ¿Cuándo? No me digas. Tan bonita que era...

31

Dieron las diez y el cortejo debía partir a las once, la hora de todo el calor. Llegaron más personas a saludar a don Celedonio, sentado bajo el toldo amarillo
con su puro en la boca y sus manos apoyadas en la empuñadura de su bastón, y después, entre los arbustos,
subieron la escalera capriota para quedarse junto al féretro un rato antes que lo bajaran. Dirigidos por Lisboa
los muchachos andaban organizando esta operación
que iba a presentar dificultades, desplazándose en nú-
cleos murmuradores desde lo alto de la escala hasta la
cocina, hasta el patio, hasta la calle para ver si llegaba el
furgón, algunos llevando claveles colorados en las manos como si fueran comparsas de un zarzuela esperando
que el traspunte les diera la señal para salir a escena. Las
hiedras que cubrían las rocas alrededor del patio, los arbustos acharolados, el pavimento mismo, estaban húmedos como si en la noche estos trasgos diligentes se
hubieran dedicado a regar y dejarlo todo fresco para el
último día de vida en esta casa que comenzaba a llenarse
de periodistas, discípulos, polemizadores, correligionarios de batallas políticas y literarias, musas del pasado y
aspirantes a musas de algún vate futuro. Pese al mangue-
reo nocturno, el patio era sofocante, un gran tornillo de
moscas girando enloquecidas en el centro del espacio.
Don Celedonio siempre le había dicho a Pablo: mucha
mosca en este lugar, Pablito, tal vez las mismas que acu-
den a visitar los monstruosos traseros rojos de los man-
driles del zoológico. Pablo contaba que una noche estos
bichos de traseros extravagantes se fugaron de sus jaulas

porque el encargado se emborrachó, e invadieron el barrio Bellavista, aterrorizando a los niños al anochecer al dejarse caer sobre sus hombros desde los árboles mientras jugaban, o a las dueñas de casa al asomar en sus ventanas sus horrendas máscaras sarcásticas. Las autoridades los persiguieron hasta hacerlos refugiarse en los bosques del cerro, donde se dice que proliferaron como en la selva tropical de su hábitat, preparando una segunda arremetida más brutal contra Bellavista, que ya no sería capaz de resistirlos y capitularía por fin al reino de los simios. Esta novelería seguramente no era más que otra de las invenciones con que Pablo transfiguraba el mundo, asegurándoles a los escépticos que él, al amanecer, solía escuchar desde su cama la cháchara de los descendientes de estos prófugos que «eligieron la libertad», según el lugar común con que la prensa yanqui describe a los disidentes soviéticos que rehúsan regresar a la URSS.

Como a don Celedonio se le presentaba una larga jornada, Fausta circuló sola como anfitriona, dejando al benemérito poeta menor descansando a cargo de Freddy y Judit para que administraran su escasa fuerza. Fausta vestía largos drapeados de un luto con aspiración a riguroso, que debido a una congénita falta de sobriedad y a sus brazos teatrales y dijes tintineantes, la hacían semejar más bien una figura mortuoria arrancada de una aparatosa ilustración decimonónica para *Salambo*. Judit no dejaba de sentir cierta nostalgia por esta vocación exuberante, que Freddy le comentó al oído:

—No hay siútica más siútica que una siútica vestida de negro.

Pero la comprensión de Freddy estaba decididamente limitada por el buen gusto, incapaz de dar el salto tal vez mortal hacia la imaginación: a Judit, en cambio, en esta ocasión ritual y siendo algo tan ajeno a ella, la indumentaria de Fausta le parecía extrañamente adecuada, aunque su pollera levantara una polvareda al arrastrarse por el suelo. ¿La esencia misma de la sabiduría del viejo no era, no había sido siempre, no sólo su tolerancia hacia todo lo de Fausta, sino su celebración de sus arbitrariedades sin intentar controlarlas? Le decía a Freddy:

—... ha sido muy criticado en ese sentido Pablo. Ustedes, los reaccionarios, son los peores. Es como si sintieran que con su inteligente falta de sectarismo los apoyara a ustedes en sus jueguitos, aunque por la misma razón ha sido criticado desde el otro campamento, desde dentro del Partido. Ellos, claro, son los que menos comprenden a Pablo, sobre todo porque el mundo de la ideología es un mundo esencialmente puritano. Para los ideólogos, el placer no tiene un lugar ni en la vida, ni en el arte, ni en la poesía, y tampoco lo tienen la emoción, ni la sensibilidad —a no ser que sea *cierta* emoción, *cierta* sensibilidad—, porque para ellos los artistas no deben ni jugar ni dudar, ni contradecirse, ni ser ellos mismos, sino enchufarse directamente con una «verdad» dada. Todo es deber, utilidad, puros tanatos, nada de eros. Es verdad que el pobre Pablo nos deja una herencia cultural de inmensa importancia con su poesía, que puede ser imperecedera porque incorpora el regocijo y el juego. Pero también dejó otras cosas, cosas menores, más misteriosas, ecos extraños de su ser que quizás sean indescifrables: los objetos que coleccionaba, por ejemplo, con los que le gustaba rodearse para ejercitar algo infantil que quedaba en él, relacionado de algún modo con la codicia característica de todos los niños. Buscaba esos objetos por todos los rincones del mundo, sus talismanes, sus fetiches, símbolos de significado muy opaco, juguetes de niño pobre que al transformarse en niño rico a la vuelta de la vida pudo comprar, encarnando en esta posesión su disfrute de las cosas materiales, de lo gratuito, de lo superfluo, del juego, que tiene escaso lugar en los esquemas del puritanismo de los ideólogos que deben justificarlo todo racionalmente dentro de alguno de sus malditos sistemas. Una de las características de Pablo era su antipuritanismo: ¡lo han criticado tanto por ser «poco comunista»! Es que no entendieron lo esencial, que su sentido del banquete era una cosa muy antigua, un ritual complejo e inteligentísimo, lleno de ecos culturales que iban muchísimo más allá de sus «odas elementales» interpretadas simplemente como «elementales» y folklóricas. Son, en cambio, una celebración que no tiene nada que ver con la sencillez crasa del hombre telúrico con que la izquierda ha tratado de disfrazar al verdadero Pablo para transformarlo en un santo de palo, simplificando sus endiabladas contradicciones y sus taimas. ¿Te acuerdas cuando compró una casa con un lindo techo de tejas que todo el mundo admiró, y lo primero que hizo fue sacar las tejas y techar con zinc, para horror de todos los estetas nacionales preocupados con «la cosa nuestra», y explicar que lo hacía porque le gustaba oír el sonido de la lluvia sobre el zinc...?

Estaban riéndose todavía, los tres, al recordar este incidente, cuando Ada Luz se acercó a don Celedonio a ofrecerle un café: un insufrible «cafecito», pensó Judit.

—Bueno, gracias, Ada Luz —respondió él.

—¿Quiere que se lo traiga para acá?

Judit dijo que ella y Freddy también tomarían un café, pero que no se los sirviera en el patio porque a todas las visitas se les iba a antojar lo mismo. Siguieron a Ada Luz hasta el comedor. Lisboa abrió la puerta, haciendo pasar primero a Fausta, que acudió al sentir el aroma del café, mientras Ada Luz se metía en la cocina para disponer las tazas sobre una bandeja. ¿Una tacita también para ella?, pensó. No. No era su lugar. Ni siquiera le correspondía sentarse en el otro extremo de la larga mesa del comedor. ¿Una tacita para Lisboa? ¿Con qué derecho entró Lisboa al comedor, sentándose entre «la gente»? ¿Con el fin de humillarla, obligándola a atenderlo como si ella fuera su sirviente? Lisboa se sentía su superior no porque le hizo el amor anoche —razón de superioridad hasta cierto punto aceptable—, sino por su asqueroso triunfo de matón que la había obligado a obedecerle de no comunicar a nadie el deseo de la señora Matilde: te mato si se lo cuentas a cualquiera, ¿me entiendes? —anoche la tuteó en la cama, su acento espeso con un decenio de lenguas extranjeras, su cuerpo metálico de ardor sin cariño—, te mato, Ada Luz, no te veré nunca más, te quedarás sola para siempre pensando en mí porque ya estás vieja para conseguirte otro, y ni siquiera a Daniel y a tu nieto vas a poder verlos si no te ayudo. El café hervía furibundo y pungente en la maquinilla: Ada Luz sirvió las tazas, temblando premonitoria de algo terrible que podría pasar en esta hora que faltaba para que partiera el cortejo. Quitó de la bandeja la taza destinada a Lisboa. ¿Qué derecho tenía él? Le hizo jurar que no le diría nada a nadie, ni a don Celedonio, ni a doña Fausta, ni a Judit. ¿Por qué no a don Federico, por ejemplo, que anoche Lisboa no mencionó en su furia, y ahora estaba revolviendo pensativamente el azúcar en la taza que le acababa de poner al frente? ¿Hacía cuánto, ocho días, que la señora Matilde murmuró su desfalleciente deseo de que un curita revolucionario le dijera una misa de difuntos, y ella, la tonta, no le dijo nada a nadie porque no supo darle importancia hasta anoche, cuando se lo soltó a Lisboa en la oscuridad de la escalera? Estúpida, confiarle su secreto. ¿Pero cómo entrever tantas directivas políticas en un comentario de mujer agónica? ¡Era cosa de locos! Aunque también era verdad que anoche, en la misma escala, cuando Lisboa la instruyó de que ningún comentario de la viuda del Premio Nobel y Premio Stalin, Pablo Neruda, era un simple comentario, había sentido el golpe de un huracán que la arrastraba en una intriga tanto mayor que su modesta estatura, que no podía ni aspirar a controlarla, o a comprenderla, o a defenderse: Lisboa sí, Judit sí, pero ella no. Colocó frente a Lisboa un vaso de agua como a él le gustaba con el café porque había vivido en Europa, y después llevó café al otro extremo de la mesa, donde don Federico estaba echando una parrafada sobre la Fundación: decía que quién sabe si a él se le ocurriría alguna manera de hacer expedito el trámite judicial que autorizaba la Fundación, ofreciendo su influencia, sus millones, su poder, sus buenos oficios para sacar al legajo de la sórdida trampa burocrática que lo tenía detenido. Difícil, dada la situación política, pero, en fin, haría todo lo que estuviera en sus manos.

—¿Cuánto vas a cobrar por el trámite, Freddy? —le preguntó Judit.

—No lo hago por interés. Lo hago como homenaje a Pablo y a Matilde.

—No me hagas reír.

—Judit —la llamó al orden don Celedonio—. ¿Qué sabes tú de todo esto, hija? Puede ser nuestra salvación. Siéntate y quédate tranquila, mujer. A ver, Freddy...

Judit se sentó, explicándole enardecida a Fausta y a don Celedonio que Freddy no sólo podía ayudar en los trámites de la Fundación, sino que dependía exclusivamente de él que se demoraran o no, que este reaccionario venal, este esbirro del régimen, tenía poder para destruir el maravilloso sueño de los Neruda, algo intelectualmente refinado y de otra dimensión que los proyectos mezquinos, provincianos, pobretones, dependientes, a que estábamos acostumbrados en Chile. Por eso le dolía la actitud de Freddy.

—¿Cuál actitud, Judit? —demandó Fausta.

En este país, repuso ella, todo se hacía por influencias y compadrazgos, todo el mundo se sentía cerca del poder y con derecho y obligación de manejarlo. Freddy tenía detenidos los papeles de la Fundación Neruda para invalidar el proyecto de Pablo no sólo debido a una oscura variedad de envidia, sino porque se trataba de un proyecto emanado de la gente que ellos denominaban comunistas, que no eran más que los críticos de este régimen. Freddy retenía el proyecto, dijo Judit, por puro odio...

—¡Qué bien me entiendes, primita! ¡Cómo no, si somos de la misma sangre! Pero no seas tan tajante, acuérdate que esta mañana te dije que estoy dispuesto a hacer la vista gorda y ayudar si...

—No te entiendo, Freddy —dijo Fausta.

—Es muy fácil —explicó Judit crepitante de indignación, sentándose otra vez—. Por un lado están sus ideas: ni a él ni al régimen les conviene que salga adelante la Fundación Neruda, que tendrá trascendencia continental, porque le traería prestigio al PC. Lo que quiero decirles es esto: esta mañana Freddy me llamó para comunicarme que estaría dispuesto a traicionar un poquitito lo que podríamos llamar sus ideales políticos siempre que le valga la pena. En otras palabras, la coima. La vulgar coima.

—¿Para qué quieres más plata, Freddy? —le preguntó don Celedonio.

—No quiere plata. Quiere las cartas de Trotski.

—Las mías las tienes a tu disposición siempre que aceleres los trámites —ofreció don Celedonio.

—No —dijo Freddy—. No son las tuyas las que quiero, aunque no las desprecio y ya me llegará el momento de cobrártelas. Si las puedes incluir de llapa en el paquete, mejor. Pero las que quiero, las que ando buscando hace años, son las cartas de Trotski a Diego

Rivera y Frida Khalo, en las que incrimina a medio México y quizás a medio Latinoamérica en la matanza de los anarcos del POUM en Barcelona.

—Ésas pertenecen a la Fundación.

—Dijiste que todavía no se completaba el inventario y que nadie las ha visto.

—¿Estás proponiéndonos que nos robemos esas cartas para dártelas a cambio de tu intervención ante las autoridades? —preguntó Fausta, estupefacta.

Golpearon el vidrio de la puerta... Lisboa, que estaba atento a la discusión, se puso de pie, haciendo entrar al muchacho de la Jota que vino a anunciar la llegada del anciano ex senador Gualterio Larrañaga, recién regresado del exilio: sugirió a los que estaban reunidos que sería gentil invitarlo a tomar un café con ellos.

—No —dijo Ada Luz desde su rincón, dejando su tejido sobre una silla.

—¿Por qué no?

—Porque son las diez y cuarto y el cortejo tiene que salir de aquí a las once. No tenemos tiempo.

Lisboa se paró, saliendo del comedor con la intención de acoger con el debido respeto al jerarca cuya importancia estos frívolos, discutiendo acerca de un montón de papeles apolillados, eran incapaces de sentir. Ada Luz, al retirar la taza vacía, topó a Lisboa, que salía iracundo, con su bandeja, que se le cayó, las tazas y azucarero de crisopal hechos añicos en el suelo. Lisboa ni se dignó mirar hacia atrás al retirarse reventando los granos de azúcar y de falso cristal con sus pesadas suelas, y sin hacer caso a la zozobra de Ada Luz, que encuclillada y lloriqueando intentaba recoger el destrozo.

—¿Qué te pasa? —le preguntó Judit, acercándose para ayudarla.

—Nada.

—¿Lisboa...?

El nombre hizo que Ada Luz se incorporara bruscamente para no oírlo, sollozando ahora, con la cara empapada. Y sonándose se dirigió a don Celedonio y a Fausta y a Freddy mientras Judit iba a la cocina a traer una escoba para barrer los granos de azúcar del suelo.

—¡Perdón..., perdón! —imploraba Ada Luz, gimoteando como frente a un tribunal dispuesto a condenarla.

—¡Pero si no es nada, mujer! ¿Por qué te pones así? —le decía Fausta magnánima al tomar el último sorbo de café y consultar su reloj—. Son las diez veinte. Ya debe estar por llegar el furgón. Ada Luz, mijita, habría que ir a decir que vayan bajando el ataúd. ¿Pero qué te pasa, mujer, por Dios? ¿Por qué lloras por esta estupidez?

El llanto de Ada Luz, tan extrañamente tempestuoso, canceló todas las otras preocupaciones. Judit dejó su escoba y solidaria fue a colocarse junto a ella en el rincón de la ventana: no estaba llorando por lo del azucarero, balbuceaba, sino de arrepentimiento por haber callado todo hasta ahora y habérselo contado al abusador de Lisboa. Él la había obligado a callar. De no ser por las amenazas de ese comunista, lo hubiera contado todo hacía días, mintió, y se mintió consoladoramente a sí misma.

—¿Ves cómo los comunistas andan metidos en todo? —dijo Freddy, divertido con esto, que se estaba transformando en *marivaudage,* con sirvientas enamoradas, documentos robados y todas las demás convenciones de ese estilo.

—¡Cállate, Freddy! ¿Contar qué, pues, Ada Luz? —le preguntó Fausta, impaciente con la intriga que no prometía un desenlace muy interesante porque los personajes eran, en sí, tan deslucidos.

Dejándose caer en una silla, con la cabeza osculta en sus manos que apelotonaban su tejido verde sobre la mesa, Ada Luz contó toda la historia, entre hipidos y gemidos: la extremaunción en Texas y el deseo que Matilde le había formulado, ya muy cerca del final, de que un curita de esos que viven en las poblaciones le dijera una misa de difuntos.

—¿Por qué a la Ada Luz y no a mí? —prorrumpió Fausta, mostrando su orgullo descaradamente herido.

Don Celedonio se había puesto de pie, paseándose por el comedor apoyado en su bastón, cojeando lamentablemente, como le sucedía cuando estaba alterado. Los granos de azúcar que reventaban bajo sus zapatos hicieron que Ada Luz levantara la cabeza, pero al oír a don Celedonio declarando que lo recién revelado era, en realidad, algo de la mayor gravedad, que podía tener gran significación en la historia política del país, volvió a esconder su cara en el revoltijo de su tejido. El anciano afirmó que el asunto era doblemente importante en este momento porque les quedaba sólo poco más de media hora para hacer cumplir las disposiciones de la extinta y nadie hacía nada...

—Ya es imposible hacer nada —opinó alguien.

El poeta menor insistió que quizás fuera posible hacer algo. Si el cortejo partía a las once, como estaba previsto, es decir, en veintiocho minutos más, tenían una hora, esa hora que duraría el trayecto a pie hasta el cementerio en pos del furgón, durante la que ellos, los íntimos, podrían organizarse para hacerle decir una misa allá, en la capilla del camposanto, con la multitud de asistentes tomando parte. ¡Sería maravilloso! ¡Las autoridades se quedarían con la boca abierta! ¡La oposición unida en un acto político bajo el signo de la cruz! Fausta interrogaba a Ada Luz sobre los detalles de lo que Matilde le dijo, sin molestarse en ocultar sus insoportables celos ante la receptora de tan magnífica confidencia entregada, quizás debido al debilitamiento de su enfermedad, a alguien que no supo darle el merecido rango, y por su ignorancia, Ada Luz iba a malbaratar no sólo las intenciones de la extinta sino todo un juego de posiciones políticas que podían indicar el camino de la concordia y la moderación. Judit, ya no tan solidaria como hacía un momento con Ada Luz, la sacudió por los hombros, preguntándole con qué derecho había callado.

—Lisboa. Él me amenazó.

—¿Te amenazó con qué?

En vez de responder, Ada Luz se arrojó a los brazos de Judit, repitiendo una y otra vez, en forma inconexa, el nombre de Lisboa. Enamorada, la pobre. ¡Qué estúpida! ¡Qué idioteces se hacen por amor! ¿Sería ella, Judit, capaz de deshacerse así por Mañungo? Tembló al responderse que no. En todo caso nunca, ni con Ramón, cuando todo había sido compañerismo y entusiasmo y causa y martirio, con las desoladoras lágrimas correspondientes, ni entonces la vida se le había desordenado de esta manera, que tenía algo..., algo tan glandular, tan profundamente repulsivo. En todo caso, ¿quién era Ada Luz? ¿Por qué de pronto se había transformado en protagonista en la casa de Pablo, que jamás la conoció? Era una entrometida, una histérica.

Éste fue el mismo diagnóstico civilizado de toda la pequeña concurrencia no completamente libre de envidia. Fausta estaba murmurándole a Freddy que Ada Luz no tenía edad para cosas así, cuando percibió que don Celedonio le hacía una seña que comprendió: después de hojear su agenda llamó por teléfono a un curita amigo que vivía en una población, de esos curas que terminan baleados por seres que nunca llegan a identificarse, y su deceso deja un agujero de bala anónimamente rodeado de un círculo de tiza en el muro. ¡La peste de la Iglesia, murmuró Freddy, curas que sólo propician la confusión, ya que todo sería tan claramente blanco o negro sin su interferencia! Presionaba con su índice para recoger los granitos de azúcar salpicados encima de la mesa y se lo chupaba. Fausta colgó el fono.

—No está —dijo.

—Ya no queda tiempo —advirtió Freddy.

—Llama a otro cura, Fausta —la urgió don Celedonio.

En el momento en que Fausta comenzaba a marcar, Freddy se puso de pie. Dirigiéndose a ella, le quitó suavemente el fono y ella, estupefacta, se lo cedió sin resistencia. Él se quedó jugueteando con el cordón negro del teléfono mientras hablaba:

—No llames —le decía Freddy, como quien aconseja a una amiga muy querida.

—¡No le obedezcas! —exclamó Judit.

—Llame, llame —chilló Ada Luz desde su silla, alzando su cara empapada—. ¡Por Dios, llame, para que se salve el alma de la señora Matilde, que se puede condenar por mi culpa, y para que Dios me perdone!

—No llames —mandó Freddy, deteniendo con fuerza la mano de Fausta, que se disponía a marcar otro número—. Reconozco que este asunto de la misa es importante. Como los comunistas todavía no tienen dispensa para decir misa, aunque como están las cosas no dudo que a corto plazo la obtengan, se ve por la actitud de Lisboa que piensan transformar el entierro de la Matilde en un carnaval propio. Lo que quizás podría convenirnos a nosotros, porque estos carnavales espontáneos siempre terminan desprestigiando a los que lo convocan. Lo que hay que evitar es que transformen a Matilde en bandera de la oposición unida, porque nada debe unir a la oposición. Eso sería muchísimo más grave que cualquier carnaval. Tal vez la discreción de Ada Luz nos haya salvado. No llames, Fausta.

—Al contrario. Después de lo que acabas de decir,

más ganas de llamar me dan. ¡Suéltame la mano, Freddy! ¡Suéltame, si no quieres que te haga echar a patadas de aquí!

—¿Para que salga en los diarios que el distinguido financista Federico Fox fue expulsado vilmente por los extremistas que llenaban la casa de la difunta viuda del Premio Nobel? No me vas a hacer echar a patadas. No te conviene —dijo riendo, y le soltó la muñeca, continuando su juego con el cordón del teléfono.

—Faltan veinte minutos para las once —dijo Fausta, marcando otro número— y te queda muy poco tiempo para tus maniobras, Freddy.

Al soltarla, Freddy se sentó en la punta de la mesa del comedor desde donde Fausta marcaba números que no contestaban, y la mesa crujió bajo su porte. Estaba intranquilo, desenredando, mientras hablaba, el cordón negro de la pata de la mesa, y mientras lo hacía, dijo con tanta serenidad que para escucharlo Fausta dejó de marcar, aunque no quitó el dedo del disco:

—No llames, Fausta. Tengo la última proposición que hacerles. Eso sí que les advierto que es la última de veras, y si no la aceptan, después, bueno, la próxima etapa será la guerra abierta. Ésta es mi proposición: si *no* llamas a tu cura para que diga la misa, te juro por mi santa madre que me iré derecho de aquí a mi oficina y dentro de media hora habré firmado los documentos que autorizan la Fundación Pablo Neruda, papeles que en este momento, y desde hace un buen tiempo, están sobre mi escritorio para que yo decida: esta gente, como ustedes comprenderán, es bastante primitiva y no entiende mucho de estos asuntos, así es que me los pasan a mí. Y en cuanto firme los papeles me constituyo en celador de la Fundación para que bajo mi tutela se salven todos los escollos. A cambio de esto, ustedes, los llamados moderados, que son los más peligrosos, no deben organizar una misa de cuerpo presente sino dejar que los comunistas figuren como el partido protagónico, y si quieren, armen un discreto alboroto.

—¿Cuál es tu precio? —le preguntó Judit—. ¿Que nos robemos las cartas de Trotski del acervo de Neruda para pagarte con ellas?

Freddy se rió: mientras hablaba había confeccionado una especie de complejo lazo con el cordón negro del teléfono, sin mirar lo que sus manos inquietas hacían. Dijo:

—En el fondo, y pese a todos los horrores que te han pasado, eres simple, Judit. Ni las cartas de Trotski, ni nada de todo lo que hemos estado hablando aquí, tienen más que una importancia secundaria comparados con otra cosa: que es quedarme con el poder, defenderlo, no soltarlo por ningún motivo ni por ningún precio. Me resigno a perder las cartas de Trotski... por ahora. Deben ser maravillosas, y espero, Celedonio, que algún día me las puedas mostrar. Siento mucho que no quieras vendérmelas, ni..., ni cedérmelas. Pero estoy contento porque esta vez he hecho una buena compra: he comprado el silencio de ustedes, que les pago dándoles su fundacioncita.

No tuvieron que pensarlo mucho. El cinismo de Freddy era ahogante. Sin duda, lo de la misa —en el hipotético caso de que se pudiera llegar a organizar, lo que con la hora que avanzaba se hacía más y más imposible—, sería muy vistoso, claro, pero un poco, cómo decirlo, impermanente, publicitario, prensa, noticia, que se desvanecería en una jornada de efusivo entusiasmo y después, como todo en este país, incluso las fechorías más increíbles, se callaría, se olvidaría con la aparición de otra fechoría peor. La Fundación, en cambio, era algo sólido, real, proyectado hacia el futuro de generaciones que podrían disfrutar y aprender en esta misma

casa, donde todo, gracias al legado de Pablo, se tornaría
coherente y positivo. ¿Dejarse comprar aceptando el silencio respecto a la misa que fue el último deseo —o así
lo decía ese personaje inidentificable que era la Ada Luz,
sin otro testimonio— de Matilde? Valía la pena dejarse
comprar por ese precio. Una vez resuelto el asunto entre
ellos, sin consultar a Ada Luz, que se había dormido como drogada con la cabeza metida en su nidal de lana
verde, don Celedonio le preguntó a Freddy:

—¿Somos todos unos sinvergüenzas, que tenemos nuestro precio, entonces?

—Si no lo sabes tú, a tu edad y con todo lo que
has vivido, nadie lo sabrá nunca, Celedonio. En todo caso es mejor que no dramaticemos, ¿no te parece?

—Me parece. Si haces lo que prometiste te rega-
laré mis propias cartas de Trotski como premio de consuelo. Mis pobres cuatro cartas no son comparables al
carteggio con Frida y Diego, pero, en fin, peor es nada.

Don Celedonio no estaba tan viejo como para
no percibir la ironía en las pupilas de Freddy al darle las
gracias por su dádiva: decidió allí mismo que lo primero
que haría al regresar a su casa sería quemar sus cartas de
Trotski porque no tenían ni el modesto valor que él les
atribuía ya que causaban la risa de Freddy, para quien
eran un placebo, porque él gestionaba sólo con asuntos
de verdadero imperio. Sin embargo el financista le dijo.

—Te las cobraré a su debido tiempo.

Por la puerta vieron que en el patio, en los últimos minutos, se había ido congregando una multitud a
medida que se acercaba la hora en que debía partir el
cortejo cargando las coronas y ofrendas. Judit se acercó
a despertar a Ada Luz para que se fuera a buscar a la Marilú y llevarla al cementerio.

—Lisboa —llamó Fausta, consultando su reloj.

—¿Sí?

—Falta un cuarto para las once. Que bajen el cajón.

—¿Quién lo bajará? —preguntó Freddy.

Todos se miraron, odiándose.

—Los chiquillos de la Jota —dispuso don Celedonio, y Lisboa se fue a impartir las órdenes.

—Bueno —dijo Freddy.

—Bueno —asintió don Celedonio.

—¿Pero qué seguridad tengo —preguntó Freddy de repente, aún sentado a la mesa— de que en cuanto yo dé vuelta la espalda uno de ustedes no va a telefonear a uno de sus curitas comunistas?

—¡Freddy, por Dios!

—¡Cómo se te ocurre!

—Claro que se me ocurre. Ahora las cosas no son cuestión de compromisos entre caballeros, sino de oportunidad, de intriga. Todo puede pasar —dijo Freddy, y dando un tirón salvaje al alambre telefónico con que había estado jugando desde hacía rato, lo arrancó de cuajo de la pared, haciendo caer parte del enlucido. Explicó—: Para evitar tentaciones.

El grito de sorpresa y los sollozos de Fausta fueron instantáneos, y con la cara empapada de lágrimas de terror ante este acto de violencia, subió corriendo a pleno sol por la escalera capriota. Sus gemidos se oían desde abajo, y movía los labios un poco automáticamente, como uniendo su recuerdo de alguna plegaria ya casi olvidada a los rezos de las mujeres que arriba recitaban las tradicionales letanías del dolor en torno al cajón. Judit permaneció abajo, mirando cómo bajaban torpemente esas tétricas tablas negras. Pensó en la rigidez de la perrita blanca de anoche, que dejó abandonada como un juguete de palo, y en el cuerpo de Matilde, ya también rígido, que por última vez se estaría moviendo como un objeto hecho de una sola pieza entre los rasos blancos de la muerte.

32

Al salir del ascensor llevando a Jean-Paul de la mano vio a Lopito apoyado en el escritorio del conserje, preguntándole algo. Su primer impulso fue protegerse de él, volver atrás para evitarlo o pedir que le indicaran otra puerta para salir del hotel sin tener que enfrentarlo. Su segundo impulso, paralelo a darse cuenta que era absurdo temer a Lopito porque seguramente ya había olvidado la escenita de más temprano en casa de Judit, fue el de proteger a Jean-Paul de la agresividad que su amigo sin duda había ido acumulando contra él desde que lo vio reaparecer en Chile. ¿Hacía cuánto..., dieciséis, dieciocho horas? ¡Dieciocho horas! ¡Increíble! ¡Todo había ocurrido en el pequeño lapso de dieciocho horas! ¡Incluso su fantástico compromiso matrimonial urdido por el aislamiento de su hijo, cuyas sospechas ahora lo estaban torturando a él!

Se acercó a Lopito sin que lo viera. Asistir al entierro de Matilde en su compañía no era la perspectiva ni más atrayente ni más solemne para una ocasión en que hubiera preferido recogimiento. Lopito seguramente se iba a adueñar de él, administrándolo, indicándole a quién debía saludar y a quién no, quién era traidor y quién no, quién estúpido y quién no, qué mujeres estaban dispuestas y cuáles sólo lo aparentaban..., en fin, monopolizándolo, y sobre todo impidiéndole tomar un contacto espontáneo con compañeros que sin duda encontraría después de tanto tiempo, todos encantados de compartir con él por lo menos parte de su reencuentro con la ciudad.

Justo antes de tocar el hombro de Lopito y de colocarse en los labios una benigna sonrisa de acogida, le acometió un deseo que sin embargo refrenó, de no tocar ese hombro sino de huir con su hijo directamente a Chiloé a oír la lluvia repiqueteando en el techo, y reaprender, a la vera de los viejos junto al fuego, los interminables cuentos de siempre, pulidos como cantos rodados de tanto repetirlos, en vez de enfrentarse con el triste día de hoy en compañía de Lopito, asistiendo a este entierro que la torpe pugna política iba a despojar de sus ecos afectivos.

—¡Lopito...!

Lopito se dio vuelta bruscamente, como si le atacaran, como si toda su vida redujera al pobre gesto único de defensa. Reconociendo a su amigo, sin embargo, al instante bajó su guardia implícita, y lo saludó afectuosamente. Mañungo traía a Jean-Paul aferrado de su mano. El niño miraba a Lopito con la estupefacción de quien contempla un fenómeno natural que podía resultar peligroso.

—¿Éste es Juan Pablo? —preguntó Lopito.

—Juan Pablo, te presento a mi gran amigo Lopito.

—*Bonjour, monsieur.*

Juan Pablo. No el burlón Jean-Paul defectuosamente pronunciado: la ramita de olivo ofrecida como matinal prenda de sus buenas intenciones, el arrepentimiento, la contrición. Las cosas, por último, no saldrían tan mal si mantenía esta actitud. Era evidente que su intención era borrar la escena de la casa de Judit y comenzar de nuevo. Venía escrupulosamente limpio, el pelo recién mojado y partido al medio como un niño que va al colegio antes que el fragor de las pendencias del día alteren su comedimiento; corbata, zapatos lustrados, todo en él pregonaba buenas intenciones. Sus ojillos de extremos caídos hacia las sienes no brillaban como siempre porque sus pupilas eran dos escamas opacas que la culpa disimulaba en el espesor de sus párpados. Juan Pablo seguía escudriñándolo como a un animal del zoológico, inventariando aquello que lo hacía distinto a él.

Sí, explicaba Lopito: los venía a buscar porque Santiago se había extendido mucho en los últimos años y no iban a saber llegar solos al cementerio. ¿No les parecía absolutamente encantador de su parte preocuparse tanto por ellos? Lopito resoplaba mucho al hablar, pero Mañungo recordaba que siempre había resoplado un poco, y además encendió otro cigarrillo.

—Y adivinen a quién traje —preguntó, triunfal.

Durante un segundo terrible Mañungo temió que con su placer en crear situaciones difíciles para sus amigos, Lopito se las hubiera ingeniado para arrastrar a Judit, lo que, además de la incomodidad de enfrentarse con ella ante terceros por primera vez después de anoche sin antes haber aclarado sus asuntos, significaría tener que explicarle la presencia de su enemiga a Jean-Paul, que se las arreglaría para hacer insoportable ese día que no iba a ser el más fácil de su vida.

—¿A quién?

—A la Moira.

Al principio Mañungo no identificó el nombre. Lopito se dio cuenta y aclaró:

—A la Moira López.

La Lopita. Claro. ¿Cómo no se acordó de ese pretencioso nombre de *prima ballerina* cubano-neoyorkina? Claro: tenía otro, más pintoresco, más sabroso, de pícara tonadillera criolla, la Lopita. Trató de reaccionar favorablemente ante este anuncio, pero no dudó que su presencia sólo haría más pesada la mañana y más intratable a Jean-Paul si la Lopita era tan fea como esperaba. Lopito se había puesto rojo, como un novio que trae a su pareja de provincia para presentarla a su familia de alto coturno. Aclaró que la traía no sólo para que tomara parte en las exequias de Matilde, sino para que la niña le diera la bienvenida a Juan Pablo y se divirtieran jugando juntos.

—¿Dónde está? —preguntó Mañungo.

—Allá —repuso Lopito en voz baja, como si no quisiera perturbar a nadie, señalando un sector distante del lobby—. Mirando la televisión. Le encanta. Nosotros no tenemos.

Mañungo y Jean-Paul, que no le soltaba la mano, giraron sus perfiles coordinados: sentada en un rincón oscuro de la sala, tranquila como una muñeca sobre un *pouf* enorme, mirando la televisión y dándoles la espalda, vieron a una niña vestida de percal color obispo, con dos trenzas tiesas y flacas arriscadas a su espalda y atadas con cintas blancas. Extática, parecía no respirar para no perder nada de lo que transcurría en la pantalla. Mañungo le dijo a Jean-Paul que la fuera a saludar, y que la trajera, porque quería conocer a la Moira López. Pero al verlo desprenderse de la mano de su padre Lopito tomó la mano del niño. La expresión de Lopito había cambiado: le sonreía con una dulzura tan real que él no pudo dejar de corresponderle con un esbozo de sonrisa. Entonces, reteniendo la mano de Jean-Paul en la suya, Lopito se acuclilló frente a él, rogándole con mucha suavidad:

—¿No te vas a reír de ella si la encuentras fea, no es cierto? No, claro que no, porque eres lo suficientemente hombre como para no hacerla sufrir. Además, te puede entretener haciendo piruetas, que ya sabe hacer porque quiere ser bailarina de ballet cuando sea grande. No te niego que la pobre se ve un poco ridícula haciendo *entrechats,* pero pienso que quizás puedan darle papeles cómicos o terribles. Anda, Juan Pablo. Eres inteligente y entiendes lo que te estoy pidiendo. Bueno, ella también es inteligente y lo entiende todo. Más de lo que

le conviene para sus años, a la pobre. Pero no te rías de
ella porque yo la he convencido que es preciosa. Lo que
más le duele es hacerme sufrir a mí. ¿Me entiendes?
Bueno, te lo quería decir por si entendieras, aunque sé
que no entiendes más que francés. Anda...

Mañungo, dándole la mano, ayudó a Lopito a
incorporarse porque estaba como tullido y viejo, advirtiéndole que no era conveniente hablarles así a los niños. Por suerte, Juan Pablo no entendía español, de modo que seguramente no alcanzó a comprender la
cantidad de sandeces que dijo sobre la Lopita. Lo mejor
era dejar actuar al niño, porque bastaba que *un grand* le
dijera algo para que él reaccionara en forma contraria.
Además, Jean-Paul era suficientemente civilizado como
para portarse bien con una niñita que acababa de conocer. Le dijo a Jean-Paul, señalándole a la Moira López,
que todavía no los había visto:

—*Allez-y, donc. Elle s'appelle Moira.*

Se quedaron mirándolo, y el conserje también.
Al apartarse de ellos Juan Pablo caminó rápido, sortean-
do con piruetas un *pouf*, un sillón, una mesita, pero más
allá, en la penumbra y a medida que se iba acercando a
la niña, sus pasos fueron haciéndose más controlados,
hasta quedar detrás de ella sin moverse mientras ella seguía absorta en la pantalla de la televisión. Después le
tocó el hombro. La niñita se volvió. Mañungo no la veía
desde donde estaba, de modo que no pudo hacer una
evaluación de la exactitud de las apreciaciones de Lopito
acerca del aspecto físico de su hija. Pudo darse cuenta,
en cambio, que sentada entre sus vuelos de percal sobre
el *pouf*, la niña le estaba hablando a Juan Pablo, moviendo sus manitas para enfatizar, para mimar, para explicar,
y Juan Pablo la miraba y la escuchaba, asombrado y
atento. Ella, hablando siempre, se bajó del *pouf*. Giró
muy rápido, de modo que sus trenzas y sus volantes

quedaron horizontales durante sus evoluciones; luego le hizo una reverencia a su nuevo amigo y volvió a encaramarse en el *pouf,* haciéndose a un lado para que Juan Pablo se sentara junto a ella, lo que él hizo sin regodeos. Los padres de ambos no se acercaron ni los llamaron pese a que se hacía tarde y podrían atrasarse para el funeral, porque estaban absortos en las siluetas de sus hijos recortadas en la pantalla de televisión. Sentada de espaldas a ellos sobre el *pouf,* la Moira López seguía hablando como si explicara lo que sucedía en la pantalla, con gestos tan graciosos de sus pequeñas manos de mimo que Jean-Paul lanzó una carcajada.

—La primera desde que llegamos a Chile —dijo Mañungo.

—Buen síntoma —asintió Lopito.

Mañungo temía que su hijo se hubiera reído de la Moira López, que era justo lo que no debía hacer. El padre se dio cuenta de la desazón de Mañungo y le dijo que no tuviera cuidado, él ya era experto en reconocer el tono de las carcajadas suscitadas por la Lopita —si se reían *con* ella o si se reían *de* ella—, y esta caracajada, se lo podía asegurar, significaba que Jean-Paul se estaba riendo *con* ella, lo que era muy lindo. Los niños, entonces, después de apagar la televisión, se bajaron del *pouf* —Juan Pablo tomó de la mano a la Moira López, atención que ella agradeció con una reverencia cortesana—, y juntos se acercaron a sus padres. Al llegar, la niña le hizo otra de sus reverencias/piruetas a Mañungo, tomando los volantes de su vestido dominguero entre sus dedos.

—Son cursilerías que le enseña su mamá, la tonta de la Flora, para que tome parte en no sé qué huevada de cuadros plásticos en el barrio —explicó Lopito.

—¡Es encantadora! —mintió Mañungo.

—Buenos días —dijo ella—. ¿Usted es el papá de Jean-Paul.

Pronunciaba el nombre francés del niño con cuidado, como si recién lo hubiera aprendido, y, buena alumna, hubiera pasado la mañana entrenándose.

—Sí. ¿Y tú eres la Moira López, no es cierto?

—Sí. Es nombre de bailarina. ¿No es cierto, Jean-Paul?

—Sí —replicó él en castellano.

La Lopita era, en realidad, excepcionalmente fea. La antigüedad asiática de su cara larga y oscura como la de su padre hacía que su cabeza pareciera excesiva para el delicado tronco y las piernas flacas de una niña de siete años. Sus encías eran largas y moradas como las de su padre, y la nariz áspera y prominente. Las ranuras achinadas de sus ojos eran tan estrechas que al principio Mañungo no alcanzó a divisar su alma en ellas. Pero cuando la Lopita sonrió, explicando la película cortesana que daban en la tele, brilló la luz de los significados prisioneros en las apariencias, y la inteligencia transformó su cara de niña fea en una gloriosa máscara grotesca relacionada con toda una sensibilidad del arte y de la cultura: Mañungo y Juan Pablo habían visto máscaras como ésa observándolos desde aleros góticos y desde rincones umbríos de jardines italianos, y era fácil reconocerla como propuesta de estilo y admirarla. Vestía, por otra parte, con tanto cuidado su trajecito dominguero, limpísima y con el pelo tirante sin una mecha fuera de lugar, húmeda y fragante de colonia, que su fealdad encarnaba una perfección de concepto no muy lejano al de los objetos de belleza. Su sonrisa, al tomar la mano de su padre, era tan confiada como si quisiera aplacar con su alegría las inmensas inseguridades de ese hombre: era ella, no él, quien había aprendido a vivir con las inseguridades. Jean-Paul fue el primero en hablar:

—*Son papa dit qu'elle est moche, mais ça n'est pas vrai. Elle n'est pas moche du tout. Elle est étrange, comme*

un personnage de fabliau, plutôt mignonne, comme un
gnome. Ou une gnomesse. Gnomesse est le féminin de gno-
me, papa? Elle est rigolette. Je comprends tout ce qu'elle dit...

—Este matrimonio se hace —dijo Mañungo
riendo, aunque no sin un puntito de aprensión.

—¿Te gusto como consuegro?

—*Allons-y, papa?*

—*Où ça?*

—*Au cimetière.*

—*Je croyais que tu ne voulais pas y aller.*

—*Je veux voir la révolution dont Moira parle.*

—Es muy politizada mi cabrita, oye.

—*... et le couvre-feu* —agregó entusiasmado Juan
Pablo.

—Y va a caer..., y va a caer... —se puso a cantar
y a palmotear la Lopita—. ¿Vamos a la revolución, Jean-
Paul?

—*Je peux aller avec Lopita, papa?*

—*Elle s'appelle Moira.*

—*Elle m'a dit de l'appeler Lopita si je veux.*

—*Bon.*

—¿Vamos? —invitó Lopito.

Y se encaminaron hacia la salida del hotel, los
dos niños tomados de la mano y brincando delante de
sus padres, que los seguían complacidos.

33

Debían ser la última palabra en sofisticación esos autos grises de vidrios ahumados que quizás existieran desde antes, pero cuyo advenimiento se había hecho notar sólo ahora último, estacionados aquí o allá junto a vehículos comunes entre los que se disimulaban. Sus vidrios no eran ahumados enteros, sólo la parte alta de cada ventana y cada parabrisas para ocultar los rostros de los ocupantes, encargados, entre otras cosas aún más funestas, según se murmuraba, de conectarse por radio con un banco central de datos capaz de informar sobre toda la población que esta mañana afluía al cementerio. Los vidrios negros embozaban sólo los rostros de los tripulantes, dejando descubiertos los rígidos torsos de maniquí sin cabeza que con sus musculosos brazos cruzados encima del pecho esperaban el momento de actuar sobre la muchedumbre que llenaba las calles tributarias de la avenida Recoleta para asistir al entierro de Matilde Neruda, muchedumbre que pasaba de largo junto a los autos grises sin atreverse a comentarlos.

Comentaban sin temor, en cambio, o con otra clase de temor, a los grandes camiones verdes apostados en las cuadras cercanas al camposanto, erizados de siluetas con casco y metralleta, y a los uniformados vigilando en algunas esquinas. La gente se detenía a comprar un helado, un globo color fucsia para un regalón, un cucurucho de maní, un paquete de palomitas, sustancia de Chillán, alfeñiques rosados y amarillos, turrón, mote con huesillos pregonado a gritos, mirando sin pestañear a los agentes temidos, aunque no tan temidos como los que esbozaban sus rostros en los vidrios de los autos. ¿Qué iban a hacer éstos, cuál era su tarea específica en un día como hoy? Se estaban viendo con frecuencia estos autos grises en distintos puntos de la ciudad, esperando algo, observando, listos para dar alarmas secretas y conectarse entre sí con instrumentos tan misteriosos como las antenas de los lepidópteros. Rara vez entraban en las poblaciones donde noche a noche ardían las barricadas de neumáticos de humo intoxicador, y donde las paredes de algunas casas de calamina o de madera ostentaban agujeros de balas rodeados del famoso circulito de tiza para señalar la bala culpable de una baja jamás aclarada y jamás perdonada. Acechaban, más bien, en las inmediaciones de las casas de los jerarcas, en día de protesta o de huelga, en los tranquilos barrios burgueses con aires castrenses, disimulados bajo los árboles de las bocacalles a la hora de la oración, o merodeando una esquina donde alguien fue abandonado por sus secuestradores, o cerca del lugar donde los condujo un aviso de bomba no cumplido.

Ojos ocultos por estos vidrios vieron al cuchepo desembarcándose de una micro Matadero-Palma: después que bajaron los pasajeros en la esquina de los cementerios, el cuchepo, bromeando con el conductor, se descolgó con sus largos brazos de simio desde la plataforma a la pisadera, depositando en el pavimento, primero, su patín y luego dejando caer su tronco sobre él. Después, al despedirse del conductor agitando alegremente la mano —embozado en los vidrios grises alguien anotó el número de la micro—, se dio impulso con las palmas en el suelo, y capeando prodigiosamente el enloquecido embotellamiento de tráfico, se perdió rodando entre la multitud de la vereda.

El taxi había dejado a Mañungo con Lopito y los niños a varias cuadras de la entrada al camposanto. Lo prefirieron así porque la circulación hacia ese lado se estaba poniendo difícil. Como iban un poco adelantados, Lopito propuso pasear un poco por la criollísima avenida con el fin de que su amigo se chilenizara de nuevo. Puso en duda, eso sí, el valor de esto de chilenizarse, dado como estaban las cosas en el país: nuestro único destino, a estas alturas, dijo, parecía que era desaparecer amordazados, maniatados, vejados, dijo, esclavizados. Sólo quedaba profesar de nihilista y despojarse de toda ideología que prometiera soluciones. ¿De qué servían las luchas por la concordia si la única respuesta venía de las metralletas? ¿Qué posibilidad le veía a esta muchedumbre pasiva, sumisa, que los rodeaba? ¿No se daba cuenta que era tal la miseria en que el régimen los tenía sumidos, que sería fácil conquistarlos, por no decir seducirlos o comprarlos, con un vaso de mote con huesillos, con el aroma perverso de unas prietas asándose sobre carbones en la vereda, con un chiste que ridiculizara a un ministro? Estos inocentes que los iban arrastrando en su marea olisca de ropa de fibra sudada —explicaba Lopito, como si el calor no lo hiciera oler igual a él— tenían la vida entera impregnada de política como de un disolvente corrosivo que terminaría devorándolos: en el amor, en el arte, en el comercio, en la muerte misma, como hoy quedaba claro, era imposible eludir a la política aunque no se pudiera tomar parte en ella porque el régimen ejercía ese monopolio, y así, sin ejercitarla, las ideas y las pasiones se desgastaban y empobrecían con esta especie de prolongada masturbación verbal.

—Por ejemplo —seguía Lopito—, iniciemos ahora mismo un diálogo sobre cualquier tema. Sobre el compañero Schumann, por ejemplo, que dejémonos de huevadas, nos importa mucho más a ti y a mí que la maldita justicia social. Bueno, ¿cuántos minutos crees tú que duraría nuestra conversación sin que se politizara?

Las greñas de Lopito, hasta hacía un rato doblegadas por las abluciones matinales, se habían erizado otra vez. De cuando en cuando apresuraba el paso, respirando dificultosamente, temeroso de que los niños que iban un poco más adelante se perdieran. Se detuvo ante un puesto para ofrecerle un vaso de mote con huesillos a Mañungo, que no se atrevió a aceptar, aunque lo pagó junto con su coca-cola y la de Jean-Paul mientras la Lopita titubeaba ante la seductora botellita helada de importación; pero al ver el deleite con que su padre consumía lo suyo, se decidió ella también por lo vernáculo:

—Mote con huesillos.

—¿Quieres probar, Juan Pablo? —ofreció Lopito.

—Prefiero que no —intervino Mañungo—. Nos advirtieron que tuviéramos cuidado con la chilitis.

—Ah, claro, la chilitis —murmuró Lopito, refrenándose con un esfuerzo casi visible de no seguir por el declive hacia el sarcasmo que este tema tan ampliamente proponía—. ¿Está rico su mote, mi reina?

—Rico.

En las esquinas, la muchedumbre que compraba flores daba un rodeo ante algún policía de metralleta en mano que dividían la corriente en dos brazos que luego confluían. ¡Pam, pam, pam, disparaba desde el escenario su guitarra-metralleta-sexo! Pero sus disparos jamás mataron a nadie salvo a las incautas palomas que volaban demasiado bajo... hasta que él y las palomas dejaron de creer en la efectividad de sus proyectiles. Las metralletas de hoy, en cambio, las de aquí, eran de veras, mataban sin tener que justificar ni una sola bala. ¿Iban a atacar hoy, con o sin motivo, se preguntó Mañungo con el corazón detenido por el horror, preguntándose si ese pensamiento se alojaba también en la cabeza de los miles de personas que acudían a enterrar a la Matilde? Tres gitanas garbosas avanzaron abriéndose paso contra el gentío espeso, ajenas a la circunstancia que congregaba a esta corriente de personas que pertenecían a un ámbito cultural con mártires y santos distintos a los suyos: a nadie le interesaba que leyeran el futuro porque hoy se trataba de otra cosa, así es que insistiendo en su pegajosa jerigonza centroeuropea, cimbrando zarandajas y trapos, se perdieron en la muchedumbre que se desentendía de ellas. Cerca del ingreso al cementerio Lopito comenzó a reconocer a algunos amigos: poetas de bar, habitantes de la noche que aparecían para este acontecimiento, musas de barrio, borrachitos, estudiantes eternos, militantes de partidos políticos efímeros a los que él fugazmente se había adherido, uno que otro muchacho de camiseta roja o por lo menos llevando un emblema de ese color aunque no fuera más que un clavel. Lopito iba opinando a gritos que lo más odioso de todo esto era el optimismo —«Mira que llevar flores coloradas, pues, Mañungo, dónde se habrá visto, ¡sólo les falta ponerse a cantar *Clavelitos!*»— con el fin de convencer a quién sabe quién de que todo iba a salir «del uno», y a cada revés del régimen repetían: «¿Ven? Esto se acaba», y no se acababa absolutamente nada aunque estadios enteros gritaban *Y va a caer* durante los partidos de fútbol, y cada horror y cada escándalo se iba sepultando en el olvido para que todo siguiera igual, enquistado, monolítico pese a las fisuras que desembocaban en el monótono cambiar de un personaje por otro exactamente equivalente. Estábamos todos con el dedo índice corto, decía Lopito, como los republicanos españoles que golpeándolo contra la mesa repitieron durante cuarenta años de exilio: *Este año cae Franco..., este año cae Franco...*, y el desgaste de ese inútil énfasis les fue acortando el índice de tanto golpear, y Franco no cayó y se quedaron los pobres rojillos con las esperanzas pudriéndoseles adentro mientras sus prohombres morían y mutaban las pasiones y las ideas se avejentaban..., idéntico a lo que les estaba pasando a los chilenos empecinados en no perder la esperanza, que era lo único que era necesario perder para comenzar otra vez desde cero, y asumir la desesperanza ahora manifestada en esporádicos brotes de violencia sin sentido a que la intolerable represión del régimen los empujaba.

Era muy alto, Mañungo, rara estampa para un chilote, el único en el gentío inmediato que lucía una chasca hasta los hombros, silueta señera en la multitud achaparrada. Un grupo de colegialas chinchosas lo siguieron, riéndose. Con Lopito y los niños se detuvo junto a las cocinerías y los astilleros fúnebres frente al Cementerio Católico, y las chiquillas rodearon a Mañungo preguntándole si en realidad era quien parecía ser; el ídolo, entonces, sonriéndoles su contagiosa sonrisa de liebre, un poco tímidamente como sabía que a ellas les gustaba, asintió. Cruzaron hacia el Cementerio General esquivando los buses enloquecidos que perdían el plomo sobre sus neumáticos gemidores al doblar la esquina, arrastrando una cola de colegialas que al llegar a la otra vereda, entre los kioscos atiborrados de reinas luisas, claveles y gladiolos, lo asediaron enarbolando cuadernos y papeles para exigirle autógrafos. Llamaban a más chiquillas, a más chiquillos, a más y más curiosos ya no tan jóvenes que lo reconocían al oír su nombre y lo señalaban vitoreándolo. Muchachos de camiseta roja intentaron desbandar a los entusiastas que enarbolaban papelitos y empujaban para llegar hasta el ídolo que comenzaba a negarse a firmar porque eran demasiados los solicitantes. Lo mejor, opinaron los muchachos de la Jota, sería llevarlo en andas. No, gracias, dijo Mañungo: prefería seguir abriéndose paso solo. La horda de chiquillos lo siguió, tocándolo con la mano suavemente al principio, como quien toca los ropajes de una imagen sacra, y le tiraban flores, pero entre las flores alguien le tiró un terrón que no dio en el blanco. La multitud lo llamaba por su nombre, poniéndole flores en el pelo, en la ropa, tironeándole la camisa, empujándolo, pegándole, agrediéndolo, tirándole del pelo, la ropa, rasgándosela, más flores, más palmadas, alguna bofetada, alguna piedra, empujones más y más intencionados de la masa compacta de admiradores de los que no podía defenderse porque era imposible saber qué querían de él: sudado y despeinado lo hicieron tropezar y cayó al suelo y el tumulto lo arrolló. Dos policías con metralletas se abrieron paso con la punta negra de sus armas calientes como jetas de sabuesos. La multitud encrespada alrededor de Mañungo caído se aplacó al verlos, dividiéndose para darles paso: los uniformados lo ayudaron a incorporarse mientras los espectadores gritaban quién sabe con qué fin *Ma-ñun-go...,* *Ma-ñun-go.* Los policías sonrieron al ídolo caído, ayudándolo a sacudirse la ropa, preguntándole si deseaba acusar a alguien por estos desmanes. Respondió:

—No.

Uno de los uniformados se alejó a vigilar para que el acceso al cementerio se hiciera con orden. El que se quedó, alargándole la mano a Mañungo, le dijo:

—Un gusto para mí, señor Vera.

—Gracias.

—Hasta luego.

—Hasta luego.

Dentro del cementerio, a tres o cuatro pasos en medio de un grupo, Lopito se había reunido con unos compinches y con el embeleso escrito en su cara empinaba un chuico de vino tinto, hasta que sus amigos se lo arrebataron. La Lopita y Jean-Paul, ambos aferrados al cinturón de Mañungo para no perderse, sollozaban con el reciente percance, tratando de alejar a la víctima del uniformado, que se dio cuenta de la reacción adversa de los niños.

¿Qué mentiras les contarían estos marxistas-leninistas a sus hijos sobre ellos, que al fin y al cabo no hacían más que cumplir con el deber? El uniformado era muy moreno, de mejillas ásperas por las cicatrices de un acné adolescente no muy lejano. La golondrina negra de su ceño unido ocultaba sus ojos, delegando toda la vida de su rostro a la jeta africana, blanda y naranja como un molusco bivalvo, y a su gentil sonrisa.

Mañungo vio alejarse el casco de metal blanco que se reunió con otro idéntico en la esquina, y ambos, en pos del deber, se perdieron entre las cabezas indefensas contra el sol, que se apiñaban en la puerta del cementerio. Lopito estaba moviendo su cabeza en forma reprobatoria por los tratos de Mañungo con la autoridad: con los niños aún pegados a su cinturón intentaba reunirse con el grupo formado por Lopito y los bulliciosos goliardos. Lo palmotearon y abrazaron mientras él intentaba exhumar las identidades de un lejano pasado común en el derrumbe de las facciones del presente. Lopito de nuevo empinó el chuico. Su hija lo tironeó de la camisa. Sin mirarla, le desprendió la mano con una palmada negligente, como si estuviera espantando una mosca. La Lopita se puso a llorar muy bajo, comiéndose las uñas, sus trenzas saltarinas desordenadas y exánimes. Jean-Paul intentaba consolarla. Desde un grupo en que se distinguía algún jerarca del Partido en la clandestinidad salido de su madriguera para esta ocasión, Lisboa les gritó que por favor fueran dejando libre el acceso al cementerio porque faltaban a lo sumo cinco minutos para que llegara el cortejo. Lopito se rió de él en su cara, rehusando moverse de donde bloqueaba la puerta con sus amigos: ese imbécil de Lisboa, decía, que desde que se declaró la lucha armada se creía un general sin charreteras y pensaba que el entierro de la Matilde no pasaba de ser un acto de solidaridad con el PC. ¡Y los muchachos

intensos y compenetrados, tratando de obedecer sus órdenes y despejar el acceso! En vista de la repulsión que le
causaba Lisboa, Lopito pidió el chuico otra vez y echando hacia atrás su cabezota hizo fluir el tinto para que re-
frescara su gaznate áspero de polvo y preocupaciones no
resueltas. Mañungo y Juan Pablo no lograban consolar a
la Lopita, que sollozaba sin soltar su mano del cinturón
de su padre para no perderse, aunque sobre todo, ahora,
porque sabía que pronto iba a ser necesario ayudarlo o
controlarlo.

El sol cenital no echaba más que un charco de
sombra bajo cada ciprés a la entrada de los columbarios.
El polvo levantado por los miles de pies de los asistentes
no dulcificaba la luz, como en París recordó Mañungo,
anteayer, cuando lloviznaba plateando los reflejos y bi-
selándolos, allá, tamizando las distancias sin producir
los fantasmas de la hechicería sino de los de la lucidez,
sin lubricar las cuerdas vocales para cantar como en
Chiloé, cuando la dulzura de la atmósfera disolvía las
durezas de las fosas nasales que aquí lo atormentaban:
en esta sequedad le sería imposible cantar ni una sola
nota, se dio cuenta, definitivamente. ¿Partir otra vez en
busca de otra cosa? Aquí, mudo para siempre. Respirando apenas. Sin poder controlar el aire de sus pulmones,
acezando, tosiendo como Lopito, voz sólo útil para gritar, ásperas consignas como las que alrededor suyo bro-
taban: *Y va a caer..., y va a caer...,* y más allá alguien entonaba. Se siente, se siente... Pero él, sí, a él la garra del
león de felpa clavada en su garganta le impedía emitir ni
una sola nota, ni una sola palabra. Ráfagas de noticias alrededor suyo dividían a la muchedumbre: le iban a decir
una misa a la Matilde..., no le iban a decir misa a la Matilde... Federico Fox iba a hablar ante la tumba porque
sin su presencia las autoridades hubieran prohibido todo. ¿Todo qué...? ¿Cómo podían prohibir un entierro?

Claro que no podían prohibirlo, pero tenían el cementerio cercado con metralletas, policías, camiones, autos listos para cerrarlo todo en cuanto entraran los restos de la Matilde, e invadirlo, exterminando a toda la izquierda reunida, una matanza ejemplar en el camposanto donde hoy, a esta hora, estaba latiendo el pulso turbulento de Santiago. El gentío se arremolinaba, coagulándose en grupos que intentaban ordenarse en filas a ambos lados de la propuesta entrada, que pronto volvían a disolverse porque el cortejo tardaba aún. Darío, de zapatillas de gimnasia rescatadas de la basura, listo junto a los comandos infantiles para huir si la policía atacaba o les tocara atacar a ellos, discutía con un jefe de la Jota para que representantes del Frente de Liberación Manuel Rodríguez ayudaran a cargar el cajón; debían, sí, debían ayudar ellos también, alegaban, porque hoy, por primera vez, el Frente se mostraba públicamente como una corporación integrada. No. El cortejo tarda. No viene todavía. Se va a demorar, oyó la Aury que el señor a su lado decía, y a empellones, con sus tetas, se abrió paso para colocarse en lo que prometía ser primera fila, al lado del ex senador Larrañaga, amarillo, agrietado por los climas del exilio, que se apostó en la sombra del pino que quizás sería el mismo que pronto lo cubriría eternamente, que para eso, al fin y al cabo, había vuelto.

34

Lopito tenía morado el puño de la camisa de tanto limpiarse la boca cada vez después de beber, y le pasaba el chuico a Mañungo, que fingía empinarlo de modo que una supuesta borrachera le sirviera de salvoconducto para formar parte de la algazara del grupo. Sólo lo fingía, sin embargo, porque se dio cuenta de que se le brindaba esta ocasión para ser testigo de sí mismo y comprender y comprenderse en todo esto; en cambio, la ofuscación del vino le impediría evaluar sus capacidades en el tremendo presente en que se hallaba envuelto. ¿Envuelto? ¿Era válido pensarse envuelto si usaba el subterfugio de disimular euforia cuando los demás ya habían naufragado en ella? No: era lo suyo, esto de estar y no estar, de poder y no poder verse, condenado a mirarlo todo desde la orilla y ser sumiso a esta dolorosa resultante de sus conflictos. No para conservar la claridad con que en los escenarios fabricaba a un «Mañungo Vera», sino con esta otra luz, la dolorosa lucidez que ahora se exigía para destruir su ensimismamiento. En este escenario tan distinto, tan vasto —el del presente crudo de este entierro multitudinario, el resuello ardiente del gentío exigiendo y llamando, la confusión polvorienta de los rostros sudados reclamando cada uno la validez particular de su pancarta o su consigna, roncos de gritar, las frentes coloradas de sol bajo el bicornio de periódico o el pañuelo anudado en las cuatro puntas—, se le había hecho claro que era en relación con todo esto que tenía que llegar a evaluarse, porque no había vuelto a su país para rehabilitar la dulce nomenclatura vernácula de viejas canciones: ésa era una propuesta demasiado simple para él, que por desgracia no lo era.

Y Judit tampoco. Éste fue el paralelo que percibió el clarividente Juan Pablo antes que él, y por eso los había emparejado no a título de amor, que por otra parte era una palabra sin prestigio para el niño, sino a título del vínculo siniestro de pareja oficial: *Te vas a casar con esa mujer y tendremos que quedarnos en este país de funerales, revoluciones y terremotos,* había dicho Jean-Paul en forma lapidaria. Pero no se iban a quedar. En medio de esta turba en que se sentía tan extraño y donde vio aparecer y avanzar hacia él a Judit, lo único que logró desear fue el regreso a la rue Servandoni, esta vez con ella, a la que no amaba, se previno, pero a quien reconoció como su pareja, por el momento insustituible. Los niños suelen tener el don de la clarividencia respecto a sus padres, decían, propuesta a la que él no adhería por encontrarlos agoístas y posesivos, pero era una facultad que en esta circunstancia se vio obligado a reconocer en Juan Pablo. Judit llegó hasta donde él la esperaba trayendo a los tres niños a la rastra, exasperada con el esfuerzo de apacentarlos aunque Ada Luz había sido capaz de dominar el hatillo sin el desgaste que ella debió desplegar para alcanzar el grupo de Mañungo y Lopito. Los frescos ojos de Judit, de iris tan claro que la luz los borraba como los de un mármol clásico, lo complacieron infinitamente sobre todo al compararlos, sonrientes y fijos, con tanta manifestación excesiva de la multitud. Inclinándose para besar la frente de la Marilú pensó que esta chiquilla parecía una tránsfuga de otro universo pese a haber sido parida por Judit: sombría —como debió haber sido el transitorio padre revolucionario—, su rostro una careta de maquillaje distorsionándole las facciones de buen cuño que eran el aporte genético de su madre, sus muñecas y su cuello tintineando de joyitas falsas incongruentes en una hija de Judit Torre. Le dijo que estaba contento de conocerla porque era muy amigo de su madre.

—No sabía. ¿Cómo iba a saber que mi mamá tiene amigos presentables?

No sabía: su pasado con Judit no aportó ni un grano de sedimento, entonces, ni siquiera para vanagloriarse ante su hija de su juvenil relación. ¿El presente en que estaban destinados a ingresar en breve —quizás mañana, en todo caso muy pronto, antes de la semana— estaba destinado, también, a perderse en oscuras capas geológicas después inalcanzables para la memoria? ¿Valía la pena entregarse si ella no sabía hacerlo; valía la pena pedirle que le permitiera tocarla y acariciarla como no se lo permitió bajo los acantos de Las Hortensias, dejando un aséptico vértigo como lo único que los unía?

—No digas leseras, Luz —le dijo Judit, besando la mejilla aún llorosa de la Lopita y disponiéndose a ser efusiva con Juan Pablo, a quien vio listo para rehuir cualquier gesto suyo que esbozara un avance—. Te dije que te limpiaras la cara. Eres muy chica para salir pintada así.

La Marilú no le prestó atención a su madre o no la oyó porque jugueteaba admirativamente con el pelo rubio de Juan Pablo mientras Ada Luz recomponía y ataba como era debido las cintas blancas de las trenzas de la Lopita, desmadejadas por sus deditos inquietos con los excesos de su padre. La Marilú tomó al niño rubio de la mano con la intención de alejarlo de ese grupo compuesto por viejos y por esa chiquilla fea: ella, cuando fuera grande, iba a ser cosmetóloga, en su barrio ya maquillaba a sus amigas poco agraciadas y las dejaba convertidas en princesas. Juan Pablo se resistió a alejarse porque tenía que oír lo que su padre hablaba con la madre de la Marilú. A él no lo engañaban, habían pasado la noche juntos, por ella iban a tener que quedarse en este país funerario, entre gente exacerbada que gritaba y empujaba. El gentío seguía hinchándose y estremeciéndose alrededor de ellos, apretujados los cuerpos, rudas las exclamaciones, resbaloso de flores pisoteadas en el suelo, los rostros expectantes con lo que sucedería a la llegada del ataúd: que se organizara el cortejo, ya venía el furgón, que prepararan las consignas y comenzaran las canciones. Pero Matilde se hacía esperar. Lopito volvió a empinar el chuico. La Lopita, agarrada de su cinturón, lloraba implorándole que no tomara más vino, que recordara cómo se ponía, le sentaba tan mal para su pobre corazón.

—¿Te dio mis píldoras tu mamá?

—Sí. Aquí están. —Y de su bolsillo sacó un pañuelito con una punta anudada, que desató.

—¡A la mierda mis remedios...! —gritó Lopito con una carcajada, asestándole un golpe que las hizo volar mientras su hija lo esquivaba y él quedaba acezando con el esfuerzo.

Mañungo barrió a la Lopita del suelo y se la colocó a horcajadas sobre sus hombros, como un monito de organillero con sus faralaes color obispo y su mueca de dolorosa lagrimeante que poco a poco volvió a transformarse en sonrisa. Cuando comenzó a vadear la multitud con la Lopita encaramada sobre él, la gente, al reconocerlo porque la noticia de su presencia se había propagado, lo vitoreó otra vez, que cante Mañungo Vera, que cante una canción de protesta para que la policía tenga que entrar a la fuerza en el camposanto a deshacer esta manifestación con bombas y nos deje ungidos con sangre. Ahora sí que venía el cortejo, a una sola cuadra de distancia. En pos de Lopito llevando el chuico otra vez y gritando saludos e improperios y trastabillando y dando codazos para abrirse paso, todo el grupo emprendió la travesía de la calle atestada, rodeando a Mañungo, que llevaba a la Lopita sobre sus hombros como enseña: aclamaban su paso y la Lopita iba prodigando saludos a diestra y siniestra desde su altura, desenvuelta como una trapecista de circo que agradece las ovaciones después de una actuación maestra, mientras la Marilú, prendida de Mañungo, le tiraba de la camisa:

—¡Ahora a mí! ¡Ahora me toca a mí, tío!

Mañungo no le prestó atención: la Lopita era la señalada por el destino funesto, a la que se debía proporcionar siquiera este instante de gloria porque tal vez nunca conocería otro. Al otro lado de la calle, a la sombra de un pino, se reunieron con Fausta y don Celedonio, que contaron lo sucedido una hora antes en casa de Matilde, en voz baja, mientras Ada Luz se retiraba un poco, vigilando a los niños: Lisboa había bloqueado el cumplimiento de las últimas disposiciones de la extinta, y Freddy Fox, a cambio del silencio respecto a la misa, iba a hacerles expedito el trámite de la Fundación. ¿Dónde estaba ese sinvergüenza de Freddy Fox para matarlo, para caparlo si es que ya no estaba capado?, gritaba Lopito. Sus amigos le rogaban que se callara. ¿Que no veía mezclados en la multitud, ojos atentos tras gafas de vidrios negros y oídos alerta que lo registraban todo, contabilizando cada palabra escuchada, memorizando actitudes y rostros y grupos? La ira de Lopito se volvió como un látigo contra sus amigos por ceder al chantaje de Freddy Fox. Sí, chantaje, que se dieran cuenta de que fue eso y no otra cosa, quería declararlo aquí y ahora en medio de la masa impensante que los rodeaba para que lo oyera quien tuviera orejas para oír, sí, quería declarar que él, Juan López, consideraba que todo este turbio asuntito de la Fundación era una reverenda huevada senil y narcisista del poeta, y el circo que legó no iba a servir más que para alimentar a los peucos que como siempre rondaban hambrientos los despojos de la izquierda.

La misa, en cambio, que ellos estúpidamente habían rechazado, dicha por un curita revolucionario de esos que parecían mansos como corderos, hubiera provocado una tempestad inmediata, anulando la fuerza de los locos rodriguistas, a los que por otra parte él no estaba dispuesto a atacar porque al fin y al cabo la brutalidad opresora del régimen era la única responsable de las manifestaciones extremistas. ¡Típico de las mentalidades burguesas como las de ellos, los mandarines, los arrogantes elegidos y ungidos, propiciar elegantes soluciones a largo plazo como la Fundación, sacrificando los remedios fulminantes, de choque, que en una coyuntura como la presente eran los únicos eficaces!

—¿Nosotros burgueses, y tú ejemplo perfecto del proletario especializado en Schumann y Duchamp? —le interrumpió Fausta, irritada con el calor, los empujones y los tábanos—. ¿Por qué no dejas de contradecirte, Lopito, y te defines de una vez por todas?

—El único lujo que he podido costearme en la vida —le respondió el interpelado— es el de nunca definirme en absolutamente nada. Pero tranquilízate, Fausta: ahora, por el momento, aunque no te respondo por después, estoy contra la violencia. Lo hago con un poco de pena porque quizás no se deba más que a un problema fisiológico: estoy diez años más viejo que cuando nos entreteníamos con la Ju preparando bombas de fabricación casera en el garaje de un amigo. ¿Te acuerdas, Virginia Woolf?

Se había erizado una hostilidad de todos contra todos en el grupo, cada uno en desacuerdos con el otro, todos enemigos, odiándose, despreciándose, cuestionándose, cada defecto del otro agigantado haciendo imposible la reconciliación, todo acuerdo impensable ya que sería arrasado por tempestades de irracionalidad: resultaba imposible entender cómo pudieron ser amigos hasta hace tan pocos minutos, cómo pudieron creer que integraban el mismo bando. Mañungo murmuró unas palabras de gentil ánimo restaurador: se había transformado en el «bueno de la película», se dijo con desdén Lopito, asqueado con el equilibrio tan compuesto que parecía guiar en todo a su amigo que ya no era su amigo, eliminando el insensato exceso que los había enardecido en el pasado común. ¿Cómo iba a poder cantar así? ¿Sería posible postular a Judit como su salvación? Porque sin duda en estas horas se había establecido un vínculo entre esos dos, cierta simetría arrogante que se les notaba por encima de la ropa aunque ellos mismos no fueran capaces de reconocerlo todavía y nombrarlo, y Judit era, si era algo pese a su ingrediente de sensatez Mies van der Rohe, la precipitación de la velocidad en cualquier vorágine que encontrara a su paso. Quizás ella lograra llevar a Mañungo a la destrucción, y por ende, después, a la restauración.

El rumor de que llegaba el furgón funerario los distrajo. En la retaguardia del cortejo, en la puerta del camposanto, los muchachos de camiseta roja, dueños absolutos de la situación, bajaban del vehículo el ataúd con los restos tan llorados, y cubriéndolo con las coronas de flores se lo echaron al hombro. Se abatieron los gritos individuales y las voces de pregoneros y feriantes, y durante un segundo todo permaneció en silencio, muy quieto, hasta el polvo que bailaba en la luz, aunque algunos dijeron haber oído algo como el arrullo angélico de unas alas. Entonces, espontáneamente, un grupo rompió a gritar: *Matilde-Neruda: el pueblo te saluda, Matilde-Neruda: el pueblo te saluda, Matilde-Neruda: el pueblo te saluda, Matilde-Neruda: el pueblo te saluda,* hasta que se unió otro grupo y después más grupos y creció la marejada del grito hasta inundarlo todo. Las fuerzas de orden habían quedado resueltamente fuera del cementerio:

éste era tierra franca donde el pueblo por primera vez podía reunirse sin sanciones y gritar lo que quisiera, un espacio de libertad, tal vez el último antes de la asfixia definitiva, la ofrenda final de Matilde al pueblo. Las juventudes comunistas de diversos barrios, ante los ojos estupefactos de colectividades menos emprendedoras, enarbolaron pancartas, gritando *El pueblo unido jamás será vencido,* movilizándose lentamente detrás del cajón que iniciaba su ingreso arrastrando hacia el interior a la multitud, y algunos miembros del MIR resucitado asistían tenebrosamente embozados. Un sacerdote de izquierdas perdido entre la gente, el que debió haber oficiado la misa para Matilde pero no lo hizo porque finalmente nadie llegó a proponerle nada, opinó que era indebido que la izquierda criticara a los comunistas por vocear sus consignas sólo porque los otros eran incapaces de gritar las suyas. ¡Que las gritaran! ¡Aquí tenían la ansiada oportunidad para manifestarse! ¿Por qué los radicales, por qué los democratacristianos no levantaban sus voces cobardes? ¿Por qué todos menos los comunistas eran débiles, de identidad precaria, fracturados, temerosos de la acción? Como una ola, *La Internacional,* espontánea y desabrida, barrió a la muchedumbre, recuperando su derecho de siempre a oírse en el país y perdiéndose, luego, hacia la entrada, donde el cortejo acababa de iniciar su marcha. El curita quiso contrarrestar *La Internacional* cantando el *Himno a la alegría,* que nadie coreó por estar pendientes de gritar lo más atrevido de todo: *Se siente, se siente: Allende está presente,* y más allá otra facción voceando *La izquierda unida jamás será vencida* entre las ovaciones partidistas de los muchachos sudados que avanzaban en la polvareda con el ataúd al hombro bajo una lluvia de claveles rojos. Trepados en los escasos árboles, desde los corredores de los columbarios, desde los techos de las capillas y mausoleos, desde

zigurats en miniatura y pertenones de juguete con apellidos añejos descascarándose en los tímpanos, la gente saludaba con gritos el paso del féretro: Matilde les pertenecía, Neruda les pertenecía aunque nunca hubieran leído
ni una línea suya, esta ocasión, sobre todo, les pertenecía
porque ellos salvarían al país, ya que *El pueblo unido jamás será vencido,* y ellos y Pablo y Matilde eran el pueblo,
o por lo menos así lo parecía en el momento de gloria
cuando el féretro iba pasando ante sus ojos. Y Mañungo
también les pertenecía. Lo arrastraron, con la Lopita sobre sus hombros, saludando porque ésta era su fiesta,
hasta el grupo que rodeaba el cajón agobiado de claveles.
Un muchacho quiso retirarse para cederle a Mañungo su
esquina del ataúd, pero al ver que Lisboa hendía la multitud dirigiéndose hacia él con un pañuelito rojo en la
mano, Mañungo se apartó, diciendo resueltamente:

—No.

Sabía que estaba haciendo mal en dejarlos adue-
ñarse del ataúd —¿pero qué hacer, él solo, cómo y con
quién actuar y en nombre de quién justificar su acción?— y hacer de sus emblemas los protagonistas del
funeral que ya estaba adquiriendo el significado tan temido por aquellos que quisieron propiciar la misa de
Matilde como antídoto a toda esta desventurada efervescencia partidista. Pero él no estaba en ánimo de entablar
una lucha cuando su propia posición era tan fragmenta-
da, tan endeble: además, los conocía tan bien, a estos
bienintencionados rabanitos, desde hacía mucho, mucho tiempo, desde la universidad, o blandiendo indignado los periódicos con noticias de Chile en los cafés del
exilio... Y sin embargo..., sin embargo..., sí: a veces sus
palabras, sus trágicas voces ahogadas por certezas que se
esforzaban por mantener en su lugar a pesar de todo, sí,
parecían ofrecer un acercamiento más realista a los cambios totales deseados por tantos, que él, sin embargo, se

negaba a compartir justamente por esto que ahora estaba sucediendo ante sus ojos, por esta pecha y exacerba-
ción, y atropello y dogmatismo y demanda de un vasallaje ciego ante todo y de todos. Decididamente, ellos
no eran ese «todo» que ellos pretendían, empujando y
apoderándose vorazmente de la escena, aunque claro
que eran una parte de la que sería criminal prescindir no
incluyéndolos en un diálogo. Pero sus exigencias, su to-
talización, le parecían igualmente nocivas que cualquier
sistema que prometiera el cielo a cambio del vasallaje.
¿Cómo engalanarse de rojo, entonces? ¿Cómo unir su
voz a las de ellos, a su ingenuidad, a su fuerza, si él no
era lo uno, y no poseía, en esta coyuntura, lo otro? El féretro avanzaba hacia el interior del cementerio sobre los
hombros de la muchachada, arrebatándoles su efímero
estrellato a Mañungo y a la Lopita, a la que después de
unos pasos depositó en el grupo de su padre, donde fue
acogida con preguntas y halagos por la Marilú, que antes la despreció.

Mañungo se fue rezagando detrás de sus amigos
en la multitud que al avanzar lo pasaba: quería estar solo
en este funeral, oír las olas atronando desde la Isla Negra,
con la potencia emocional de la garganta del león de peluche que rompía la terrible barrera de su tinnitus, rugiendo como los antepasados de *Carlitos* que en coro lloraban en Cucao por la pérdida de Matilde, preservada
ahora ídolo dentro de la voluta de ámbar verde del recuerdo. Allá adelante, muy lejos, a la cabeza del desfile,
Fausta y Celedonio conducían el duelo, a la cabeza de la
cohorte de notables. Dos cuadras más atrás se iba disolviendo el turbulento ambiente de funeral político, co-
brando un desganado, deshilachado tono de feria pobre,
los heladeros pregonando chupetes, los vendedores de re-
molinos de papel ofreciendo sus festivas mercancías, los
niños evadiéndose de la vigilancia de sus mayores para

echar carreritas de botes de papel de diario en la acequia. Si alguien gritaba *El que no salta es Pinochet,* los
asistentes, presa de un absurdo baile de san Vito, ante el
asombro y la vergüenza de Mañungo, comenzaban a dar
saltitos con una sonrisa de incomodidad idiota en sus
labios y sin embargo, a la vez, de celebración. Las perso-
nalidades de la política y del arte para las que no se definió de antemano un papel junto a la tumba, se iban
quedando atrás, disueltas en el gentío, con la chaqueta
doblada sobre el brazo, sudando, luciendo suspensores y
transparentando camisetas y con la corbata suelta, también lamiendo helados o abanicándose con el diario de
la mañana que siquiera para menesteres como éste servía. Charlaban tranquilos, en voz baja, sobre temas más
relacionados con la política o el veraneo cercano que
con Matilde. Adelante, la procesión por fin se detuvo y
con un estremecimiento se fue deteniendo hasta la retaguardia, donde se encontraba Mañungo. Divisó a lo lejos, junto al ataúd y las flores del nicho, una imponente
figura de mujer solemne y emocionada, Fausta Manquileo, que se encaramó a un estrado y durante largo rato
leyó la parrafada que llevaba escrita en un papel. A tanta
distancia Mañungo no oía sus palabras. Sólo se veían los
gestos nobles de sus brazos que arrastraban los velos y
las pulseras de plata de su alcurnia legendaria: la primera de los oradores fúnebres del torneo de los ingenios
oficiales. ¿A cuántos iba ser necesario soportar?

—Mañungo.

Judit, que le había tocado un hombro, le sonrió.

—No se oye nada.

—Por suerte.

Permanecieron inmóviles, juntos. Después de
Fausta, otras figuras próceres gesticularon inaudibles letanías desde la tarima junto al nicho donde en un rato
más ingresaría definitivamente Matilde. ¿Era necesario

presenciar todo este horror? ¿No se trataba del resultado más banal de cualquier vida, tan banal que parecía superfluo mostrar emoción ante este rito, que más que rito parecía apenas un trámite? ¿Para qué asistir a una ceremonia tan deshumanizada?, le preguntó Mañungo a su amiga. Ella contestó:

—Hace calor.

—Vamos, allá hay sombra —y la condujo hasta un sauce raquítico junto a la acequia.

Cuando Judit se apoyó en el tronco bajo la lluvia de ramas que los disimularon, Mañungo, arrimándose a ella, le participó que se iba.

—¿A Chiloé?

—Por un par de días a ver a mi papá. De ahí directamente a París con tres horas de escala en Santiago.

—¿Cuándo?

—Mañana —improvisó Mañungo.

Judit titubeó un poco al decir:

—Qué pena. Hemos estado tan poco juntos...

No era verdad: de las dieciocho horas que había durado la permanencia de Mañungo en Santiago, habían compartido trece. Al contestarle —sobre todo porque se dio cuenta que ella hubiera querido estar más tiempo con él— le tocó a él titubear:

—¿Por qué no te vienes conmigo a París?

Judit se rió:

—¡Pero, Mañungo! ¡Me sorprendes! ¿Debo interpretar esto como una enardecida declaración de amor?

—No sé si de amor. En todo caso, es la segunda vez que te lo pido.

—¿Estás enamorado de mí, entonces?

—No. Ya te dije anoche que no, y no he cambiado: es que esas cosas, a mí, parece que no me pasan, o no sé reconocerlas ni bautizarlas cuando me pasan. Pero sé que quiero hacer el amor contigo, noches y semanas y meses enteros sin que nadie nos interrumpa y sin toques de queda que lo impidan. Y también pienso que me gustaría vivir contigo... Me gustó tu apartamento, y tu bata de viyela azul..., y pasear contigo: no creo que me olvide tan fácilmente de nuestro paseo de anoche. No sé si para siempre. Pero ahora sí quiero, por el momento. Hasta que dure, es lo que más quiero en el mundo. ¿No crees que resultaría estupendo vivir un tiempo juntos en París, Ju?

—¿Hasta cuándo?

—¿Es al final a lo que le tienes miedo?

—¿El final de qué, si entre nosotros no va a haber amor que se termine? ¿Cómo vamos a saber que..., que algo se ha terminado si no hubo nada?

—Francamente no sé, Ju. No quiero pensar en eso. Pero, por favor, vente conmigo y tú tampoco lo pienses.

—Yo no soy la Lilianita —le advirtió.

—¿La quién...?

Al inclinarse para besarla, Mañungo se detuvo y recordó:

—Hablando de la Lilianita. ¿No es Ricardo Farías, ese de terno de gabardina café y anteojos negros, allá, confundido con el cortejo? Nos anda buscando.

—¡Aquí tienen a tanta gente a quienes buscar!

Mañungo alzó la chasquilla del sauce para mirar, pero sobre todo para que mirara ella, le pareció a Judit, como si ese hombre, como un eco de anoche, le hiciera adivinar todo lo que ella no le contó. Pero no. El hombre que Mañungo le señaló en medio del gentío, entre tantas cabezas criollas masculinas y caras embozadas, no era el de anoche, pero era igual, y también igual al hombre de su historia, y quizás a todos. Adivinó sus ojos, sanguinolentos de parranda, moviéndose detrás de los vidrios polarizados de sus gafas negras, buscándola.

Ella no quería estar aquí. ¡Sí, sí, vamos, Mañungo, lejos
de los que me persiguen, lejos de las argumentaciones
de Lopito, lejos de este harapo que queda de la Matilde,
que hoy no puedo lograr que me conmueva! Partir mañana mismo a Chiloé, Mañungo, sin despedirme de nadie, luego a París, donde nadie me conoce, y vivirlo todo para ver si es amor y si el amor vale la pena, o es sólo
el espasmo fisiológico que sentí aquella vez que el hombre de las gafas polarizadas que ahora iba avanzando en
medio de la multitud me puso la mano en la rodilla y
me mandó gritar con el placer de una entrega que no se
efectuó. ¡Qué palabra idiota, amor, digna sólo de la Ada
Luz!: era muy distinto lo que ella quería, no esa confusión. ¿Cómo ordenarlo todo? Pese a la lucidez con que
le había contado su historia a Mañungo anoche, bajo el
fosco resplandor de la buganvilea, no le había contado
todo, ni siquiera lo esencial. ¿Desde dónde comenzar?
¿De dónde, en realidad, arrancaba su historia y dónde
iría a concluir? Nunca había logrado dejarse tocar, enamorar, no sólo por la fetidez fangosa del concepto, sino
por la razón principal por la que la gente razonable se
resiste a volver a enamorarse: para no tener que contar
otra vez la propia historia desde el comienzo y darse
cuenta que el comienzo se ha perdido, y ya no está donde estuvo o donde debía estar. Con la pavorosa fatiga de
estas repeticiones en perspectiva, se le veló de repente el
entusiasmo por seguir a Mañungo a París, porque si lo
hacía iba a tener que buscar el comienzo de su relato y
establecer un hilo, y personajes y fechas verosímiles para
el corazón. Hizo un esfuerzo por abolir la avalancha negativa que se le vino encima confusamente desde su historia con el fin de impedirle su fuga con Mañungo: pero
no, era necesario anular esa avalancha, ser valiente y
partir sin relato propio y sin amor. Así postergaría con
nuevos deslumbramientos, para los que se encontraba

dispuesta, las persecuciones de los enemigos que la acosaban desde su recuerdo, los ladridos en la noche y las proposiciones en la luminosidad matinal del parque, y dejaría todo eso convertido en cachureos inertes, junto al balbucear senil de Celedonio y Fausta sobre misas y fundaciones, junto a estos gritos enardecidos de la muchedumbre que la rodeaba.

—¿Nos vamos a París, entonces?

Judit rió:

—No te precipites. Hay que hablarlo.

Todo había que hablarlo. Y al poner esta condición para su viaje se le nublaron los ojos con lágrimas, que contuvo y borró, porque se dio cuenta de que comenzaba a enredarse en la repetición de su propia historia.

—¿Nos vamos a quedar hasta el final?

—No terminan nunca de hablar, y no se oye nada. Vamos.

—¿Adónde?

Y Judit le contestó:

—Te quiero mostrar la tumba de mi familia.

35

Después de saltar la acequia detrás del sauce, y de abandonar el cortejo fúnebre y los discursos en mímica, se internaron en el campo de las cruces apenas identificadas con un nombre o con NN y 1973, o sin signo, aunque algunas, pese al anonimato, lucían tiestos de flores podridas o un círculo de los añejos pétalos del desconsuelo. En los linderos del osario divisaron las estribaciones de la población de mausoleos bajo los desharrapados cipreses cargados de frutos de madera. Transitar por el campo de cruces era como perderse en el preámbulo de un sueño: igual que en los sueños, la tautología de la muerte expresada en la escasa variedad de cruces era tan monótona que les parecía, pese a estar caminando entre ellas, que no avanzaban, y desde lejos les llegaban fragmentos de voces agotadas de vagar tanto tiempo sin encontrar un oído que las alojara.

No era, decía Judit, lo que ella andaba buscando para mostrarle, porque el campo en que se empantanaban no era más que una pesadilla de seres con identidad pasajera, vigente sólo hasta el alcance de algún recuerdo personal, después perdida con el desenlace del tiempo por el cual se compró la sepultura, los restos condenados entonces al océano oprobioso de la fosa común. Esto sí que le daba miedo a Judit —irracionalmente, infantilmente: eso lo reconoció— porque sus pesadillas adolescentes eran de zarabandas de almas desprovistas de rostros, cuya danza lamía, pálida y sin calor como las desvitalizadas llamas del alcohol que arde, las paredes de una fosa sobrepoblada de osamentas. Esto no era lo suyo: sus orígenes, en que tan rara vez pensaba, los invocó ahora para poder partir a París mañana con Mañungo, llevándose la seguridad de los piadosos mausoleos familiares de piedra, que el tiempo había ido puliendo y haciendo más discreta la caligrafía de sus inscripciones.

Ya llegaban a las avenidas de cedros que protegían a las capillitas góticas y templetes aztecas o romanos, asentados bajo la brisa que entonaba jaculatorias entre las ramas, para la salvación de las almas que revoloteaban en esas alturas. Éste era un sueño sin miedo, le explicó a Mañungo riendo, un letargo ceremonioso, porque al adquirir sepulturas de esta categoría las familias también compraban el privilegio de establecer un contrato imborrable para su sueño eterno.

En vez de salir hacia Recoleta, por donde entraron siguiendo el cortejo, salían ahora hacia la avenida de la Paz por el viejo camino de cipreses perpendicular al que los había llevado al menesteroso nicho de Matilde, en el implacable muro de nichos todos iguales, y por donde, terminados los discursos e inhumado el cuerpo detrás de un murito de ladrillos, como si esa estructura bastara para no tener que preguntarse nada más sobre nada, a nadie se le iba a ocurrir retirarse porque este camino era mucho más largo. En el sendero, que tenía un curioso aire de tiempo sin apremio para la contemplación y el paseo, iban encontrando de vez en cuando a grupos de personas sombrías alrededor de un ataúd transportado en un carrito —no sobre los gloriosos hombros de la juventud enardecida—, honras fúnebres no simbólicas, dolor personal por alguien cuya muerte no «significaba» nada pese a los deudos que lloraban porque ésta les parecía la única muerte significativa del mundo. Todo lo demás era fragancia de pinos, y discretas figuras esfumándose al fondo de los senderos, como si lo hicieran de puntillas para no perturbar.

—Ven, creo que es por aquí —dijo Judit al llegar a un pequeño santuario romántico, orondo de la blancura de su mármol, aunque el perfil del bajorrelieve se veía realzado por una fina línea de polvo.

Penetraron hacia el interior de esa manzana por el entrevero de decrépitas capillitas familiares y monumentos erigidos a la memoria de señorones con reloj y leontina alzados sobre su plinto, y un hacinamiento de templetes y pirámides en miniatura bajo casuarinas murmuradoras. Saltando de lápida en lápida de trizadas cronologías, volcando un tarro de flores calcinadas y pisoteando nombres anulados por el musgo, intentaron buscar el mausoleo de los Torre. El sol, todavía inmisericorde, se despeñaba desde los arquitrabes y se metía en los peristilos, enrojeciendo la piel delicada de Judit, que dijo:

—Debo estar colorada, igual a la miss Hughes después de jugar hockey.

—¿Quién es la miss Hughes?

—Está enterrada en el mausoleo. Era odiosa.

Saltaban para avanzar a zancadas sobre las lápidas semienterradas, quebradas, entre escombros irreconocibles, de modo que resultaba difícil internarse por los desfiladeros de bóvedas y los vericuetos de criptas clausuradas, hasta que desembocaron en un espacio entre el ábside de una pequeña construcción gótica y una pirámide de granito verdoso. En la duplicidad de la luz tamizada por las agujas de las coníferas, vieron que este reducido espacio contenía una lápida, blanda como una cama de musgo, y una llave que goteaba en un charquito rodeado de barro a la sombra del modesto ábside con su encumbrada ventana de rosetón. Bebieron de la llave. Se refrescaron la cara y exploraron los vericuetos entre las construcciones. Se dieron cuenta de que el laberinto había rematado en un espacio ciego del que sólo se podía salir intentando buscar el intrincado retroceso: éste, dijo Judit, no es el lugar de mis orígenes. ¡Qué estupidez haberse perdido aquí! Este recinto no tenía absolutamente nada que ver con su niñez de primeros de noviembre, emperifollada para depositar flores más caras que las de sus primos en la sepultura de sus abuelos.

Judit se extendió sobre la lápida tibia, donde el musgo había eliminado definitivamente la identidad de las silenciosas osamentas de la fosa bajo su cuerpo yacente. Pero la lasitud con que su anatomía agobiada se adueñó de la lápida como de un colchón, era invitante pese a la hondura de la vida anulada bajo el reposo de un cuerpo por primera vez gatuno, apreció Mañungo, por primera vez animal, asoleándose sobre esa piedra guardiana de habitantes inertes. Les devolvía vida con sus contornos, el brillo entre sus párpados cerrados, sus brazos bajo la cabeza, descubriendo sus exiguos pechos, que en esta posición y en este lugar no lograban escamotear la ternura irónica de su ofrecimiento.

Mañungo se tendió boca abajo, apegado a Judit sobre la lápida, como si estuvieran al sol, en una playa, sin nada de importancia que dialogar. Se inclinó para besarla en la boca. Pero prefirió acariciarle ligeramente los labios con los suyos, vivarachos como lagartijas jugando en la piedra recalentada que les servía de tálamo. ¿Aquí, entonces, iban a hacer el amor, por fin? No era lo más deseable: tomando un taxi, en veinte minutos estarían en su casa. Pero fuera como fuese, era claro, ella lo deseaba ahora mismo y con los ojos cargados de Mañungo, así se lo dijo. Era necesario proyectar esta relación más allá de donde quedó detenida, igual que ese prohombre sobre el marmóreo plinto, incapaz de avanzar. Querían avanzar, seguir adelante para ver, decía Judit, decía Mañungo, cómo eran sus mutuos olores entremezclados y a qué sabían sus lenguas, y qué palabras sazonaban sus léxicos de intimidad, y así entender qué

podía existir para ellos más allá del recodo donde todo
había quedado esa mañana en su casa, antes de salir a
juntarse con Freddy. No sabía. Y aquí, al resguardo de
estas piedras sin vida, le urgía comenzar a saberlo. Bajo
la lápida en que reposaba, sus tibias y las de Mañungo,
cruzadas, habían surgido de la tumba como huesos seculares que configuraban una bandera pirata. Esta sensación calcárea le hizo añorar piel deslizándose sobre piel
caliente, el velludo pecho de Mañungo sobre su pecho
desnudo, y se abrió la blusa entera para mostrarse. Un
racimo de frutos de ciprés, de repente, cayó entre las ramas cuando él la acariciaba y el silencio propiciador se
quebró. Judit se incorporó asustada, y enrojeciendo cerró su blusa. Boca abajo sobre la lápida otra vez, Mañungo se dedicó al modesto pasatiempo paleográfico de limpiar con un palito el musgo seco de las letras, y dijo:

—No fue nadie. Ven.

—Vamos. Tengo hambre.

—Mira esto.

—¿Qué dice?

—Parece que... *Policarpo Campodónico.*

—¿O será *Campocarpo Polidónico?*

—Puede ser. Da lo mismo.

—Sí. Supongo.

Como se estaban riendo de las posibles variantes
del atrabiliario nombre, olvidaron el tacto, las bocas hasta hacía un minuto ansiosas, y la piel fresca de sudor en-
friado se les secó. ¿Cómo era su padre?, le preguntó Judit
tendida a su lado. ¿Cómo era su casa? ¿Sus olores, sus
guisos? En medio de las acechanzas de piedras descala-
bradas que no eran las suyas y sin embargo lo eran, quiso saber del cementerio donde dormía su madre. ¿Era
parecido a éste? No, dijo Mañungo: allá nada era preciso
ni recortado en el aire seco como aquí; todo eran rever-
beraciones disueltas en el sueño, o en el pasado, todo

plata y peludo y llovido y nublado, barbudos de líquenes los ángulos, cancerosas de hongos las aristas, y en los
efímeros cementerios de madera junto a los canales, las
mareas subían hasta las construcciones de tejuelas que
cobijaban las tumbas, y cuando las mareas eran muy al-
tas o soplaban ventarrones, se llevaban estas pequeñas
casas para los muertos iguales que las casas para los vi-
vos, y a veces se las veía pasar flotando por las rías verdes, un funerario pueblo navegante, a la deriva por las
ensenadas hasta llegar al mar... Después de estas mareas
los cementerios se borraban y era necesario construirlo
todo de nuevo. ¿Estaba su madre todavía donde él la dejó? Oía chillar los queltehues anunciando lluvia que se
desplomaba sobre las cosechas, y las vacas que se defen-
dían de ella sólo cerrando sus grandes ojos afligidos. Las
casas de los muertos en los cementerios se remecían la-
mentándose en el viento, volaban las tablas, saltaban las
tejuelas, las cruces, y las ánimas desoladas salían a recorrer los potreros y a divagar sobre las aguas de los canales. No sabía si las últimas marejadas habían arrastrado
la tumba de su madre. No sabía si la iba a encontrar. No
sabía siquiera si la buscaría. ¿Para qué, si esas ánimas sin
casas estaban en todas partes, allá, nutriendo el aire y las
plantas que poblaban el mundo?

Judit se había levantado de la lápida, mientras
Mañungo seguía recitando el relato ancestral mientras
ella exploraba los vericuetos vecinos, escudriñando los
torpes ensamblamientos de arquitecturas disímiles:
aquí, los muertos acechantes no estaban disueltos en la
naturaleza verde de Mañungo, aquí permanecían sellados en cajas de mármol emparedadas para que así los
deudos pudieran vivir con la simple ilusión de que ni el
tiempo ni la lluvia tocarían su eternidad comprada. Las
bóvedas y capillas daban su espalda al rincón secreto en
que Judit y Mañungo se habían refugiado. Temieron no

poder salir, porque al intentar retroceder sucumbirían en los desfiladeros y tendrían que gritar para que vinieran a rescatarlos, o pasar la noche durmiendo sobre una lápida, no en su casa, como ansiaban hacerlo, porque satisfacer la urgencia del cuerpo era necesariamente previo a la maravillosa ceremonia del amor, cuando tendidos en la oscuridad plena, y fumando, recitara lentamente cada uno partes de su propia historia, murmurándola como si fuera la primera vez. Hablaba aún del sur y de la lluvia, Mañungo, pero como para sí, casi canturreando, y Judit se puso a admirar la alta ventana de rosa en el ábside de la capilla gótica que les mostraba su pequeña grupa de piedra rosada. El espacio entre el ciprés y la lápida donde se encontraban ya estaba en sombra —«Muy Böklin con tanto ciprés», observó ella. «¿Qué es Böklin?», preguntó Mañungo. «No importa», pero empezó a temer cosas, y a imaginarse qué habría dicho Lopito en este caso— dejando iluminada en el ábside la ventana de cristales multicolores.

—¿Por qué la luz? —preguntó Judit.

—*Elementary, Watson...*

—Por favor, no me digas *Elementary, Watson,* que estoy aburrida de oír a Lopito decirlo.

—Muy fácil, entonces: éste es el revés de la capilla. El sol entra por la puerta del frente y hiere estos *vitreaux,* produciendo en la sombra esa especie de faro, de caleidoscopio... Estás parada justo donde caen los reflejos colorados, verdes, azules, amarillos: eres una heroína de leyenda. Voy a ir a besarte...

Se dejó besar sin compartir el beso. Estaba disfrazada con el manto transitorio de esos colores de cuento y no quería, sobre todo, que la luz se desplazara y los colores se empobrecieran, dejándola convertida en lo que era y que ya estaba aburrida de ser: se iba a transformar con Mañungo, embarcándose no en el caïque de Böklin, sino en el Caleuche, emprendiendo el extraordinario periplo que él le prometía. París. Cualquier parte donde no se viera esclavizada a los gritos que lograron arrebatarle a Matilde, lejos de Freddy, de las acechanzas del hombre de gabardina café que no la dejaba en paz, de los ubicuos cartoneros de la noche.

—Ayúdame —le dijo.

—¿Qué vas a hacer?

—Tómame de las piernas y súbeme.

—¿Para qué?

—Quiero ver.

Los resabios siniestros se habían apagado en su voz, dejándola adolescente, juguetona, divertida. La tomó de las piernas. Ella le indicó que la izara para mirar de cerca los cristales de la ventana de rosa y los colores brillaran con mayor intensidad sobre sus facciones. ¿Qué había en el interior de esa capilla? ¿Cómo era por delante, por la fachada, a la que no habían encontrado el acceso? Mañungo hubiera preferido ir a almorzar, como lo propuso ella misma antes de que el aletazo del otro mundo interceptara esa inclinación tan normal, para después ir a refugiarse juntos en su apartamento, y al fin del amor, lucir la codiciada bata de viyela azul, que era el paramento que correspondía a la ceremonia de la intimidad. Judit, entretanto, absorta en su travesura y con los pies desnudos agarrándose de las molduras del ábside, trepaba empujada por él.

—Vas a ver sólo el revés del *vitreaux* —le advirtió Mañungo—. Deben de estar muy sucios.

—No importa. Quiero ver.

Con los ojos a la altura de la ventana, mientras Mañungo la sostenía precariamente porque quedaba bastante elevada, descubrió que la ventana de rosetón estaba tan inmunda que era imposible ver a través de ella, y como el sol había retirado su tránsito de gloria de ese mausoleo para pasar al siguiente, la ventana quedó convertida en un muestrario de colores opacos. Judit, con la mano, comenzó a limpiar los vidrios, a despejar las agujas de pino y las semillas de las piñas. Se apoyó con demasiada fuerza en un vidrio azul, que cayó hecho añicos: una bocanada de helado aire de encierro salió del interior y le golpeó el rostro.

—Lo rompiste.

—¡Qué pena...!

—Ahora vas a poder mirar mejor.

—Era *San Agustín* y las tentaciones, me parece...

—¿Cómo lo sabes?

—No sé: muy para ti, lo de las tentaciones...

Judit se quedó examinando el interior a través del boquete.

—¿Qué ves? —preguntó él.

Era una capilla cavernosa, de mármol blanco, pero toda en sombras porque el sol que la habitó hasta hacía un instante se había fugado por la reja de hierro, y ahora jugueteaba en el prado, fuera, al otro lado. Judit, atenta al interior, recorrió con la vista los nichos con los nombres y las fechas que los identificaban. Exclamó:

—¡Mi papá...!

—¿Quién...?

—¡Y mi pobre mamá...! Y mi tío Carlos y mi abuela Emilia. Mañungo, Mañungo, aquí es, éste es el mausoleo que te quería mostrar, sólo que no hemos podido llegar a la fachada, no sé por qué. ¿Por qué no encontramos la puerta principal?

—¿Te bajo?

—¡No me vayas a soltar! Quiero ver porque no lo voy a ver nunca más en mi vida. Mi abuelo Agustín. ¡Ay, Mañungo, aquí comienzo yo! ¡Qué difícil es transformarse para irse a París contigo, cuando una comienza en algo tan sólido como esto! Piedra de Pelequén. Rosada. ¿Te das cuenta? El equivalente nacional del mármol de Carrara. ¿Te das cuenta de la seguridad y la solidez de todo esto?

Siguió mirando en silencio un instante. Leyó:

—*Judit Torre Fox,* mil novecientos cincuenta y dos... ¡No! ¡No quiero verlo! ¡No estoy entre los muertos! ¡Bájame! ¡Qué horror! ¡Quiero irme, irme ahora mismo! ¡Bájame! ¡No quiero tener nada que ver con esta gente que me encierra en un nicho de mármol! ¡Vamos, por favor, vamos; por favor, llévame, Mañungo, que me ahogo!

Estaba llorando cuando Mañungo la envolvió en sus brazos. Ella le contó que su padre le había advertido: «Te puede faltar cualquier cosa, hija, pero no un lugar donde tirar tus pobres huesos cuando hayas terminado de hacer tus tonterías». Sollozando, con terror y asco y muerte antes de la muerte, temió que una atrición inmediata la acometiera si se quedaba a la sombra de este ábside rosado. ¡Que se la llevara Mañungo! ¡Que se la llevara! Ella no pertenecía aquí. Éste no era su origen ni su fin. Su origen era el colegio, la universidad, la lucha política, la Matilde y Lopito y Ramón y Fausta, y tantos otros, y Ada Luz y sus tejedoras, no estos nombres congelados ni estas fechas que nada significaban porque pertenecían a otra historia. ¡Que Mañungo no fuera a permitir que jamás la encerraran en este nicho con su nombre que la esperaba desde siempre con las fauces abiertas para tragársela! El frío que sopló en su cara desde el interior del mausoleo la congeló para que no viviera, porque era malo vivir, y sollozaba haciéndole prometer que la salvaría de todo esto, Mañungo, Mañungo, ayúdame a ponerme mis zapatos para huir porque no soy prisionera de mi historia propia, ni de la de mi país, y ya calzada se desprendió de los brazos de Mañungo, corriendo por entreveros de capillas y monumentos y lápidas rotas hasta perderse una y otra vez en desfiladeros

sin salida, y volver, y buscar y no encontrar nada entre
tanta confusión de muertos. Hasta que Mañungo la
condujo fácilmente, ahora, a la salida y tomó a Judit por
la cintura para que no tropezara en las lápidas fragmen-
tadas. Judit ya no lloraba. Mañungo le dio un pañuelo
para que se limpiara la cara. Ella abrió su cartera para
mirarse en el espejito:

—Estoy hecha un monstruo.

Bajo los cedros se detuvo a peinarse un poco.

—¿Nos vamos, Judit?

—Para siempre.

—¿Dejando tumbas, hijos, lucha? ¿Todo?

—Todo. Prométeme que nunca me dejarás volver.

Nunca: una palabra demasiado larga. Y siempre, también: las palabras que Mañungo más odiaba.
Pero Judit no estaba para disquisiciones: quería ir a su
casa a arreglar sus bártulos para partir mañana. ¿No se
iban mañana, Mañungo, por favor, a Chiloé? No quería
dejarlo separarse ni un segundo de ella. No quería estar
ni un día más aquí, Freddy y Ricardo Farías y don César
rondándola, machaconeando igual que Lisboa que ella
no era sola, sino que pertenecía a un momento histórico
y a una lucha, y la vida era verdaderamente personal sólo cuando uno se definía respecto a qué ángulo de la historia era el de la lucha propia. No quería saber más de
esas exigencias. Tal vez después... «Cuando sea grande»,
como solía decir con tanta gracia la Fausta a sus años si
se la arrinconaba para que definiera sus posiciones deco-
rativamente vagas, y todos se reían al oírla y no había
necesidad de respuesta. Que Mañungo la llevara a Chiloé a ver tumbas flotando en los canales hasta perderse
en el mar. ¿No quería que conociera a su padre? ¿Y el archipiélago ahogado en los brazos de las ensenadas? Sí:
partir. Mañana mismo. Era necesario darse prisa si no
quería que sus enemigos le dieran caza. Además, le dijo

a Mañungo, tenía un hambre canina, y ya no le importaba que los vieran almorzar juntos en el restorán más lujoso de Santiago: en realidad, que se pusieran a comentar
el asunto justo antes de su desaparición, sería bastante
divertido, sobre todo si llegaba a oídos de Freddy.

36

Salieron tomados de la mano por la avenida de cipreses, hacia el ingreso tradicional del cementerio protegido por el cimborrio que alzaba la cúpula detrás de los árboles. Todo iba adquiriendo forma para ellos por el simple hecho de que ya no era temerario almorzar juntos en un restorán elegante. Nada lo era, todo fácil, todo libre ahora. Por lo menos hasta donde se les antojaba extender la mirada hacia el futuro, que desde hacía un cuarto de hora se les estaba configurando con una apariencia benigna en virtud del tácito acuerdo que no los comprometía a nada —ni siquiera a esas cosas terribles como amarse eternamente, o ser extraordinariamente felices—, salvo partir juntos a Chiloé mañana por la mañana, lo que tal vez no dejara de ser una locura. Pero una locura encomiable, porque con esta fuga Judit aliviaba momentáneamente el pánico de los pasos rastreándola para distintos sucios propósitos. Al salir divisaban a personas que venían en la misma dirección, deteniéndose a evocar cosas personales junto a una ovejita o un fragmento de gárgola, gente que por cierto desdén en su aire demostraba no venir de uno de esos entierros donde el dolor se concreta en un traje negro, sino del turbulento funeral de Matilde, y que por la misma razón estética que ello tomaban la vía más larga para salir, dejando a Matilde abandonada en el fondo de un remoto cementerio santiaguino. Más remoto aún desde mañana, desde Chiloé, y después, desde París, para siempre. ¿Cuándo..., cuándo la volvería a visitar? Jamás había considerado el desgarro de esta separación porque nunca la imaginó, pero ahora era imposible analizar de otro modo la pena de no poder traerle alguna vez una flor, o vigilar su nicho para que manos ignorantes no desvirtuaran su cuidadosa estilización de la pobreza, o simplemente venir a visitarla para sentirse cerca de lo que fue su cuerpo, de pie un rato ante su nicho. Alguien, al pasar, saludó a Judit. ¿No quería que la acercara al centro en auto? No, no, gracias, y dejó que el de la oferta los rebasara porque, evidentemente, él tenía más ansias que ellos de almorzar.

En la entrada del cementerio y en la calle evitaron ser absorbidos por diversos grupos contritos que esperaban la llegada de los cadáveres de su pertenencia para enterrarlos. Al otro lado de la calzada, en la plazuela de las palmeras donde se estacionaban los taxis, divisaron a sus amigos, Ada Luz y Lopito discutiendo, los niños correteando por los prados, y don Celedonio y Fausta consumidos de agotamiento, que se sentaron en un banco a rechazar desganadamente a los patipelados que los agobiaban ofreciéndoles agüita para las inexistentes flores de sus muertos, tratando de explicarles que las ceremonias de la muerte de la Matilde ya habían terminado. Mañungo y Judit cruzaron, desprendiendo sus dedos entrelazados para que nadie los interrogara sobre esta relación que sin duda parecería desconcertante por haber cuajado en cuestión..., ¿en cuestión de veinte horas? La Lopita lanzó un graznido de júbilo al ver a Mañungo, y corrió alborozada hacia él, con los brazos extendidos y las trenzas al aire, y lo abrazó por las rodillas, hundiendo su rostro en sus piernas. La Marilú y Jean-Paul la imitaron. Todos, incluso el policía indolente con su metralleta, que debía estar patrullando la plazuela con su pareja pero se apoyó en la capota del auto gris para oír música, rieron con la espontaneidad de la escena. En la otra vereda, el otro policía, el más comedido, recibía órdenes de alguien que, con un manojo de hombres, repletaban el furgón verde del que asomaban los hocicos de sus armas. Cercados, murmuró Mañungo. ¿Por qué? ¿Para qué? ¿Por qué no se van si ya todo terminó y Matilde, inerte, se ha transformado en un objeto inofensivo? Cercados. Por Recoleta, por aquí, por todas partes, cercados para mantener vigente la amenaza, aunque hoy no pasó nada y todo el mundo puede volver tranquilo a almorzar en sus casas, después de una misa, de un funeral, de las compras, de un partido de fútbol en el baldío. El auto gris tenía la puerta abierta, y sus ocupantes —Judit creyó reconocer una pierna enfundada en un pantalón de gabardina café, pero no pudo comprobar si el rostro ahumado por la parte alta del parabrisas correspondía— escuchaban la voz del *Gorrión de Conchalí*. No miró hacia atrás porque al avanzar por la plazuela había divisado al cuchepo adosado a una columna de la medialuna de la arquería, el sombrero calado, la mano inútilmente pedigüeña porque todos se habían retirado a almorzar: él, que era un enchufe conectado con la red de odio de la población, se la estaba jugando por Judit al vigilarla por si algo le pasaba, y a través de él hacer llegar la noticia censurada por los diarios hasta las tripas de la ciudad, alimentando el rencor para cualquier embestida. Judit se sentó junto a Fausta y Celedonio a preguntarles qué se proponían hacer ahora. Habían invitado, dijeron, a almorzar a los niños y a Ada Luz a un *Burger King,* prometiéndole a Jean-Paul llevarlo después a *Chile en miniatura* para que conociera su patria. No era muy seductor el programa. Ellos estaban tan cansados que tal vez terminarían dándole dinero a Ada Luz para que ella los llevara. ¿O prefería Judit acompañarlos?

—Ni muerta.

—¿Me oíste hablar en el funeral? —le preguntó Fausta—. No creas que no aproveché la oportunidad para derramar mis gotitas de veneno contra el régimen, para que así nadie pueda decir que soy reaccionaria. ¿Qué te pasa, Ju?

¿Por qué no le confesaba la verdad a ella, a la Fausta de las grandes pasiones y aventuras, ya que por lo menos a ese nivel primario iba a ser quien mejor la comprendería? Decirle simplemente: amo a Mañungo Vera desde anoche y me voy a vivir con él a París como en las novelas de antes. ¡Cómo celebraría Fausta su claudicación, al oírla utilizar por fin el romántico terminacho al que ella era tan adicta! Pero este mediodía era demasiado bochornoso para entrar en explicaciones ironizantes y soportar las truculentas efusiones de Fausta, sobre todo cuando ahora una especie de aletargamiento trataba el desplazarse agónico de los personajes por la plazoleta donde no sucedía nada salvo la increíble indiferencia de las palomas en la resolana enceguecedora. ¿Para qué participar su noticia ahora en vez de esperar hasta la noche, cuando, con sus maletas ya hechas, los llamaría por teléfono para despedirse sobria y afectuosamente, en sus propios términos?

—Vamos —le dijo a la Marilú.

—No quiero irme.

—¿Por qué?

—Quiero quedarme con Jean-Paul.

—¿Con Jean-Paul, no con la Lopita?

—No. Es muy fea. Con Jean-Paul. Que ella se vaya.

—Van a ir todos juntos, así es que no grites.

La Lopita había acaparado la atención con la indescifrable seducción de su fealdad, descarada y grotesca, parte del terrible subsuelo a que pocos se asoman por estar poblado de sufrimiento y humillación. Riendo su macabra risa de huaco funerario de defectuosa restauración, atraída por la música, la Lopita arrastró a Mañungo hacia el auto gris donde se apoyaba el policía de la boca de molusco bivalvo y las mejillas destruidas por el acné: se reconocieron. Pero el policía prefirió no revelar sus breves tratos anteriores, a la entrada del cementerio, como si este hecho lo comprometiera ante los hombres de rostro embozado por el humo del parabrisas. Todos, incluso el cuchepo que desde la otra vereda se acercó un poco rodando en su patín y se quedó fijo con su mano estirada, miraban anonadados a la Lopita, como si fuera algo admirable o peligroso, perplejos ante la enigmática incitación que ejercía odio y amor y risa y respeto y miedo y agresividad, liberándoles la imaginación trabada, para escudriñar las sombras que nunca son sólo lo que parecen ser. Lopito, sonriente pero incómodo, seguido por Judit, quiso aproximarse a la Lopita, pero justo en el momento en que Mañungo iba a saludar cordialmente al policía por si éste fuera demasiado tímido para retomar por su lado la anterior relación, la Lopita le preguntó:

—¿Quiere que le baile, tío?

—Bueno: báilame.

—No, no, Moira —le rogó Lopito, dispuesto a impedírselo si Judit no lo hubiera interceptado—. No aquí en la calle, hijita..., vamos, ven, por favor...

—¿Por qué no? Déjala que baile. No la reprimas.

Porque hace demasiado calor. No, porque va a quedar en ridículo, quiso decir Lopito, pero temió determinarla, y como no pudo decírselo, se dio vuelta. Se encaminó al banco donde había quedado Ada Luz rumiando el duro adiós de Lisboa que entre consignas gritadas en el cementerio le dio su definitiva despedida, relegando su pena a la periferia del círculo que rodeaba a la Lopita. En el medio de este —en el auto, malignamente, alguien subió el volumen de la música como para atrapar a los que escuchaban—, la niña dio una palmada, giró sobre sí misma como un trompo cucarro, y tomando sus faldones comenzó a zapatear, mostrando las palmas de las manos abiertas y moviéndolas, igual que su horrorosa cabecita. Lopito cerró los ojos. Le pidió al chuico a Ada Luz y lo empinó. No quería ver más que las estrellas de colores que reventaban detrás de sus párpados apretados. No quería ver que la seducción de su hija no consistía sólo en que causara risas porque era de un grotesco doloroso, sino que esos cobardes de mierda que en un instante más estallarían en carcajadas, la usaran para promoverse a la poderosa categoría de verdugos. ¿Cómo salvarla? El vino tibio era lo único que por el momento aliviaba las triviales heridas de amor que lastimaban su corazón de borracho acometido por la pena.

—¿Pena de qué, pues, Lopito? —le preguntaba Ada Luz. ¿Para qué contestarle a esta mujer que carecía de la finura para entender? ¿Que no veía a su hijita haciendo el ridículo al bailar delante de todo el mundo como si estuviera haciendo algo espectacular? ¿No veía su cuerpo rechoncho, sus pies pesados, su incapacidad para llevar el ritmo, su sordera a la línea melódica? En un minuto de zapateado reveló el drama del ser que no está dotado para aquello que pregona como su vocación. ¡La Lopita era un pequeño monstruo de pies pesados, niñita insistente, latosa, que se ponía al alcance del escarnio general, por fea, sin gracia y ridícula! ¡Cómo le hubiera gustado tener una hija invulnerablemente bella! ¡Que nadie pudiera herirla ni tocarla! ¡Qué reposo, en ese caso, qué seguridad! ¡Qué imposibles las risas de estos estúpidos, risas que crecían alrededor de ella, que le gritaban groserías que prefería no oír, animándola! En cambio, debía aceptar la humillación de que este trasgo contrahecho, hija innegable suya, fuera totalmente dueño de su amor. El policía apoyado en la capota se estaba riendo: era un bruto ignorante del que era necesario protegerla. ¡Lo iba a matar cuando esa risita contenida se transformara en carcajada! Empuñó sus manos, las metió en sus bolsillos como si buscara una navaja. La Lopita, en el centro de la música, azuzada por los espectadores, bailaba absorta y desmañada. El casco del uniformado echado hacia atrás en su cabeza revelaba el molusco de su innoble boca color naranja. ¡Qué pena tener que odiarlo ahora! ¿Por qué no protegía a la Moira usando su autoridad para ordenarle que no siguiera bailando, impidiendo la vejación de tantos ojos? Fea, fea, torpe, ridícula: ¿por qué no otra vocación, costurera, profesora, monja? Pero la pobre sentía este llamado para el festejo y la danza, irrefrenable vocación a la que su cuerpo no respondía, y dio un trastabillón, y la mueca con que su cara grande y verdosa lo acompañó, y la inseguridad de su cuerpecito rechoncho y de sus pies de plomo y sus piernas cortas transformaron las risas simpáticas de antes en carcajadas.

Sobre todo el policía, que se apretaba la barriga de la risa. Lopito empuñó sus manos, con un gran esfuerzo de la inteligencia para retenerse. ¿Por qué no se iba a reír, al fin y al cabo, este pobre muchacho cuyo uniforme le obligaba a actuar de verdugo? Él, el padre de la criatura, no era nadie, y por lo tanto no podía exigir respeto por los suyos como podía haberlo hecho Mañungo si la Lopita fuera su hija. Pero, claro, los hijos de Mañungo y la Ju serían muy distintos, etéreos y graciosos, dotados para el baile y el regocijo, como él hubiera querido a la suya. Con la Lopita, en cambio, su amor herido tenía que sufrir la eterna recreación de la fealdad y la risa, y odiarla a pesar de amarla, odio que iba a durar lo que durara su ridículo baile al son de la música cuyo volumen habían redoblado en el auto, y cuyo ritmo la Lopita era incapaz de seguir. ¿Por qué no, por qué no, Dios mío, si todos los niños del mundo son capaces de

seguir un ritmo? ¿Por qué su hija no? ¿Cuál era su infe-
rioridad? Los espectadores se reían. Él tenía que recoger
esa afrenta porque sólo él podía protegerla. El policía
desmoronado de risa sobre la capota del auto, se estaba
riendo *de* ella, no *con* ella, y el corazón de Lopito se in-
flamó con la afrenta. Abriéndose paso entre el pequeño
grupo se acercó al policía, interpelándolo:

—¿De qué te reís?

La actitud del policía cambió, y enderezándose,
se puso tenso. Mañungo quiso agarrar a Lopito para de-
tenerlo, pero logró desasirse. La Lopita corrió a aferrarse
de su padre, tirándole de la pretina, interponiéndose entre él y los uniformados. El auto gris había cerrado su
puerta y cortado la música, y desapareció como si su *sta-
tus* fuera demasiado encumbrado y sus tripulantes tuvie-
ran tareas muchísimo más importantes que la de reprimir una camorra callejera.

—¡No, papá...!

—¡Déjame, chiquilla de mierda!

Y con un sacudón feroz, al acercarse al policía
—mientras del otro vehículo, del verde, bajaban cuatro
uniformados cargando metralletas para detener al borracho que alborotaba en un día como éste— Lopito se
deshizo de su hija, lanzándola a los brazos de Ada Luz,
de donde rebotó para integrarse al fragor:

—No, papá...

Sin siquiera deshacerse de ella, como si la niña
fuera una excrecencia suya, o algo tenazmente adherido
a él como el muérdago o el quintral, Lopito se cuadró
amenazante frente al policía todavía risueño, y le gritó a
bocajarro:

—¿De qué te reís, huevón?

—Más respeto con la autoridad, oiga —le advirtió otro de los uniformados.

—¿De qué autoridad me estai hablando, asesino?

—Cállate, Lopito —le gritaron Fausta y Judit, aterradas al darse cuenta de que ya era demasiado tarde, que la locura de Lopito se iba precipitando en un vértigo donde estaban condenados a perecer—. ¡No vayas a decir algo irreparable!

—Ya lo dijo —murmuró Mañungo.

Y Lopito, enloquecido, continuó, agitando sus brazos con aspavientos descompaginados:

—¿Por qué no voy a decir lo irreparable? Se me antoja decir lo irreparable. ¡Asesinos, asesinos de mierda!

Los policías se lanzaron sobre Lopito mientras Mañungo lo sujetaba para impedir que golpeara a los miembros de las fuerzas de orden con sus blandos puños de borracho. En la riña, a patadas, a codazos, a mordiscos, como podía, Lopito gritaba, acezando como si se le fuera a saltar el corazón del pecho y a cortar la respiración: «asesinos de mierda..., torturadores..., vendidos..., pacos culiados..., ustedes mataron a la Matilde..., ustedes los matan a todos..., vendidos..., torturadores...». Su voz fue ahogada por el tumulto, su rostro deformado por los golpes y la sangre, la ropa rajada y sudada, el llanto acercándose más y más a sus improperios y por último suplantándolos, transformándolos en sollozos. Fausta, Ada Luz, Judit trataban de alejar a los niños despavoridos. Desde la vereda de enfrente don César intentó llamar la atención de Judit para indicarle que sería más conveniente que en una circunstancia así se hiciera humo porque esta vulgar trifulca podía traer cola. Estaban todos manchados con sangre y vómito de borracho cuando por fin lograron ponerle las esposas a Lopito, ya a punto de desvanecerse, pero todavía murmurando entre sollozos: «asesinos..., rotos de mierda..., uno de estos días les vamos a cortar la cabeza a todos..., ignorantes..., torturadores». Por entre las piernas de los policías, que no la vieron meterse, la Lopita logró gatear hasta su padre para tratar de hacerlo callar. Con las dos manos esposadas Lopito le asestó un golpe a su hija, que no la alcanzó, gritándole:

—¡Déjame, chiquilla de mierda! ¿Que no ves que por lo fea que eres me metí en ésta?

—No, papá, no llore; no fue por fea. Díganle que no es porque soy fea, para que no llore de vergüenza el pobre...

—¿Cómo no, cabra? Bataclana más fea no se ha visto, igualita al comunista de tu papá...

—¿Comunista, yo? ¡Cómo no! ¡Váyanse a la mierda! Anarquista, violentista, extremista, nihilista de bomba en mano para destruir el mundo empezando por todos ustedes, pacos culiados...

—Ya. Está bueno. A la capacha.

Y a patadas lo fueron arreando como a una bestia por la plazuela hasta llegar al furgón mientras sus amigos les imploraban a los policías que por favor excusaran la conducta inexcusable de Lopito. Ellos, con los dientes refulgentes de furia, les advirtieron que ahora sí que les iba a llegar, que si todos ellos habían estado alborotando en el funeral de la señora de Neruda entre esos energúmenos de los comunistas y de los del Frente Manuel Rodríguez, quería decir que el detenido también era comunista, y que si no querían meterse en líos por sospechosos, que por favor se retiraran inmediatamente: lo que era este borracho, las iba a pagar caro. La Lopita, entretanto, quebrantada, sin que nadie la pudiera desprender o sin necesidad de hacerlo porque era tan chica que no merecía ser tomada en cuenta, tironeaba de la camisa de su padre. ¡Por favor, por favor que la perdonara! Entre las discusiones de don Celedonio con las autoridades y los alegatos de Fausta y Mañungo, que apenas lograba retener su furia, los lamentos de la Lopita adherida a la pierna de su padre no se oían. Lo echaron adentro del furgón y partieron.

Al volver al banco en la plaza, iban llorando. A sólo unos pasos del grupo, ahora sin gesto pedigüeño, don César observaba. Don Celedonio y Fausta se dejaron caer en el banco: estaban demasiado concluidos para tratar de entender lo que acababa de suceder. ¿Por qué, por qué, por qué...? Pero todo en este país se podía reducir a por qué, por qué. Para que los niños no lloraran más decidieron partir al instante a *Chile en miniatura,* y allá almorzar *hot-dogs* con Ada Luz, que no pudo porque tenía que reunirse con Lisboa para un asunto importante. Judit la llevó a un lado:

—¿Qué asunto? —le preguntó.

—Yo sabré.

—¿Te estás metiendo en el Partido?

—¿Y qué? —y se subió en la micro Pila-Cementerio que se detuvo cerca de ellos.

Lopita quedó a cargo de Mañungo y de Judit, porque los viejos ya no podían más: que se fueran inmediatamente a la comisaría a ver qué podían hacer, les aconsejaron.

Cuando todos partieron, don César, que se había refugiado en la arquería de la medialuna por si sucediera algo, salió de la sombra, y ahuyentando palomas al rodar entre ellas, volvió a acercarse a Judit:

—Esto es grave —le dijo.

—Sí sé.

—Los pacos no perdonan palabras así.

—Voy a ir a la comisaría a ver qué puedo hacer.

—Usted no vaya.

—¿Por qué?

—Debe estar prontuariada, y ahora, con estas máquinas modernas, las cosas se saben en cuestión de segundos... Nadie se puede esconder, ahora...

—Pero no puedo dejar solo a Lopito.

—Si la pescan a usted nos pescan a todos.

—¿Cómo voy a salir de Chile, entonces?

—Seguro que no puede salir. Debe tener arraigo.

—Tengo que irme. Mañana. Me andan buscando. Ricardo Farías estaba en el funeral de la Matilde y no me quitó los ojos de encima, y los va a buscar a todos ustedes y a las mujeres... Usted, por favor, avíseles ahora mismo, mire que la Ada Luz anda muy rara con el asunto de Lisboa.

—Que no la quiere más, le dijo, si no se mete al Partido.

—¿Y ella...?

—Para allá fue ahora.

Judit se tapó los oídos y cerró los ojos:

—No quiero saber nada. Me quiero ir.

—¿Con Mañungo?

—Sí, conmigo —dijo él.

—Ella no va a poder salir.

—¡Quiero irme, le digo, don César! ¡Ya no doy más! Si usted hubiera visto esa tumba...

—¿Qué tumba?

—No importa.

—¿Y qué va a ser de sus mujeres? Se va a morir de hambre. Sin trabajo, sin que las aconsejen, sin apoyo, todas se van a meter al Partido, o en una parroquia, o en una de esas sectas de indios que fuman mugres..., qué sé yo que...

—No me importa, le digo. No puedo quedarme. Don César se sacó el calañés: era calvo. Primera vez en todos estos años que Judit lo veía. Suspirando, el cuchepo dijo:

—Muy bien. La gente como ustedes siempre tiene maneras de arreglárselas. Hable con su primo, don Freddy Fox. Él la ha protegido todos estos años...

—¿Cómo sabe...?

—... así es que no le va a costar nada sacarla del

país para que se case con un hombre de plata como don Mañungo Vera...

Don. Don Mañungo Vera. No Mañungo. No Mañungo Vera, y ella, protegida de Freddy Fox: una pareja protegida por toda clase de privilegios. Don. Don Mañungo: era la condenación, en boca de don César. La gente como ellos, al final, siempre encontraba subterfugios para escabullirse del terror definitivo, y todo se transformaba en un arreglo entre pares expertos en escamotear la verdad. Ella, sí quería, con un elogio, o con una pequeña claudicación que consistiría sólo en rogarle a Freddy —a quien no le iba a parecer tan mal su unión con Mañungo pese a ser chilote, pero famoso, rico, bien parecido, que hablaba inglés y francés y alemán correctamente: un caballero, en suma, si se le enseñaba a cambiarse de camisa todos los días— que la escamoteara, que quemara sus antecedentes, que anulara su pasado para poder comenzar de nuevo: sí, le juraría comenzarlo todo de nuevo si intercedía para dejarla salir de Chile, alejarse de la helada tumba genealógica y de las roncas arengas partidistas y de las mujeres tejedoras que la ahogaban con la presencia de su culpa: ¿Freddy, entonces, sería el perdonador definitivo, el perdonador supremo?

—Vaya con Mañungo, Ju —le dijo don César.

—¿Qué?

—Que vaya con Mañungo. ¿Se van a casar, ustedes dos?

¿Por qué todos insistían en preguntárselo? ¿Lo llevaba, acaso, inscrito en la frente, olía su cuerpo femenino con el aroma prestado del cuerpo de hombre, se reflejaba en sus pupilas tan azules y duras como espejos, el perfil de una guitarra y en su voz se oía el contrapunto de un barítono brutal? No. Claro que no. ¡Qué absurdo! ¡Qué cosa tan de Fausta! ¿Por qué iba a ser así si ella no lo amaba y se lo había dicho, y él a ella, y sólo anhelaban explorar qué podía sucederles si vivían juntos el tiempo que dura una fogata hasta que desistieran de alimentarla? ¿Casarse...?

—No. Ni muerta.

Pero al afirmarlo, sintió que su corazón, que se creía inmune, se le partía de nostalgia al arrancar de su tierra nutricia a Mañungo y sus raíces, todo ese bosque de cristales subterráneos aún desconocidos que ni siquiera había tenido tiempo en ella para comenzar a aclimatarse. Le dijo a don César que se iba con Mañungo a la policía: el cantante iba a tener que hacer el papel de protagonista en este pleito. Era necesario salvar a Lopito. Tal vez el renombre de Mañungo sirviera, igual que anoche..., sí, sí, que para algo sirviera un nombre como el suyo...

El taxi los llevó a la comisaría de Santos Dumont, en el faldeo norte del cerro San Cristóbal, entre baldíos donde comenzaban a borronearse las calles y las casas a escasear. Judit dijo que ella no se iba a acercar a la comisaría, porque desde años atrás llevaba una existencia crepuscular, no exactamente clandestina pero sí disimulada, para no llamar la atención sobre su antigua salida ilegal del país, ni sobre las actividades de sus tejedoras.

—Tengo que ser tan discreta...

—No se puede decir que fuiste muy discreta anoche.

—Anoche fue excepcional.

—¿Realmente...?

—No te me pongas coquetón...

—¿Pero me juras que te las vas a arreglar para venirte conmigo?

—Con mucho asco, pero sí.

La besó hasta que las lágrimas salpicaron los ojos de Judit pensando en lo que le iba a tener que decir a Freddy. Mañungo observó:

—¿Te das cuenta que ni siquiera hemos podido hacer el amor como Dios manda?

—¿Cómo será, como Dios manda? —rió ella, y rieron y se abrazaron porque iban llegando en el taxi, y al bajar Judit le advirtió—: Mejor que entres tú a hablarles. Yo te espero en esa calle, a la vuelta de la esquina, para que no me vean. Apenas puedas, ven a avisarme cómo está Lopito.

Mañungo entró en la comisaría y Judit se escondió en la bocacalle, la que hacía esquina con el retén. Se sentó a la sombra, a esperar, en el escalón de una casa muy modesta que era sólo esa puerta con escalón y una ventana: pero se adivinaba una profundidad unidimensional hacia el interior, seguramente un callejón de piezas y patios mínimos donde se desarrollaba el angustioso proceso de un alegre almuerzo de domingo holgado, con niños y abuelas y olor a fritanga y cebolla y empanadas que ella detestaba, pero que comprendía como desechable rito festivo.

En la esquina de la calle principal se detuvo un taxi: de él, con movimientos precisos, el cuchepo bajó su patín y dejó caer, no sin cierto garbo, su cuerpo encima. Judit lo llamó con señas. Don César acudió diciéndole que él también estaba prontuariado y por lo tanto también tenía que ocultarse. ¿Además, qué influencia podía tener lo que dijera un pobre como él...? Pero Mañungo sí, era la esperanza para arrancar a Lopito de esas garras, sobre todo porque era tan conocida la debilidad de la gente del régimen por los que ostentan las coronas de oropel de las revistas del corazón: alegar que Lopito estaba borracho, que era domingo, que más de una vez estuvo internado en un sanatorio para alcohólicos. Don César se bajó del patín y se lo puso debajo de la axila, impulsando su cuerpo con las manos. Condujo a Judit por la calle lateral que iba remontando el cerro poco a

poco, y media cuadra más allá se desdibujaba, era pene-
trada por el campo polvoriento, confluyendo, un poco
más arriba, con una ladera de cardos y zarzamora calci-
nándose en el polvo. Don César subía dificultosamente,
el patín bajo el brazo, dándole impulso con cada balan-
ceo, a su tronco hacia adelante con sus manos poderosas
apoyadas en el suelo de terrones y piedras que las hacían
sangrar. Caminaron junto a un alambrado de gallinero
que limitaba una acequia casi seca y una cancha de básquetbol trazada en el tierral de la parte trasera de la comisaría, sembrada de bostas de caballo donde los animales estuvieron ejercitándose. Al otro lado de la reja,
junto a la acequia, habían cortado recientemente la zarzamora —obligando a los jóvenes a hacer trabajos idiotas, explicó don César, pintar troncos y piedras de blanco, para que los pacos nuevos fueran aprendiendo lo
que es la disciplina—, y se estaban agostando las teatinas y los yuyos, y los hinojos frescos y las cicutas perfu-
maban la canícula. Judit y don César se quedaron con
las manos prendidas al alambrado de rombos, sus dedos
crispados y sin nada que decirse, contemplando la comisaría adornada de zócalos verdes y esas enigmáticas
piedras pintadas de blanco diseminadas con un orden
incomprensible, como símbolos de las estructuras men-
tales de los policías.

—Esperemos —dijo don César en voz baja.

—¿Qué?

—Que pase algo.

Que pase algo. Que pase algo. ¿Cuánto hacía que
lo esperaban? Años y años de humillación y de silencio. A
medida que avanzaban los minutos se iba acumulando
en los dos, agarrados del alambrado, no sólo el recuerdo
de tantas desapariciones y muertes, sino el rencor que es
su corolario, y de saber que en esta espantosa coyuntura a
que los empujaba la desesperanza, para muchos no cabía

otra solución que la violencia. Por eso, porque la odiaba, la violencia, y anoche se había demostrado una vez más incapaz de ella, Judit debía huir. Ni armas, ni organización, ni fuerza, ni dinero: sólo piedras, bombas preparadas en casa, alguna pistola robada. ¿Qué significaba todo esto? ¿Era violencia, o era darse una satisfacción ingenua frente a los poderosos armamentos de importación que diezmaban a los pobres rodriguistas patipelados? Don César trataba de convencerla y llevarla a su antiguo camino, cuando en la clandestinidad, en la noche, en casas sin luz, bajo parrones o matorrales secretos, armaban modestos artefactos mortuorios que en esencia no mataban a nadie. Irse: huir, para eso estaba Mañungo, para arrancarla de los blandos pasos de Ricardo Farías, que en círculos concéntricos se hacían cada vez más y más cerrados en torno a ella. ¿Y a él, a Mañungo, también ahora?

—Claro que ésta fue culpa de Lopito —dijo don César prendido del alambre.

—No.

—¿Cómo no? ¿Que no lo vio y no lo oyó?

—Vi y oí. Pero conozco a Lopito. Fue otra cosa.

—¿Qué cosa...?

Judit titubeó: entonces dijo lo que, al decirlo, se dio cuenta que era lo más absolutamente irreparable de todo lo que se podía decir:

—Algo... que usted no entiende.

Don César lo entendió tan poco, que sin acusar su frase, continuó:

—¿Quién tiene la culpa entonces? La gente debe responsabilizarse de sus acciones en una revolución, y esto que hizo Lopito, tan inútil, no sirvió más que para ponerlos en alerta. ¿Usted cree que los del auto gris no la identificaron, a usted y a don Mañungo?

—Puede ser.

¿Don César asumía sus culpas, las de sus robos?

¿Del robo de anoche, por ejemplo? ¿De cómo maltrató a Darío? ¿De la forzada prostitución de su hija menor? Sí, pero él compartía esas culpas con la sociedad. Ella, en cambio, sola, no podía compartir sus culpas con nada, con nadie, porque no era una de las mujeres, el perdonador la había excluido y sus pasos terribles, y su mano, y su voz gangosa. Irse. Irse. No más preguntas. Mañungo era inmediato: que se la llevara. Sólo quedaba Lopito encerrado en este establecimiento de fama siniestra, cuya espalda observaban a través del enrejado en el que sus dedos se iban agarrotando.

37

En el cuartel era como si nada hubiera sucedido: todo funcionaba en su orden, como debía ser, todo limpio y tranquilo y pintado de blanco y desinfectado. Detrás de un escritorio el cabo de guardia escribía en un enorme libraco detrás de una baranda, y en su mesón otro policía marcaba el número de un teléfono que no parecía contestar. Por el pasillo entró una corriente de aire fétida de clorina de water, y de vez en cuando pasaba y volvía a pasar sin prisa un uniformado llevando papeles de oficina, y circulaban cuatro muchachos comentando los *shorts* de tela verde fluorescente que llevaban en la mano. Destrás de una puerta Mañungo oyó una voz que al principio confundió con la de Lopito. Pero no era, se dio cuenta: hablaba con demasiado énfasis, y a estas alturas, al pobre Lopito énfasis ya no le debía quedar. Después decidió que más bien otra voz, suplicante y que contestaba apenas, era la de su amigo, pero no pudo identificarla tamizada por la puerta. ¿En qué diablos se había metido el imbécil de Lopito? ¿En qué diablos los había metido a todos? Su corazón impregnado de desconcierto y de odio —odio por estos fantoches que no comprendían la borrachera desesperada de Lopito porque sólo sabían cumplir el deber de arrestarlo por echarles encima su andanada de mierda y muy a su estilo, sin medir las consecuencias, dejar que los demás respondieran hasta con su libertad por sus desmanes— no lograba calcular la dimensión de estas circunstancias porque jamás se había visto envuelto en algo parecido.

Se acercó al cabo del libraco para preguntarle si

sería posible entrevistarse con el oficial de guardia: sí, claro que se podía hablar con él, que tuviera la amabilidad de esperar hasta el final del interrogatorio, dijo. Mañungo le explicó que a su amigo, a don Juan López, lo acababan de traer arrestado por una insignificancia, y si era necesario pagar una fianza él estaba dispuesto a hacerlo. El policía, entonces, se puso de pie. Cerró el libraco con el lápiz marcando la hoja de modo que las pesadas páginas de canto marmóreo se ondularon sobre él, y dijo que iba a llamar al capitán. Que por favor tomara asiento en el pasillo. Desapareció por la puerta tras la cual se oía la voz de Lopito, y como si esa habitación, de pronto transparente, se hubiera acercado a él con sus figuras y ruidos como con un *zoom,* oyó el estrépito de una máquina de escribir tecleando, telefonazos perentorios, el clamor de gente que alegaba, se movía, llamaba, contestaba, pero la vieja puerta interponía su madera, dejando pasar sólo sonidos sin significado. Con el fin de preguntarle algo a alguien, la vista de Mañungo intentó comprometer los ojos de un policía que pasaba tan enfrascado en su hermético papeleo que no captaba el ansia de su mirada. Cuando apareció el capitán, Mañungo se ofreció inmediatamente para pagar la fianza de Lopito.

—No es cuestión de fianza, en este caso.

—¿Por qué? Un borrachito más en día domingo...

—¿Es domingo hoy? No me acuerdo. Pero no se haga el desentendido. Hubo falta de respeto al Gobierno, desacato, irreverencia, ideas extremistas y subversivas... y además, el personal se siente insultado. Es decir, lo peor. No tenemos tiempo para ocuparnos de borrachos con la mona violenta y política. Están pasando demasiadas cosas graves en este país, señor, para diferir la fuerza de nuestro servicio en estupideces como ésta. A delincuentes como López hay que castigarlos como a niños malos para que escarmienten, porque mientras tanto nosotros nos tenemos que defender de hechos reales, señor, peligrosos; en las poblaciones nos matan como a moscas, señor, y nadie se digna decir ni una palabra para apoyarnos. Nos odian sin darse cuenta que sólo queremos defender al pueblo de los malditos infiltrados soviéticos... Sí, nos persiguen, juran venganza, y este pajarraco, borracho como una cuba, que además parece que tiene la gracia de hacerse el intelectual, nos viene a joder con insultos y acusaciones. Tanta protesta contra el Gobierno... ¿y él, qué hace? ¿Escribir versitos?

—¿Quién no ha protestado contra el Gobierno cuando está borracho? Eso es tan chileno, tan nuestro, desde siempre...

—Este caso fue distinto. Siéntese ahí, por favor, y espere.

La voz de Mañungo tembló al preguntar:

—¿Qué le van a hacer?

Era lo terrible. La pesadilla que todos sabían que iba a llegar: lo impensable se precipitaba sobre Mañungo a través de la persona de Lopito. ¿La tortura? Quizás no la tortura. Quizás sólo el oprobio de una paliza, días de cárcel a pan y agua, cuando el *delírium tremens* repletaría de sabandijas y coleópteros agigantados y agresivos —los del temible *«withdrawl syndrome»* que Lopito ya conocía— la celda donde lo mantendrían guardado con su pobre cara demente pegada a la ventanilla, aullando. Quizás sólo esto. Pero justificaba el miedo que comenzaba a hacer hervir la ciudad. ¿Qué le iban a hacer ahora estos brutos al bruto de Lopito? Iban a someter a su frágil amigo a las torturas que sometían a los disidentes en mazmorras espantosas, y cuando salían lisiados, idiotas, o tan llenos de odio que sólo la reanudación de la violencia los satisfacía, adquirirían extrañas auras de arcángeles condenados, demonios desprendidos de las pesadillas de toda la población que se encarnaban de repente, como ahora, en lo cotidiano: era verdad que Lopito fue grosero y violento con las fuerzas de orden a raíz de nada, eso debía reconocerlo. ¿Pero cómo no serlo?

¿Pero fue, en realidad, a raíz de nada? ¿La Lopita era, entonces, nada? Cuando el policía se rió de ella, la piel hipersensibilizada de su padre se recogió dolorosamente, como un molusco bajo la clásica gotita de limón que lo asesina. Que el policía de las mejillas ásperas de acné se riera de la Lopita fue mucho más doloroso que si se hubiera reído de Lopito mismo, porque era como poner en evidencia sus anhelos más secretos para mofarse de su imposible sueño de gracia y belleza. Por eso estalló la ternura vergonzante de Lopito, tan eficazmente oculta dentro del caparazón del maldito, erizado de una armadura de púas venenosas: ese terrible amor que era casi todo dolor, él, por lo pronto —se dio cuenta Mañungo esperando no sabía qué iluminación sentado en el banco del lúgubre corredor—, no sabía sentirlo, y recurría al sexo para purificarse, hontanar alternativo que le brindaba un deleitoso simulacro. El hecho de que la furia de Lopito por una causa totalmente privada, humana e individual como fue la ofensa a su pobre, grotesca hija, hubiera derivado en una peligrosa trifulca política, que la furia de él, de todo el país, no tuviera otra salida que la salida de la violencia y de la protesta política, que el amor y la canción y la risa no poseyeran más que esa única traducción y que todo dolor personal debía proponer una lectura política por lo menos subyacente, fue algo que, esperando no sabía qué sentado en el banco del pasillo, Mañungo, anonadado, atomizado con la conciencia de representar a tantos y que tantos lo representaran a él, tuvo que aceptar como se acepta el golpe definitivo de un vencedor: no existía la vida privada entonces, porque si no era más que eso, era una frivolidad. Él no estaba dispuesto a someterse a estas coordenadas:

irse inmediatamente, ahora mismo, en cuanto se solucionara este enredo. Irse con Judit. Sí, Judit era necesaria porque tenía una vieja bata de viyela azul que él aspiraba a compartir. ¿Qué sentía por Judit? Por ahora no necesitaba saberlo, aunque no dejaba de producirle curiosidad. En todo caso no era lo que sentía por Jean-Paul, sentimiento tan mechado de culpa que eliminaba el amor y la responsabilidad tomaba el lugar del festejo. Lopito —*altri tempi,* suponía— había amado a Judit como la encarnación de lo inalcanzable, cosa que él, personalmente, jamás sintió por ella porque venía demasiado bien nutrido por Ulda desde su provincia. Esa desgarradora nostalgia, envidiable y dolorida, por aquello que yace más allá de las posibilidades, él no la conocía. Y Judit jamás la había sentido por él, ni por Lopito, ni por nadie. ¿Eran figurines paralelos —*His and hers,* como en los anuncios yanquis—, él y Judit, que sin lo otro, conservaban la vigencia del sexo como un fantástico placebo que confundía los contornos y escamoteaba las carencias?

Mañungo sentía que su tiempo se le iba alejando como un cometa que no volverá hasta dentro de un milenio, sin lograr agarrarse a su cola, y la realidad entera se reducía a este pasillo destemplado donde no tenía nada que hacer salvo esperar que se agotara el tiempo de Lopito, allá adentro, cuya voz ya no distinguía. Se paró, dirigiéndose otra vez al policía apostado detrás del gran libro abierto: el cabo lo miró. ¿Por qué diablos no lo reconocía, ahora, cuando necesitaba tan urgentemente que lo reconocieran y lo admiraran? Eran brutos estos «rotos», como les decía Lopito, tan ignorantes, tan pertenecientes a otro estadio de la cultura más bajo que aquel al que pertenecía su música, que eran incapaces de consumirla, y por lo tanto, él no era estrella de sus insignificantes firmamentos de arrabal. Curioso, que no lo reconocieran: el otro, el de las mejillas con acné, lo había reconocido al instante. Además, demostró ser, como decían que eran las nuevas clases propiciadas por el régimen, muy susceptibles a las glorias intrascendentes de la televisión y de las páginas ilustradas de las revistas, los nababs del fútbol, la canción, y las discotecas de moda, todo enseguida olvidado y sustituido por otros. ¿Por qué no iba a responder a la misma sensibilidad este suboficial, para así seguir la indicación de Judit recomendándole utilizar como influencia su rutilante renombre? Pero lo reconocía. La simulación de desconocimiento no era más que una consigna dictada por la autoridad más alta, inquilina de un firmamento más recóndito, el firmamento que dicta los decretos de donde emana la autoridad: esto, claro, sólo hacía más tenebrosa la situación.

La voz de Lopito, detrás de la puerta, era monótona, desganada, respondiendo a las preguntas que un escribiente se ocupaba de anotar. Desde su mesón el cabo de guardia miraba a Mañungo sin parpadeo, sin reconocerlo porque la consigna era no reconocerlo. ¿Pero cómo quería que le creyera que no lo reconocía, si gracias a la infinita transparencia que había adquirido todo, veía que en una lancha en Chiloé una vieja cochayuyera analfabeta habitante de los desolados arenales de Cucao, avanzaba hasta él y le decía: «Tú eres Mañungo Vera»? Su identidad quedaba asegurada con esa pregunta, pero la displicente mirada del cabo, aquí, la socavaba. No le extrañó esa visión de la vieja que jamás había visto, y de la playa y de las olas no evocadas desde hacía tantos años resonando como un tinnitus enloquecedor en el pasillo de la comisaría... a no ser que lo hubiera visto todo anoche, cuando una mujer arrebozada en chales le cortó la uña del pie. Pero ahora, como anoche, el tiempo transparente le hacía reconocer como actual o pasado aquello que jamás había vivido, pero que estaba

ocurriendo simultáneamente en cualquier parte, distante o muy cercana, detrás de la puerta del despacho del
capitán, o encerrado hasta el ahogo en la sepultura, o
con las grandes puertas del paisaje abiertas de par en par.
La vieja cochayuyera, al reconocerlo anoche en algo que
podía o no ser un sueño arrullado por las rompientes del
Pacífico austral, que podía o no ser el mortal tinnitus de
Schumann seduciéndolo para el suicidio, al enunciar su
nombre lo había circunscrito dentro de un preciso anillo
de vocablos que definía su identidad. Este policía, en
cambio, se negaba a reconocerlo, igual que los cuatro
muchachones que pasaron trotando, vestidos, ahora,
con sus *shorts* de raso, y uno de ellos —que malignamente esquivó su mirada— era el policía de la boca de
molusco bivalvo que habló con él a la entrada del cementerio y después provocó la reyerta. Nadie quería reconocerlo porque tal vez debido al Caleuche ya estuviera
transformado en otro ser... ca..., caleún, gente cambiada
o transformada por los artistas: ser un anciano de los que
aún recordaban palabras de ese lenguaje perimido en
que artista y brujo significaban lo mismo. Si llamara a
ese policía que sin duda sabía quién era él, para que diera
fe de su importancia y su gloria, diría: no, yo no lo conozco, yo no sé quién es. ¿Y si llamara a Freddy Fox?
¿No le dijo Judit que lo hiciera, aunque sólo en caso de
extremo apuro porque no estaba dispuesta a pasar más
humillaciones ante él ni para salvar una vida? ¿No era éste un caso de apuro extremo...? No se sabía nada aún, todo ocurría en secreto, allá adentro, en silencio, sin razones ni explicaciones, de modo que después fuera fácil
negar y desmentir y borrarlo todo y nada de todo esto
hubiera existido. El nombre de su primo, Federico Fox,
le había explicado Judit sin jactancia, se había encumbrado a un sitial de omnipotencia adornado con el oro
de sus desfalcos y con su prestigio de nigromante que

maniobraba a los llamados «personeros» del régimen. Mañungo le pidió cortésmente al policía que por favor le facilitara el teléfono para hablar con don Federico Fox. El cabo, sin levantar la cabeza de sus escritos, le dijo que estaba prohibido prestar el teléfono al público: esto no era ni un teatro, ni un hotel. Si quería llamar a su amigo —¡este cretino ni siquiera había oído nombrar a Federico Fox, cuyo nombre ocupaba los titulares de todos los periódicos!—, que lo hiciera desde otra parte. Cuando Mañungo volvió a tomar asiento, el policía le dijo:

—En la botillería de la esquina a veces prestan el teléfono.

Mañungo contestó:

—Está cerrada. Es la hora del almuerzo. ¿No van a terminar nunca? .

—No sé.

No podía dejar solo a Lopito ni por un minuto en estas circunstancias. Era como un niño desvalido. Siempre lo fue, con la efervescencia de sus entusiasmos que ardían de repente en una llamarada que los agotaba, dejando sólo su fragilidad tiritando en la intemperie de todas las cosas. ¿En qué cosas se iba a meter el imbécil si lo dejaba solo? ¿Hasta dónde era capaz de llevar el triste incidente que había iniciado? Era preciso cuidarlo. Como lo cuidaba su hija, que ella, sí, sabía cuidarse sola. Como lo cuidaban los mozos de café, hartos de verlo emborracharse. Como lo cuidaban sus amigos, él, Judit, Judit, que no era más que una buena amiga de Lopito. En todo caso, era este maldito suceso lo que se interponía entre la solución de su problema con Judit y su propio futuro. ¿Qué hacer...? ¿No debía estar con ella en una cama, enrollado en sus largos brazos pulidos, quizás demasiado largos, haciendo planes para el futuro que debía comenzar mañana mismo, con el viaje a Chiloé? ¿Qué hacía aquí, en este pasillo destemplado pese al calor de afuera, tenebroso pese al sol, por culpa del imbécil de Lopito?

Hacía media hora que esperaba sentado en su banco de palo cuando se abrió otra puerta —no aquella tras la cual se desarrollaba el imaginario interrogatorio—, y salieron tres policías conduciendo al detenido, esposado y sin camisa y tiritando como si tuviera frío, seguidos de un oficial y de un hombre anciano de ojos revenidos y vestimenta desaseada. Pero no fueron ellos los que captaron la atención de Mañungo, sino lo repulsivamente blando y blanco del cuerpo casi infantil de su amigo en comparación con su rostro oscuro, y no pudo contener su rechazo al verlo no blanco, sino decolorado: un cuerpo poco atendido, no amado, no respetado, un pobre cuerpo abandonado como una piltrafa a la muerte, por molicie o por odio o por pereza, un cuerpo por el que se siente rencor porque no ha procurado los deslumbramientos que su dueño soñó. Si él, Mañungo, amaba algo, era a su propio cuerpo, porque en contraste con el de Lopito era lo único que le había procurado placer. Al verlos acercarse por el recodo del pasadizo se puso de pie. Lopito no lo miró. O más bien no lo vio, como si sus ojos fueran incapaces de fijarse en nada que sugiriera una salvación. Condenado. Se había condenado, pese a no estarlo. Condenado sólo porque siempre lo estuvo. Pero al pasar junto a Mañungo, sin mirarlo, Lopito se detuvo.

—¡Lopito!

No contestó ni miró.

—¿Adónde lo llevan?

—Está detenido.

—Ya sé. ¿Pero adónde lo llevan?

—A trabajar. Ya, vamos.

Lopito no se movió. Sus facciones parecían confundidas, coloradas, como albóndigas crudas revueltas en un plato. Un velo final cubría su mirada, y un resuello terrible surgía de su pecho estrechísimo.

—¿Cómo te sientes?

Lopito le contestó con un quejido en que Mañungo creyó detectar la palabra «mal», y les dijo a los integrantes del piquete:

—¿Ven que no se siente bien?

El carcamal del terno raído y los ojos difusos, despejando con un dedo gris una gota de resina de sus ojos saltones, dijo:

—Si no tiene nada.

—Estaba tomando unos remedios —alegó Mañungo.

—¿Dónde están?

—¿Dónde dejaste tus remedios, Lopito?

—La Moira me los botó —pareció pronunciar el interpelado.

Luego, alzando sus manos esposadas, como para protegerse, las posó ligeramente sobre su esternón agudo, que precariamente sostenía la carpa de su pecho a punto de hundirse:

—¿Ve? —dijo el anciano.

—¿Ve qué?

—¿Ve que no tiene remedios y si no tiene remedios quiere decir que no le pasa nada? Le acabo de tomar la presión. Un poco alta, pero nada más. La mía es mucho peor y de lo más bien que me levanto temprano en la mañana para salir a trabajar.

—Ya, vamos —dijo el capitán a Lopito, que no se movió—. Vamos, te digo...

Y le dio un empujón, que puso la descuajaringada fragilidad de Lopito en lentísimo movimiento.

—¡No lo trate así! —gritó Mañungo.

El viejo de los ojos gomosos le advirtió amenazante:

—Mire, joven, yo soy el médico aquí. Yo soy el que digo qué le pasa a la gente. Tengo cincuenta años de práctica, así es que sé lo suficiente como para darme cuenta que este detenido no tiene nada, nada más que pura mierda adentro, mierda con que lo llenaron los marxistas. No es la primera vez que me toca tratar a uno de éstos. Ya: retírese.

—¿Pero que no ve que apenas se puede mover? ¿Y esa disnea? Se puede morir...

—Si se muere, se muere: mala cueva. Nosotros no podemos hacer nada.

Empujaron a Lopito otra vez y poco a poco todos se fueron movilizando por el pasillo. Por el otro extremo entraron trotando los cuatro muchachos vestidos de *shorts* fluorescentes, uno de ellos con la pelota debajo del brazo: ¡ése era, ése era, que lo reconociera el muchacho del acné, ahora que tan desesperadamente lo necesitaba para que diera testimonio de su eminencia, y así poder exigir otro trato para Lopito! El muchacho no lo miró. Se acercó, en cambio, al oficial, y saludando marcialmente le dijo:

—Mi capitán.

—Diga.

—Está dispareja la cancha y llena de bostas, con los caballos de esta mañana, donde la usaron de picadero.

—¿No pueden entrenarse?

—No, mi capitán. ¿Podemos?

—No, no: ustedes están de franco. Pero nosotros, que no tenemos nada que hacer, para allá vamos ahora mismo —dijo, dándole otro empujoncito al detenido.

Ésta, entonces, es la tortura, se dijo Mañungo, y yo soy testigo de ella y no puedo hacer nada, que es otra forma de tortura: el cumplimiento del horroroso rumor, de los espantosos relatos de los exiliados que repitiéndolos en las mesas de café de países remotos construían un séquito de fantasmas tan feroces que poblaban todos los rincones del recuerdo y el vaticinio: torturas, vejaciones, chantaje, dolor, grillos, esposas, celdas, electricidad, palizas..., perros. A través de los muros de la comisaría Mañungo oía ladridos como los de anoche, y gritos... *¡Boris! ¡Zar!* ¿Cómo sería besar las llagas que la picana u otros instrumentos desconocidos dejaron en el interior de los muslos de Judit? ¿Qué sabor acre o dulce, qué textura novedosa tendría esa tierna carne martirizada, para su lengua y sus labios? Y todo él, en ese breve instante, amó, por lo menos, ese fragmento de Judit que eran sus probables llagas, completando su amor de antes con un amor como el de la Lopita, y el amor por su amigo conducido al oprobio. En una celda oscura le sellarían los ojos y la boca por haber cometido el simple acto subversivo de tratar de defender a su hija —y más, lo sabía, y peor, mucho peor: pero él quería que fuera sólo esto—, y le cubrirían la cabeza con una denigrante capucha negra, que era como se hacían estas cosas según el decir de gente que estuvo comprometida. ¿Pero para qué torturar a Lopito? ¿Qué informaciones podía proporcionarles? Ninguna. Porque sin duda Lopito se desharía completamente, abyectamente, con el primer toque de la picana. No era valiente. Quizás fuera su fuerza, como todas las cosas negativas, que en él se transformaban en peregrinajes luminosos a otras regiones del entendimiento. Sin embargo, al tener conciencia de esto —de su facultad de llorar y pedir perdón y retractarse e incluso, bajo presión, de delatar, aunque fuera horrible pensarlo—, por primera vez desde su regreso Mañungo pudo sentir respeto por él, por esta capacidad suya de deshacerse. Iba a ceder al primer embate. Sin vergüenza, se anegaría en lágrimas de terror, un ser innoble porque el terror y la derrota carecen de estética.

Lo vio desaparecer al final del pasillo rodeado de sus sigilosos torturadores disfrazados de basquetbolistas, y del médico y del capitán con su piquete. No podía dejarlos seguir adelante con su macabro plan: esto era el peligro, el caso extremo del que le habló Judit para que llamara a Federico Fox y le pidiera ayuda. Salió corriendo en busca de un teléfono porque de pronto le pareció la cosa más intolerable del mundo que Lopito se revolcara de dolor delante de unos basquetbolistas.

38

En las ilustraciones de comienzos del siglo pasado que muestran el valle de Santiago del Nuevo Extremo, se ve una geografía de cerros calvos, de pobres palmeras autóctonas aisladas dentro de su propia sombra en un poblacho de teja, patio y barro, y bastan los grises del grabado en acero para sugerir el rigor de los tierrales bajo el solazo bravo y el cielo azul. Queda muy poco de aquella ciudad en la de hoy, incluso poco del paisaje que entonces la rodeaba, disfrazado ahora por la exuberancia de especies europeas aclimatadas: la topografía de aquellas ilustraciones parece pulida y pelada sin el halago de sauces, álamos y viñedos, pura estructura ósea bajo una película de tierra en la que poco medra, los cerros cónicos como parte del espacio que es como una prefiguración del gran abandono desértico. Es que hacia el norte de la capital, que de hecho mira en dirección del lejano desierto, sobre la chatura cuadriculada de las casas sobrevivientes de los terremotos entre los descalabrados edificios de cemento, parece asentarse algo como un antiguo polvillo levantado por las patas del rebaño que la nostalgia de los viejos evoca al ligar esta zona con sus memorias del agro. Incluso los cerros lunares de Lampa, Batuco, Colina y Quilicura, que se avistan en la distancia sobre los techos de teja, conservan la geometría estricta de las formas mondas y lirondas del paisaje que vieron los ojos de los tatarabuelos enterrados en los grandes cementerios del barrio: ha cambiado todo y, sin embargo, todo permanece agobiadoramente igual en esta zona inerte que se arruina a espaldas del cerro San

Cristóbal, y el urbanismo se concreta en cuadriláteros de derruidas iglesias con claustros de adobe, de hospitales, colegios y manicomios, y de conventos de monjitas que bordan sábanas para novias que ya no las manchan. Los márgenes de la zona se pierden desdibujados por el descuido y la miseria, y las zarzas se enredan más allá de las nuevas unidades habitacionales, en los lomajes agostados por el sol, donde círculos negros bajo los espinos congregan a las bestias durante la canícula.

Esta vieja ciudad quebrantada y con vocación nortina pertenece a un país infértil, gris de polvo en contraste con el país de lluvia, pastos y lagos que Mañungo recordaba hacia el sur. Pero emocionaba con su adustez a Judit, que al atardecer, con frecuencia solía salir a caminar por esas calles dejadas de la mano de Dios: el reverso de la coquetería de Bellavista pese a ser urbanísticamente su consecuencia, reverso porque ningún Neruda las había «visto», y la moda no las había tocado, trayendo la necesidad de plantear esta zona como acreedora de los mimos de los ediles, que la tenían abandonada. Después de sus largos paseos solitarios, ya casi de noche, de regreso a su casa si no se dejaba caer donde Ada Luz, Judit hojeaba un álbum de grabados de Rugendas, por ejemplo, pensando que quizás, cuando «fuera grande», como decía Fausta, y dadas circunstancias históricas distintas, sería un bonito trabajo publicar un libro de fotografías/ilustraciones comparando estos sitios, entonces y ahora, buscando las huellas que ajaron o ennoblecieron un mismo paisaje, cada vez más irreconocible..., hasta que un genio lo dotara de su rostro eterno. Pero eso era imposible. No había tiempo, ahora. El apremio era demasiado mayúsculo, la urgencia, el acoso hacían correr..., fuera de que un trabajo tan gratuitamente placentero como el de compilar este libro, por serlo, a Judit no le serviría para descargar sus culpas. Con los dedos agarrotados en el alambre, las ansiosas narices pegadas a sus rombos, esperando ver a Lopito o a Mañungo moviéndose en la parte de atrás de la comisaría, divisaban desde la ladera el contorno de cerros pelados que rodeaba a la ciudad de cuadriláteros y tejas, y a veces el refugio verde de una higuera incontrolable. A sus espaldas se iba empinando poco a poco la ladera de secano y abrojos hasta conducir, mucho más arriba, pasados los bosques, a la Virgen monumental que con el amplio gesto irónico de su manto, seguía bendiciendo la ciudad a pesar de que ahora la sabía condenada.

Pero su bendición no era para este sector de la ciudad, al que le daba la espalda. A través del alambrado, desconsoladamente, Judit y don César, entre cicutas e hinojos, escudriñaban la comisaría: el fragmento de una modesta quinta decimonónica con su patio posterior en forma de U y galería de vidrios, techo de calamina y un frontón de madera descascarada disimulándolo. Modesta casa clásica con un horizonte moral distinto a los palacetes del centro, de las que a Judit le gustaría utilizar para su putativo libro, casas que hacían suponer gallitos de la pasión picoteando en el solazo del tierral, y a la vera de los membrillos se desteñían los desvencijados sillones de mimbre con cojines tejidos por una hermana inválida. Reducida y transformada ahora, marcializada, pintada por la policía, quedaba sólo parte de la U de la estructura original abierta hacia atrás, hacia el secarral que antes debió formar parte de la exigua quinta, trecho donde habían levantado un aro de básquetbol.

Todo tranquilo, pensó Judit. Aquí no ha pasado nada, ni pasará, porque pese a las enigmáticas piedras que los policías incomprensiblemente pintan de blanco, prevalecían los amables espectros de los habitantes pretéritos de este lugar de esparcimiento de una familia que no figuró en los anales. Cuando partiera a París con Mañungo, mañana, ni siquiera les avisaría a sus hermanas: desaparecería. Su nicho en el mausoleo gótico, tras la ventana de rosa, no lo ocuparía nadie porque ése fue desde siempre el destino de ese espacio insignificante al que la quisieron reducir. Amar a Mañungo. ¿Por qué no? Lo difícil era la palabra: querer, sí; amar, no; problema de semántica. Huir del recuerdo de ese espasmo de placer, algo puramente fisiológico como orinar o defecar, pero placer a pesar de todo: en la celda, la mano tímida perteneciente a un ser brutal le tocó la rodilla, y desde las otras celdas las mujeres gritaban, y ladraron los perros de hocicos ensangrentados. Las risas de los hombres eran lo más brutal de todo. Ese hombre la había seguido hasta el cementerio. Ella, anoche, no había podido disparar. Mañungo: huir de sus compañeras, que cualquier día descubrirían el secreto de su mentira y con la dureza de heroínas clásicas serían capaces de despacharla. Mañungo se la llevaría. Mañungo, que iba a salvar a Lopito: al que también, tal vez, podría llevarse lejos de todo este horror. Pero no. Ella sola y él solo. Sin testigos a quienes dar cuenta de sus pequeñeces.

—Estoy cansada —dijo.

—Esperemos.

—¿Qué?

—Que pase algo.

Ya habían intercambiado este mismo diálogo, agarrados de la misma reja, escudriñando la misma cancha de básquetbol, dos veces antes. Que pase algo. ¿Cuánto hacía que lo esperaban? A medida que avanzaban los minutos, y el sudor convertía el cabello rubio de Judit en una melaza pegoteada, iba acumulándose en ellos una necesidad de violencia, violencia de cualquier índole, hasta la más humilde e inmediata, derribar el cerco, gritar insultos, prenderle fuego a los matorrales del cerro: Don César decía que necesitaba su ayuda, pese a que ahora, a la hora nona, se había declarado contra todo extremismo armado. Pero ¿y anoche...? Que le explicara lo de anoche. ¿No fue un intento de violencia ese balazo al aire? ¿Cómo podía justificarlo? ¡Tantos estaban al borde de emprender la gran embestida, sin dirección ni estructura! Estaban haciendo un trabajo en un garaje muy discreto en La Reina. Ella y Lopito, en sus tiempos de universitarios, habían fabricado bombas caseras: el Frente Manuel Rodríguez tenía bombas potentes, pero aliarse con ellos sería someterse a una jerarquía que era necesario rechazar. Preparar bombas, nada más, para ponerlas a tontas y a locas y amedrentar a la policía, al régimen, a la población; era necesario hacer por lo menos eso porque la situación estaba insostenible y una de estas noches los mansos cartoneros ya no llevarían cartones en sus carricoches, sino que penetrarían al resguardo de la oscuridad en los barrios privilegiados cargando artefactos mortíferos bajo sus papeles, y gente escondida en ellos, dispuesta a todo, que atacaría porque ya no se podía más. Lo de Lopito no había sido una estupidez, puesto que dentro de la confusión de la conjura era lícita la torpeza de su desespero. Los buenos esfuerzos coordinados ya no llevaban a ninguna parte: era inútil trabajar con la esperanza de nada ahora —la simple esperanza de la sobrevivencia en paz, no sólo el trascendente sueño de la Lopita, era un absurdo—, y quedaba sólo la venganza, desestabilizar, hacerles insoportable la vida a estos hijos de puta, ya que ellos se la hacían insoportable a ellos. Judit sintió odio por don César porque le planteaba la lógica del terror, y la necesidad de sumarse a seres con una mentalidad en que se conjugaban tan pocos elementos y se rechazaba todo lo demás: la responsabilidad, acción, injusticia, venganza, nada de sutilezas, nada de matices, nada de facetas, ausencia de humanidad, sin historia personal que infaliblemente se reducía a casos como el de Lopito, que no supo qué hacer más que transformar el grito de dolor por su hija en una descarga de invectiva política.

—Mire —le dijo Judit a don César, como si él no hubiera estado mirando lo mismo que miraba ella durante todo el tiempo que hablaba el cuchepo, agarrado de la reja.

En el cuartel abrieron la puerta de la galería y salió un grupo de gente, entre ellos los cuatro muchachones de *shorts*, acompañando a Lopito esposado, que venía arrastrando los pies. Parecían estar burlándose de él porque sus risas eran enfáticas y hostiles, pero no podían estar seguros porque la escena se desarrollaba más bien lejos. Al pasar de la sombra de la casa al sol de la cancha, igual que en una película que se vela, los rostros se blanquearon de repente y quedaron todos iguales. Después de unos instantes, sin embargo, se establecieron otra vez las diferencias. Ése era Lopito. Le habían quitado la camisa. Judit sufrió un escalofrío: cómo no reconocer, aun desde lejos, el grano enfermizamente fino de su piel decolorada, cómo olvidar la repugnancia compasiva del viejo contacto resbaladizo. Lo rodeaban, interrogándolo, zahiriéndolo, pero Lopito, como si le hubieran quebrado una vértebra cervical, no levantaba la cabeza ante las sátiras de que era objeto. Los policías le gritaban, lo zamarreaban, pero Judit y don César estaban desesperadamente lejos para oír qué decían, o percibir nada salvo la indignación del capitán ante quién sabe qué negativa de Lopito, mientras los muchachones de *shorts* fluorescentes se pusieron a entrenarse en la cancha sembrada de estiércol. El capitán hizo callar a todos los de su piquete, dirigiéndole una pregunta perentoria al detenido, que no contestó, y todos, salvo los basquetbolistas que se azuzaban en sus lances, se quedaron petrificados ante la brutalidad de la negativa de Lopito. Don César, agarrado con más y más fuerza al alambrado, los nudillos de sus manazas blancos de tensión, murmuró muy bajito:

—Le van a hacer algo.

Y Judit tuvo miedo.

—¿Qué? —preguntó, también muy bajito.

Don César la miró sin contestar, volviendo al instante a escudriñar la escena. El capitán se dirigió a los integrantes del piquete con lo que sin duda era una orden, y obedeciéndole se metieron en una bodega mientras él mismo le quitaba las esposas a Lopito.

—¿Lo van a fusilar? —preguntó Judit.

—No.

—¿O a torturar?

—No torturan afuera.

Reaparecieron los tres uniformados arrastrando a duras penas un gran rodillo de cemento para apisonar el suelo. Los basquetbolistas gritaban y saltaban felices porque uno había obtenido una victoria. El capitán les mandó que se retiraran de la cancha, lo que hicieron, dejando la pelota en las ramas de un membrillo para que no se escurriera por el declive. El capitán volvió a dar una orden. Le entregaron el rodillo a Lopito.

—¡No! —gritó con voz ahogada Judit.

E inmediatamente después, consternados y sin considerar las consecuencias, agarrados histéricamente de la reja, se pusieron a aullar a todo lo que daban sus pulmones:

—¡Salvajes! ¡Está enfermo! ¡Lopito! ¡Si no hizo nada! ¡Lopito!

Pero la escena transcurría demasiado lejos y en el descampado se disolvían las palabras y la primera brisa de la tarde arrastró su indignación cerro arriba sin que nadie la registrara. Judit lloraba. A través de sus lágrimas, a través de las cicutas y del alambrado, vio a su amigo tratando de empujar y luego de remolcar el rodillo para

apisonar la cancha: apenas lograba cimbrarlo. Los demás
se refugiaron en el trapecio de sombra que la comisaría
proyectaba en el tierral. Parecían reír, o por lo menos estar de ánimo festivo, estos funcionarios desapegados, tal
vez contestando con chistes los insultos de Lopito de hacía media hora, a la salida del camposanto, que todavía
les escocían: curado, extremista, le gritaban, animándo-
lo como a una bestia de tiro. Pero no nombraban a la
Lopita y su fealdad, eran demasiado insensibles para
darse cuenta del significado de su minúscula figura y la
habían olvidado aun como un objeto de escarnio. ¡Que
trabajara, eso sí, que trabajara en la cancha para dejarla
planita, mientras ellos deliberaban para decidir qué iban
a hacer con él por haberse deslenguado! Lopito, aturdido por todo lo que estaba pasando, inclinó sobre el rodillo su espalda brillosa de sudor: Judit tembló imaginando
los ronquidos de su disnea acrecentados por el esfuerzo.
Cuando de repente Lopito se detuvo, incorporándose para limpiar con el dorso de su mano las gotas de sudor que
caían de su frente y seguramente cegándolo, Judit oyó
que los espectadores se desgañitaban:

—¡Ya! ¡Sigue, mierda!
—¿Que no erai tan agallado?
—Estos cabros tienen que entrenarse.
—¿Quién te mandó parar?

Al incorporarse con el gesto de secar el sudor de
su frente con su muñeca, después de un breve sosiego,
las piernas de Lopito cedieron, y plegándose lentamente
mientras los espectadores incrédulos dejaron de hablar
un segundo para mirarlo, cayó convertido en un montón. Los deportistas detuvieron su juego. Todos se aba-
lanzaron sobre ese desecho, fulminados por la rabia o el
temor, no para ver qué le sucedía, sino para desmentir
su colapso y obligarlo a incorporarse. Pero no pudieron.
El calor parecía haber disuelto definitivamente todos los

ligamentos de sus extremidades. Uno de los espectadores sacó un imprevisto estetoscopio del bolsillo de su chaqueta descontrapesada, e inclinándose sobre su pecho, lo recorrió con el aparato.

—¿Qué le pasó? —susurró Judit.

—¿Por qué no le dan una pastilla?

—Las botó. Yo lo vi.

—Que le vayan a comprar.

Pero después de decirlo, don César se quedó mudo porque sabía que esos tratos eran cosa de otros tiempos. Los policías iban y venían del cuartel al lugar donde el cuerpo yacía al sol sin que nadie se decidiera a mover a ese incordio. Le daban agua, eso sí, que no podía beber, palmaditas en la mano, le hablaban, le echaban aire con sus gorras, pero el tiempo para el aliento ya se había acabado. Después de un buen rato el médico hizo un signo negativo, inconfundible y definitivo con la cabeza.

—¿Agoniza? —preguntó Judit, falsamente esperanzada.

—No. Debe haberse muerto.

Judit soltó los dedos agarrotados de la reja y los brazos se le desmoronaron, y se dejó caer sentada entre los hinojos: quedó, se dio cuenta, de la misma altura que don César, todavía prendido a la reja, que también lloraba. No porque Lopito fuera su amigo, sino porque escarnaba el dolor general por la impotencia de todos ante esta y mil situaciones. Judit abrazó al cuchepo para que llorara con ella, porque ahora ya no quedaba nada en la cancha de básquetbol salvo el rodillo de cemento en un costado, y en la esquina de más allá, la pelota, como un fruto único, maravilloso y vacío, luciéndose en el membrillo de hojas plateadas. Judit lloraba, diciéndole a don César que debió haber ido a llamar por teléfono a Freddy Fox, capaz de arreglarlo todo, incluso, en este caso, la muerte. Pero todo fue demasiado imprevisto para actuar. Porque ¿a quién se le podía pasar por la cabeza que Lopito iba a morir? A nadie. Que no llorara, la consoló él, no era culpa suya: ella no tenía el privilegio de la omnipotencia, y de que todo fuera culpa suya. Que no llorara, le decía ella, porque Lopito, como toda la gente que sueña, y que lega sus sueños como él le legó a su hija su imposible sueño de gracia, está condenada, y no era culpa de ella que hubiera muerto. Judit, en todo caso, después de limpiarse someramente las lágrimas, dijo que mejor ir a buscar a Freddy Fox. Don César se opuso. ¿Para qué, ahora que Lopito estaba muerto? Ahora, lo que se imponía era el desquite, esconderse para que desde la noche de los barrios pudieran vengarse de estos forajidos. Porque esto, en buenas cuentas, había sido un asesinato: el médico, entre los funcionarios del cuartel, se tenía que haber dado cuenta de que el estado físico de Lopito, además de su borrachera, era lamentable. ¿Hicieron lo que hicieron con él, entonces, de puro brutos, por pura crueldad impensante, para divertirse como los niños con los animales? En el boquete de silencio que la muerte había abierto, Judit oyó rodar los buses por la avenida a lo lejos y las campanadas de la Recoleta Domínica, y de La Estampa, donde de chica su vieja nana la llevaba a venerar a fray Andresito a escondidas, porque era un culto plebeyo que su madre no hubiera aprobado.

—Vamos —dijo Judit ya de pie, con la cara embarrada de lágrimas y tierra.

—¿Adónde?

—A hablar con los pacos —respondió, echándose a correr mientras don César, encaramándose en su patín no sin cierto deleite ante la perspectiva del vértigo del declive, como un niño macabro, la siguió hecho un celaje ladera abajo, sujetándose el calañés para que no se le volara, y enseguida la sobrepasó, frenando expertamente en la bocacalle final.

Encontraron a Mañungo, que regresaba corriendo de la botillería. Le hicieron señas para que se escondiera con ellos en la calle lateral y los de la guardia no los vieran juntos. Judit se le echó a los brazos llorando: le contó la escena que acababan de presenciar en la cancha de básquetbol mientras los deportistas ejercitaban sus musculaturas. Mañungo no sabía del accidente. Al oírlo, no se deshizo, se endureció ante el contrasentido del asunto, y duro y huraño se desprendió de Judit diciendo que no era el momento para sollozos, si aún ni estaban seguros de qué ocurrió, ni siquiera si Lopito estaba muerto o sólo había sufrido un desvanecimiento. Que se calmara un poco. Pero don César, que sabía más, sin decir una palabra, movió su cabeza de un lado para otro, veredicto que Mañungo no aceptó. Desprendiéndose de Judit, que se había agarrado a él con todo su cuerpo, le dio un sacudón brutal y corrió a la comisaría. Adentro, jadeando de calor y furia, preguntó otra vez por don Juan López y el cabo de nuevo le respondió que esperara. Mañungo volvió a insistir, hosco, áspero esta vez. El cabo le explicó con la mayor gentileza que el capitán ya estaba a punto de salir y lo atendería enseguida.

—¿Cuánto voy a tener que esperar?

—Depende.

—¿Depende de qué?

—Bueno, depende del trabajo que tenga mi capitán.

—¿Y si está muerto?

—¿Quién está muerto?

—Mi amigo, don Juan López.

—Aquí no hay ningún muerto, le digo.

—Dígale a su capitán que Mañungo Vera desea hablar con él.

El policía alzó la mirada y la volvió a bajar: sabía,

entonces. Era una conjura. Lopito estaba muerto. El cabo le dijo:

—Espere ahí, por favor.

Mañungo se sentó otra vez en el mismo banco del pasillo donde estuvo antes de ir a telefonear a Freddy Fox en nombre de Judit. Esperaba quién sabe qué, y para qué: que saliera el oficial, era de suponer, o que le mostraran a Lopito, o que alguien explicara algo, o que llegara Freddy Fox, que después de decirle por teléfono que se sentía muy halagado de hablar con una persona como él le aseguró que dentro de un cuarto de hora, de veinte minutos a lo sumo, estaría allí. Podía telefonear una orden, es cierto, pero nada era tan seguro como la presencia imponente de un personero como él. Además, él se hacía una fiesta de conocerlo personalmente porque lo admiraba mucho. Detrás de las puertas que daban al pasillo se oían exactamente las mismas voces que antes de la muerte de Lopito, como si éste estuviera departiendo amenamente con los oficiales. Ahora, eso sí, un poco más quedas esas mismas voces, y Mañungo sintió un escalofrío ante esta mínima alteración del tono. ¿Lopito muerto? No podía ser. No era verdad. Era un error histérico de Judit, una malevolencia de don César. ¿Lopito, el de *Ich grolle nich,* el de la bata de viyela, se había desbarrancado en una de las locuras de la *Kreisleriana,* ya sin poder —¿o sin querer?— salvarse? Porque todo este asunto no había sido tan distinto, al fin y al cabo, a amarrarse un velador al cuello y lanzarse al Rin. En todo caso era la raya final, la de la suma. O la de la resta, más bien: el destino del díscolo Lopito cumplido abyectamente, como debía cumplirse, tal vez como debía cumplirse el suyo, y el de Judit, y el de todos, simplemente porque un buen día ya resultaba imposible seguir soportando las cosas y uno gritaba un poco más de lo prudente. El corazón de Mañungo sintió el mordisco de la pena al darse cuenta de que él no quería seguir viviendo ni un momento más en un país capaz de matar al imbécil de Lopito. Nada significaba nada, ni París y caminar en la noche bajo las sacras ventanas de Sartre rumbo al Sena con la mano de Judit en su mano, ni una visita a la lápida de Córtazar en el cementerio de Montparnasse, piedad a la que se sentía con derecho porque una vez lo conoció, y se rieron, hermanos, porque ambos eran más altos y desgarbados que todos los asistentes al concierto, y con la barba más negra y con los pelos más largos. Aprovechando una breve ausencia del cabo, Mañungo se encaminó a la puerta que tapiaba las voces. La abrió. El médico de mirada aviesa, en mangas de camisa y sentado a medias en la camilla, fumaba bajo un letrero que decía SE PROHÍBE FUMAR, charlando con el capitán en voz baja, como si conspiraran sobre asuntos galantes. Se pusieron de pie al verlo entrar.

—¿Qué hace aquí?

—¿Quién le dejó entrar?

—Quiero saber qué le pasó a don Juan López.

—Más respeto, señor.

—¿Y ustedes, a quién respetan?

—¿Quién es usted para interrogarme?

—Mañungo Vera.

—¿Y quién es Mañungo Vera?

¿Cómo contestarle, simplemente *soy yo?* ¡Qué diablos! Que le fuera a preguntar a sus subalternos más jóvenes, a los que jugaban básquetbol, a ese que lo había reconocido al instante a la entrada del camposanto por Recoleta: este capitán, y este sórdido mediquillo de párpados colorados y temblorosos dedos plomizos en las coyunturas, y un traje al que el tiempo le había dado un color canela, estos funcionarios eran demasiado viejos para reconocerlo con el entusiasmo debido, porque pertenecían a una generación que a él lo ignoraba. ¡Que el famoso capitancito de bigote recortado y blancas manos de señorita esperara la llegada de don Federico Fox, para que él, entonces, desde su altura, le identificara a Mañungo Vera! El oficial aprovechó la perplejidad pasajera de Mañungo ante el hecho insólito de que todos se negaran perversamente a reconocerlo:

—Por favor, retírese.

—No me voy a retirar hasta que me digan qué le hicieron a Lopito.

—¿Por qué le vamos a haber hecho algo nosotros?

—Lo mataron.

—Retírese si no quiere que llame a la guardia.

—¡Ándate a la mierda, paco desgraciado! —aulló Mañungo—. ¡Mataste a Lopito y quién sabe a cuántos más!

El médico había abierto la puerta y estaba llamando a la guardia. Aparecieron tres uniformados que se apoderaron de Mañungo, que les gritaba:

—¡Asesinos! ¡Criminales! ¡El médico no quiso darle remedios a Lopito! ¡Ésta me la pagan!

El capitán se rió y después se puso muy serio:

—Ésas son acusaciones graves. Capaz que el que vaya a pagarlas sea usted.

—¿Les parece poco grave lo que acaban de hacer?

—Nosotros no somos culpables si a este señor López le dio un ataque aquí en la comisaría.

—Claro: reventó porque ustedes le obligaron a hacer fuerzas y estaba enfermo.

—¡Enfermo! ¡Así le dicen, cuando son intelectuales! ¡Borracho, eso es lo que estaba! Bueno, yo no estoy aquí para darle explicaciones a nadie. Ya escribí el certificado.

—Llévenselo. Tómenle los datos y mientras espera el parte oficial que le informará sobre su compinche, enciérrenlo en el calabozo número dos —mandó el capitán.

Hacía diez minutos que Mañungo estaba encerrado cuando Judit, que ya no pudo tolerar la espera, se arriesgó a ir a informarse en la comisaría pese a los ruegos de don César de que no lo hiciera. Los policías le respondieron que por desgracia el señor López estaba incomunicado por el momento. Nadie podía hablar con él. Y el capitán estaba en un interrogatorio, de modo que no podía atenderla. Judit preguntó:

—¿A quién están interrogando?

—A un señor Vera.

—¿Y usted no sabe quién es Mañungo Vera?

—Mañungo Vera debe haber muchos.

—¿Y Juan López?

—También.

—¿Cómo está Juan López?

El cabo no le contestó. Y sin atreverse a revelar su identidad posiblemente incriminada, Judit salió de la comisaría dando un portazo, para ir a reunirse en la bocacalle con don César. Cuando oyó que a Mañungo lo tenían preso, don César dijo:

—Pero Ju...

—¿Qué?

—Hay que avisar.

—¿A quién?

—A los diarios, a la televisión, a las revistas. La noticia de que tienen preso a Mañungo Vera va a circular por el mundo entero en un cuarto de hora, y esto se va a llenar de periodistas, y la propaganda anti-régimen a nivel mundial puede ser tremenda.

¿Era preciso utilizarlo todo, entonces? ¿No permitir que ni una gota de dolor se escurriera? ¿Era necesario metabolizar en la forma más útil, y por quién primero se avispara, los pobres restos de Matilde, la muerte de Lopito, el sueño destrozado de la Lopita, el dolor de Mañungo por su amigo, y por Judit, cuyo sueño, a raíz de todo esto, aparecía ahora como algo tan imposible como cualquier sueño en este país? ¿A qué podía conducir el encarcelamiento de Mañungo si ella no se adelantaba a las hienas? Sin pensarlo más, Judit corrió a la botillería para hablar por teléfono: en diez minutos aparecieron periodistas ávidos de primicias, tomándoles declaraciones al capitán atrapado en esta coyuntura en que no supo qué hacer ni qué decir, y al cabo ufano de la notoriedad, voces y más voces exigiendo que Mañungo hiciera declaraciones, que contara su versión de los hechos que iba a ser, sin duda, la versión que todo el mundo creería porque Mañungo Vera era Mañungo Vera, y tenía una pastosa voz de barítono y una sonrisa de conejo y unos anteojitos de ribete de oro que habían lanzado una moda.

Pero por desgracia, insistió el oficial, Mañungo Vera quedó incomunicado hasta que llegaran órdenes superiores. Nadie desde fuera de la jerarquía era capaz de alterar ese veredicto. Cuando por fin llegó Freddy Fox sudando y relamiéndose de festines pasados o futuros, y Judit y don César acudieron a interceptar su entrada en la comisaría, Freddy rió, diciéndoles que lo siguieran sin miedo, él haría soltar a Mañungo Vera: que dijera lo que se le antojara decir. La noticia ya se había dado con carácter de urgente en todas las radios y los corresponsales extranjeros establecidos en Chile en espera de que «sucediera algo», se hallaban reunidos en el pasillo, antes desierto, con libretas de apuntes y reflectores y un nidal de cables, esperaban que soltaran a la estrella cuyo misterioso regreso al país de incógnito después de doce años constituía en sí una noticia de primera plana, y para qué decir nada de su encarcelamiento por la policía del régimen en la comisaría de un barrio de mala muerte. En el pasillo, Freddy se enfrentó con el oficial en medio de la batahola de curiosos del barrio por donde se había corrido la voz del extraordinario acontecimiento, y de la multitud de reporteros, y allí mismo, ante todos, increpó al oficial, que era un patán desinformado, un ignorante por haber puesto su mano encima de una figura pública que era esencialmente apolítica —sobre todo era conveniente conservarla así, apolítica, ya que estos artistas no eran de confiar—, aunque los hubiera llamado asesinos.

El capitán, huraño después de lo verboso que estuvo antes de la llegada del imprevisto «personero», se encerró con él en la enfermería para explicarle en detalle el caso de Juan López y su hija: una tontera, en suma, que no por culpa suya había terminado mal. Invitó al ilustre visitante a pasar a la cuadra donde de noche dormían los uniformados, pero antes de entrar, Freddy le rogó que tuviera la bondad de llamar a Judit para que los acompañara —«es una prima mía que tuvo la gentileza de venir conmigo; creo que conocía al extinto...»—, y al entrar, ella dejó que su primo la besara en la frente. Dentro de la cuadra, el oficial levantó la esquina de una de las frazadas verde-oliva que cubrían todos los camastros, y el perfil de Lopito, en la penumbra, sus facciones ordenadas por la discreta mano de la muerte, cortaron la respiración de Judit con la tremenda sorpresa de lo esperado. Sin embargo, no se permitió llorar. Ya había llorado demasiado. Y se preparaba para llorar aún más cuando terminaran de interrogarla, llorar no sólo por el dolor de Lopito, sino porque se vio perdida, sin saber qué sería de ella ni quién sería, cuál su rostro y cuál su corazón cuando todo esto cambiara, y entonces odiar no fuera la única forma de existencia. ¿Cómo se llamaba la mujer de Lopito? ¿Dónde vivía? ¿Dónde trabajaba? Esas preguntas que le dirigían Freddy y el oficial y que debía responder, no eran más que una censura en el ritmo implacable del dolor, datos para completar los sórdidos trámites de cualquier muerte. ¿Cómo se llamaba la modestísima escuela donde la Flora enseñaba trabajos manuales, y cuyo nombre, por vergüenza, Lopito le ocultaba a casi todo el mundo? Pero contemplando ese rostro rejuvenecido bajo la esquina de la frazada que la mano del capitán mantenía alzada, Judit supo que porque ella —y Lopito— se definían sólo gracias al odio, la vida les dolía insoportablemente por esta triste mutilación a que los había sometido este momento de la historia. Los labios de Lopito se movieron al susurrarle: no te vayas con Mañungo a París para extirpar tu odio porque entonces dejarás de existir, no se puede escapar, ése es sólo un sueño desgarradoramente sentimental perteneciente a un mundo que para nosotros no existe. La concordia no es más que una abstracción bonachona ante tanta sangre y tanta muerte, y con una especie de hambre Judit recordó los viejos tiempos del peligro diario y de la clandestinidad que fugazmente la había dotado de una forma. Entonces, el oficial dejó caer la frazada sobre el rostro de Lopito, y Judit se desmoronó en los brazos de Freddy.

Salieron de la cuadra, Judit sostenida por su primo. En la oficina del capitán, Freddy marcó el número del teléfono privado del ministro. Después de unas palabras de entendimiento que dejaron en claro que el destino del asunto Juan López había sido decidido antes de la llegada de Freddy a la comisaría, el «personajero» le pasó el fono al capitán: él lo alejó un poco de su oído al escuchar los gritos del ministro exigiendo que se pusiera en libertad inmediata a Mañungo Vera, y que con el otro asunto no lo molestaran, no tenía tiempo para estupideces.

Cuando Mañungo, unos minutos después, salió de su calabozo, los periodistas lo asaltaron, preguntándole cuántas horas estuvo detenido, y por qué en una comisaría de Recoleta, y si su detención tenía algo que ver con el funeral de Matilde Neruda. No, les dijo. Estaba allí debido a la muerte de su amigo Juan López. Y les contó su vieja, familiar historia: la miseria, el alcoholismo, la infinidad de promesas que la vida no cumplió con él y él no cumplió con la vida, su comportamiento débil y díscolo a la vez, la defensa de su hija, y una vez en la comisaría, el abuso del capitán al hacerlo pasar el rodillo a todo sol, estando tan evidentemente enfermo. Freddy lo escuchaba con una sonrisa de beatitud, explicándole a Judit al oído, que después bastaría un telefonazo para censurar todos estos despachos de prensa, alterándolos de modo que resultaran a favor de la autoridad, y si no, prohibiéndolos: para algo les pertenecían todos los órganos de prensa y la realidad podía tomar la forma que ellos eligieran. Los periodistas quisieron tomar fotos de Lopito junto a su mejor amigo, el cantante inclinado, tal vez, sobre su cadáver como para reconocerlo, pero Mañungo se negó.

—¿A qué volvió a Chile en estos momentos? —interrogaron a Mañungo los reporteros?

—A quedarme.

—¿Por cuánto tiempo?

—Para siempre.

—¿No declaró en la casa de Neruda, anoche, que su visita sería corta porque no entendía la situación de su país?

—Ahora la entiendo.

Lo pensó un instante y luego continuó:

—He cambiado mis planes. En todo caso, después de veinte horas en mi país puedo asegurarles que nunca he tenido nada tan claro como que me vengo a quedar.

—¿Para definir su acción política?

—Puede ser.

—¿Lucha armada?

—No, si no es para defender mi vida, o la de alguien...

—¿Canciones?

—Eso quisiera. Aunque quién sabe si las bombas no van a ser la única alternativa. Ellos tienen la culpa. ¿Porque qué se puede hacer, si nos fuerzan a la violencia quitándonos toda esperanza? No justifico las bombas. Pero las comprendo.

A nadie le interesaba Lopito porque el caso Juan López se había transformado en el caso tanto más interesante de Mañungo Vera. Los trámites en la policía fueron breves gracias a la intervención de Freddy, y Judit y Mañungo salieron abrazados a los pocos minutos. Un poco más allá se les unió don César y rodó un rato junto a ellos. En la canícula que iba cediendo, de las casas de la acera de enfrente se desplomaban anchas franjas de sombra. Mañungo dijo que le había prometido a su hijo ir a encontrarse con él en *Chile en miniatura,* donde tal vez estaría echándolo de menos.

—No me gusta que estés en un hotel —le dijo Judit—. Es demasiado fácil para esta gente vigilarte ahí. Es..., bueno, casi como si no hubieras llegado, o como si...

—¿O cómo si no me fuera a quedar?

—Ven a instalarte en mi departamento. Tu hijo puede dormir en la pieza donde durmió Lopito. No es tan lujoso como tu apartamento en París, pero...

—...pero en cambio tienes una bata de viyela azul...

—¿Qué tiene que ver eso?

—Vamos a buscar a Jean-Paul.

—¿Qué vas a decirle?

—Eso lo decidiré en el taxi.

En ese momento se dieron cuenta que don César los había abandonado, tal vez por discreción, tal vez porque se dio cuenta que de una manera o de otra el odio de esos dos en algún momento se podía sumar al suyo. Oyeron rodar su patín calle abajo, en la otra manzana.

Judit tomó a Mañungo por la cintura y un poco más allá él enlazó la de ella.

—Pero no le mientas a Jean-Paul —le rogó Judit—. Por nada del mundo le digas que te quedas por amor a mí.

Mañungo se detuvo para mirarla, manchada de lágrimas y desgreñada, a todo sol. Le contestó:

—Es que no me quedo por amor a ti. Eso lo sabes.

—¿Por qué te quedas, entonces?

—¿No viste lo que sucedió esta tarde?

—Sí.

—Entonces también lo sabes.

Mañungo hizo parar un taxi.

—¿Vamos? —invitó a Judit, abriendo la puerta.

Ella se cubrió la cara con las manos, sollozando por fin.

—¿Qué te pasa?

—Es que..., es que... —balbuceó ella—. Es que ahora puedo enfrentarme con cualquier cosa..., pero no con la Lopita...

Y salió huyendo a toda carrera.

39

Era un precioso país de juguete: los árboles y los lagos, las montañas nevadas de cartón piedra, la delicadeza de los edificios históricos reproducidos con hiperbólicos lujos inventados, los lentos canales envolventes, las playas doradas, la pampa, los muñequitos humanos y los animales indolentes que pastaban en campiñas que caían hasta caletas edénicas con lanchitas de colores varadas en la playa. Todo bonito y pintadito, en este país ideal: bonito, no bello, sin la semilla de lo terrible, lo cómico y lo trágico que le daría carácter, toda esta viñeta de lo perfecto, un ingenuo —o tan ingenuo: más bien intencionado— canto a un supuesto aunque a todas luces endeble progreso de la nación. LAN CHILE, PROVIDA, COPEC, AMBROSOLI, firmas distinguidas que en sus pancartas junto a los caminos de juguete atestiguaban su pujanza, su orden y su limpieza, y la incansable industria de sus ciudadanos libres viviendo en paz junto a volcanes nevados, bosques siempre verdes y lagos eternamente azules. Esta visión paradisíaca estaba recorrida por caminos transitados por el público maravillado de reconocer su retrato en este pequeño espejo mágico que les permitía preguntarse con emoción: ¿somos realmente así? y creerlo. Pero quizás si no fuera por los enrejados que separan los paisajes de miniatura de los visitantes de porte normal y de carne y hueso, éstos quizás lo destruirían, pisoteando sus prados y bosques o robándose, para llevarse un arbolito de juguete como recuerdo, hasta que no quedara ninguno, o destrozar por el simple y humano placer de hacer el mal.

La realidad del país completo, por cierto, no alcanzó a caber en el lote de terreno que los ediles asignaron para esta obra. Por eso, los imaginativos arquitectos se vieron obligados a desplegar su fantasía con bastante juicio, cortando y eliminando esto o aquello, abreviando distancias y alterando relaciones, y borrando definitivamente zonas completas que por su falta de interés o su monotonía o su pobreza o su dificultad para idealizarlas, era mejor dejar fuera del proyecto, como tenía que ser, porque en una miniatura no cabe todo ni se deben incluir cosas poco simpáticas.

Así, en el extremo sur de este largo y estrecho país, en la parte donde no existe una industrialización que financie la publicidad que significan las pequeñas construcciones y pancartas perfectamente reproducidas —¡NO CORRA! ¡AMBROSOLI HAY EN TODAS PARTES!— junto a las carreteras por donde circulan los autos que hacen el deleite de los niños, el país queda repentinamente tronchado por una masa de hielo de cartón piedra, escamoteando toda región al final del país, tanto que la Lopita y la Marilú se estaban riendo a gritos de Juan Pablo porque por mucho que el niño apesadumbrado buscara por los complicados meandros del camino para peatones, no podía encontrar a Chiloé, que no existía, o ellas lo habían convencido de que no existía, porque ellas sí que lo habían encontrado, escondido e insignificante al final de un retorcido caminillo junto al agua, de cuya entrada una y otra vez lograron distraer a Jean-Paul. ¿Dónde, dónde quedaba Chiloé? ¿Era verdad que existía? ¿No lo había inventado su padre para subsanar el problema de no saber quién era ni de dónde, y mentirle que no era de París ni de Chile, sino de un sitio inexistente llamado Chiloé? La Lopita y Marilú, del brazo detrás de él y burlándose, seguían a Juan Pablo, que desesperado en los meandros del paseo ya no disfrutaba de nada, deletreando letrero tras letrero sin encontrar Chiloé, y con la sensación de que él, al contrario de la Marilú o la Lopita, que iban ufanas y desviviéndose por admirarlo todo para ver qué cara ponía Jean-Paul, no era de ninguna parte. Tenía sus ojos azules llenos de lágrimas que aún no caían y los labios balbuceantes, blandos y temblorosos.

Un poco más tarde, cuando Fausta y Celedonio anunciaron que ya se aproximaba la hora del final de la visita porque estaban cansados, los niños protestaron, y don Celedonio dijo que si se iban a quedar más, él buscaría un banco donde sentarse. Lo vieron alejarse, cabizbajo y cansino porque habían sucedido demasiadas cosas, cojeando con su bastón de empuñadura de oro, hasta quedarse santamente dormido un poco más lejos, bajo un pequeño sauce. Fausta, que por su parte se había separado de los niños que corrían a su aire, de pronto se detuvo al final de un sendero, y leyendo el cartel, comenzó a llamarlos con sus brazos como aspas, para que acudieran sin tardanza a su entusiasta convocatoria. Los niños corrieron hasta ella, y allí, junto a los canales azules, en las dulces riberas verdes de una de las islas escondidas en las ensenadas, vieron el letrero: CHILOÉ: PALAFITOS. Eran extrañas construcciones de madera con frágiles patas de aves marineras metidas en las bajas mareas, y reflejadas en las mansas aguas del archipiélago que no era otro que el de *Chiloé*. Juan Pablo les sonrió triunfante a sus amigas, que quedaron encantadas con las pequeñas casitas, tan raras, tan distintas a todas las demás.

Fausta les enseñaba las islas a los niños, sobre todo a Jean-Paul, a quien tenía abrazado para que el calor de su cuerpo aliviara los resabios de su melancolía de apátrida, mientras la Lopita no se podía estar tranquila porque su alegría vital en perpetua renovación se lo impedía, y la Marilú tironeaba porque estaba comenzando a aburrirse.

—*Mais où est le gran bateau?*

—¿Qué buque?

—¿Que no ves que aquí no hay buque? —dijo la Lopita.

—*Le bateau magique dont mon père parlait.*

—Espera... espera: ya lo vas a ver, en cuanto oscurezca un poco y comience a espesar la neblina. ¡Por ahí! —exclamó Fausta, señalándole una isla de alta vegetación sobre la que graznaban pájaros y se reunía una nube plateada desde donde sopló el viento que agitaba las olas de los canales—. Mira con cuidado: hay que aprender a mirar con cuidado para aprender a distinguir el gris de un cielo de tormenta, del gris que es apenas como un halago: ser capaz de analizar matices es un ingrediente muy importante de la inteligencia. Mira más allá de la península rocosa donde brama el lobo de mar que hasta aquí se aventuró: por ese lado va a venir el buque de arte. Espera que se junte más neblina y que el aire se llene de reflejos, preparándose para la noche o para la lluvia. Atiende: ¿no oyes muy lejos, como un quejido, la profunda campana de bronce, que tañe y tañe, y les advierte a los otros barcos enredados en los canales, que se aproxima el buque de arte, y que se aparten de su paso? Pon atención, Jean-Paul, que para conocer hay que fijarse en cada detalle y ver sus diferencias, y comprender cada noticia que traen los distintos vientos de otras partes. ¿No oyes la música? Dime qué son. Debías saberlo. ¿Guitarras o cítaras o mandolinas? Oye, están tocando una zarabanda, que dicen que es el baile del diablo. ¿O será una habanera? ¡Ah, las habaneras lentas, lentas, que he bailado yo a bordo del buque de arte, y los aplausos de Pablo y Matilde y Celedonio y de los otros! Este buque de arte posee el don de las transformaciones: Caleún, gente transformada. ¿No lo sabías? Nosotros, si nos atrevemos a embarcarnos cuando el buque llegue a este

litoral con los primeros albores, nos vamos a poder transformar en lo que queramos, como tu padre se ha transformado. Pero si nos quedamos en tierra seremos siempre los mismos, prisioneros de esta miniatura de mentira
porque las mentiras son siempre miniaturas. ¿Quieres
que nos embarquemos? ¿Oyes el canto de los marineros,
el vértigo de los rigodones, las risas y las mandolinas, el
bronce de la campana que vibra en la niebla? Mira, mira,
allá: por fin viene nuestro buque de arte... Mira cómo se
agrandan los ojos de sus luces en la neblina, cómo canta
su campana saturando el aire. ¿Y sabes por qué cantan?
Porque quien se embarca en el buque de arte y se entrega
a sus bailes y participa de su banquete, es transportado al
sur, más allá de estos hielos de cartón piedra, a un micro-
clima de árboles que dan pan y fruta y el aire es tibio y los
pájaros tienen gorgueras de colores, y allí se levanta una
ciudad de oro que refulge como el velamen del buque, y
quien se atreve a embarcarse en el buque de arte vivirá
para siempre, y no conocerá el insulto de la muerte.

Fausta pensó que debía escribir todo esto, repe-
tido y oído tantas veces, pero que nadie sabía contar como se debe hacer. ¡Hacía tanto tiempo que no publicaba
nada que quizás fuera el momento preciso para renovar
su pasaje a bordo del buque de arte, para que no se olvi-
daran de su derecho a él! En todo caso lo consultaría
con don Celedonio, pensaba, mientras seguía hilvanan-
do esta leyenda para oídos ingenuos que tal vez no lo
fueran tanto..., las canciones, las sirenas, los brujos be-
nignos, los árboles medicinales, las clásicas intervencio-
nes de los seres sobrenaturales, la gloria: en fin, la eternidad. Extáticos, los niños la escuchaban. E incluso otras
personas que habían acudido a ver *Chile en miniatura*
para participar de la fantasía de un país próspero, más
inexistente que el país de esa extraña rapsoda de largos
atuendos negros. Quedaron encantados escuchando a la

escritora —pronto se divulgó que era una escritora extraordinariamente famosa, un poco bruja— que improvisaba para sus nietos. Sí, debían de ser sus nietos, murmuraban, la familia perfecta en el país perfecto. ¡Que miraran la ternura con que abrazaba al niño de pelo rubio quizás demasiado largo, con qué seguridad se afirmaba en sus gruesos muslos de matriarca la niñita fea vestida de color obispo, y el arrobo con que contemplaba a su abuela la niña un poco más grande, que indebidamente se había maquillado la cara! Muchos visitantes habían oído antes la leyenda del barco que surcaba los sombríos canales y se sumergía en ellos para resurgir renovado de las aguas, pero jamás tan bien contada, ni tan delicadamente expresada como por la voz un poco ronca de esta dama misteriosa de vestiduras mitológicas, que arrastrándolas alzaba sus brazos cuajados de joyas bárbaras, como una aparición digna de tripular el barco de que hablaba.

Fausta estaba tan encantada con su propio relato, que tardó un instante en darse cuenta que los niños se desprendían de su caluroso regazo, y corrían, gritando de júbilo, hacia la entrada de *Chile en miniatura*. La Lopita trinaba alegremente a la cabeza.

—*¡No corra, que Ambrosoli hay en todas partes!*

Iba delante de los otros dos porque fue la primera en avistar lo que la arrancó primero a ella, y después a los otros, del ámbito de la leyenda. Pero en cuanto los vio correr, con mucha dificultad por sus sandalias de tacón alto y su gran volumen y los trapos que arrastraba, Fausta también corrió tras ellos para no perderlos de vista, sin comprender ni percibir, sin embargo, porque era muy corta de vista, aquello que había precipitado la carrera de los niños. Hasta que un poco más adelante se dio cuenta, cuando oyó a la Lopita, que con los brazos abiertos se precipitaba a toda carrera, chillando:

—¡Tío Mañungo! ¡Tío Mañungo!

Y detrás gritaba la Marilú:

—¡Tío! ¡Tío! ¡Ahora me toca a mí!

Y Jean-Paul, intentando desplazarlas, gritaba:

—*Papa, papa!* —contento de verlo regresar solo—. *Papa. Où étiez vous?*

Los tres niños se enredaron en las largas piernas de Mañungo. Pero a pesar de los requerimientos de su hijo, y que la Marilú le insistía, ahora me toca a mí, ahora me toca a mí y que sin duda ahora le tocaba a ella, fue a la Lopita a quien Mañungo levantó en sus brazos y la encaramó sobre sus hombros, desde donde la niña comenzó a saludar a toda la gente que pasaba mientras iba avanzando con ella en andas para encontrarse con Fausta, que al verlo venir con el rostro tan dolorosamente cambiado por un brujo maligno, no tuvo necesidad de preguntarle qué había sucedido.

Castro (Chiloé), enero de 1985
Santiago de Chile, febrero de 1986

Este libro se terminó de imprimir
durante el mes de septiembre de 1998,
en los talleres de Antártica Quebecor S. A.,
ubicados en Pajaritos 6920,
Santiago de Chile.

de sopetón
solapada
desollar
zamarrear
brizar
recado
a trancos
ralear
atalaya
cachar
cotizar
sordina
dancothar
amoratar
esperpento
remedar
garbo
zanjar
retazo
cuneta

apabullar
achatado
bisoño
anguria
irrisorio
sobajear
escama
pandey
vatear
comedido
desmañado
mofar
celaje

1952